Le voyageur qui n'arrive jamais

Gilles Proulx

Le voyageur qui n'arrive jamais

Avant-propos

J'ai visité tous les coins du monde. Le lourd bagage de leçons et de richesses que j'ai accumulé, depuis plus de 40 ans, au gré de ces périples, a fini par m'apprendre à regarder le monde plutôt qu'à en voir seulement les paysages à travers les brochures d'agences de voyages. Au fil du temps, grâce à cet œil que j'ai posé sur tous les territoires et aux innombrables anecdotes que j'en ai rapportées, j'ai réussi à donner la piqûre à ma famille, mes amis, mes collègues et mes auditeurs, tous curieux de vivre l'aventure en ma compagnie.

Aujourd'hui, avec cet ouvrage, c'est à vous, lecteur, lectrice, que j'ai envie d'offrir mes souvenirs de route afin de vous transmettre le désir d'emprunter ces sentiers avant qu'il ne soit trop tard. Le progrès et l'insouciance de l'animal social qu'est l'homme risquent d'altérer et de dénaturer nombre d'endroits, comme vous le lirez dans ces pages.

Ce livre se veut à la fois un carnet de voyage et un résumé de ma vie. La mémoire étant ce qu'elle est, j'ai cru bon, avant qu'elle ne s'efface, rassembler les souvenirs de ces destinations lointaines ou rapprochées, exotiques ou non, périlleuses ou paradisiaques.

J'ai voulu me raconter à travers ces récits et, à la fois, vous brosser un tableau de ces nombreux pays qui ont accueilli mes pas.

Je profite de l'occasion pour saluer bien haut ceux qui m'ont donné le coup de main nécessaire pour accoucher de ces centaines de pages. Vous remarquerez que je ne m'attarderai pas sur certains pays que j'ai vus — et que vous avez probablement vus également. Mon but est de m'arrêter sur les émotions, les peurs et les émerveillements que j'ai vécus au cœur de ces royaumes qui ne sont pas toujours faciles à visiter. C'est d'ailleurs pour cette raison que la chaîne de télévision Évasion m'a cédé une place à son antenne, tout comme cette maison d'édition, qui a cru bon de faire entrer cette odyssée dans la mémoire collective.

J'ai également eu l'honneur de partager certaines de mes aventures avec de nombreuses personnes. Je ne les nomme pas toutes, mais cet ouvrage leur est dédié !

Je ne peux conclure sans remercier Raymond Paquin, qui a travaillé à la recherche des exactitudes tant géographiques qu'historiques des bleds les mieux cachés du monde. Je salue aussi Lise Durocher et France Ortolano, qui m'ont débarrassé des redondances, ainsi qu'Élyse-Andrée Héroux et Marcel Dugas, qui ont participé à l'élaboration de cet ouvrage.

Bonne lecture et bon voyage !
Gilles Proulx

PREMIÈRE PARTIE
L'horizon appelle le voyageur

Introduction

Il n'y avait rien de bien spectaculaire dans les actualités du 5 avril 1940. Toutefois, on parlait de cette drôle de guerre qui allait bientôt enflammer l'Europe, bien que l'honneur de la France et celui de l'Angleterre fussent encore saufs.

Le monde retenait son souffle. Je suis né ce jour-là au 157 de la rue Willibrord, à Verdun. C'est un fervent admirateur de Napoléon Bonaparte, le docteur A. D. Archambault, qui aida ma mère à accoucher de moi, sous l'œil éberlué de mon frère Jacques, de cinq ans mon aîné, qui se demandait bien ce que le bon docteur était alors en train de faire à sa mère.

Resté seul dans la cuisine, mon père attendait sagement que l'accoucheur lui confirme le sexe de son nouveau-né. Si mes parents avaient écouté le curé, ils auraient eu plusieurs autres enfants. Ce n'était pas encore le baby-boom, mais le taux de natalité des Québécois grimpait en flèche. Cette « revanche des berceaux », comme nous l'appelions à l'époque, était si essentielle à notre survie et à notre épanouissement culturels qu'elle nous rendait parfois un peu excessifs...

Mon souvenir le plus lointain date de ma petite enfance, au début des années 1940. Ma mère avait l'habitude de m'emmitoufler dans mon gros carrosse-landau et de m'installer au milieu du parterre, devant la maison, pour y prendre l'air. Il faut dire qu'en ces temps révolus, les risques d'enlèvement étaient minimes, et la peur n'en était pas aussi répandue qu'aujourd'hui. L'affaire de l'enlèvement du bébé de l'aviateur Charles Lindbergh, survenu en 1932, avait bien eu un certain retentissement, mais pas assez, visiblement, pour inquiéter ma mère.

De mon landau, j'apercevais, juste en face de chez moi, le chantier de construction de la maison des Vigneault, une famille de Madelinots venue s'établir à Verdun. Je le voyais tous les jours, mais, ce matin-là, il y avait une énorme pelle mécanique qui creusait, une grosse excavatrice dégageant une tonne de vapeur, un monstre suant et grondant, menaçant. Tout petit, j'étais là à regarder la bête dans les yeux, incapable de m'enfuir. Ma mère ne m'entendait pas hurler...

Je repense encore parfois au sentiment de solitude que j'éprouvai enfant, ce sentiment d'avoir été laissé seul et de ne pouvoir compter que sur moi-même, que sur la force de mes poumons, pour être entendu. Ce fut peut-être là ma façon de faire mes «vocalises» en préparation de cette carrière qui serait la mienne, de cette vie de crieur public comparable à ceux du Moyen Âge.

La petite école duplessiste que je fréquentai par la suite était française et catholique. L'Église du temps était influente; elle gérait les écoles, les hôpitaux, les bibliothèques et nous accompagnait à toutes les étapes de notre développement collectif, et elle nous certifiait que les protestants, entre autres impies, allaient directement en enfer... Ainsi, à l'école, nous étions «entre nous». Nous défendions jalousement notre territoire contre l'intrusion des «étranges». Frileux de l'âme, nous excluions d'emblée les Grecs, les Italiens, les Irlandais, les Portugais et les juifs, pour ne nommer que ceux-là. (Faut-il s'étonner que les immigrants nous aient fait faux bond quand nous leur avons demandé de voter OUI en 1980, puis en 1995?...)

Malgré ces guerres de tranchées auxquelles je me livrais à l'école, je demeurais tout de même un enfant. À la maison, mes jeux étaient ceints de contraintes, comme ceux de tous les enfants. Depuis le trottoir qu'il m'était interdit de quitter, le théâtre de mes premières observations, c'étaient les façades des bâtiments d'en face.

Il y avait toutes sortes de choses de l'autre côté de la rue, dont le local de l'Armée du Salut, fermé depuis 2007. Je devinais bien qu'il ne s'agissait pas d'une véritable armée, mais je ne comprenais pas pour qui et pourquoi ces soldats, tous les dimanches soir, défilaient en jouant de la trompette et des tambours. Ils piquaient ma curiosité et celle de mes copains. Ils nous donnaient envie d'y voir de plus près. La curiosité, mère de découvertes et d'avancées, si elle a motivé la plupart des voyages que j'ai faits au cours de ma vie, m'a d'abord amené à faire un tout petit pas : celui de traverser la rue.

Ainsi, le dimanche soir, j'entendais prier et lire la Bible. Avec ma petite bande, nous étions plusieurs à railler et à insulter ces drôles de soldats qui priaient au lieu de faire la guerre. Nous ne savions alors rien de l'œuvre de l'Armée du Salut. Insouciants et ignorants, nous nous en moquions sans savoir qu'il s'agissait d'un des organismes d'aide humanitaire les plus respectables qui soient...

Je réalise aujourd'hui qu'être né à Verdun durant ces années-là m'a déterminé en grande partie. Entre 1900 et l'année de ma naissance, sa population est passée de 2 000 à 60 000 habitants, grâce à l'immigration de nombreux sujets britanniques et à la fertilité des Canadiennes françaises de souche. Il fut un temps où Verdun était anglophone à 60 %. Il en fut un autre où les deux communautés culturelles étaient pratiquement nez à nez. Les deux sociétés « distinctes » de Verdun cohabitaient tant bien que mal, les anglophones, un peu plus riches, ayant choisi de s'établir dans l'ouest de la ville, les francophones, plus pauvres et moins instruits, se regroupant donc dans l'est.

Mon père écoutait CJAD, et ses meilleurs amis étaient anglophones. Mon frère Jacques, avant de devenir le plus populaire des animateurs de la radio française, ce qu'il demeura durant près de deux décennies, a été *disc-jockey* dans une station de radio anglaise de Québec.

Pour ma part, les événements de ma jeune vie m'orientaient déjà vers l'amour de la langue française et de nos origines européennes. Dans le cabinet du bon docteur Archambault, à qui j'allai montrer mes premiers boutons d'adolescent, je remarquai un jour un immense tableau représentant Napoléon Bonaparte, l'air renfrogné, à bord du *Northumberland* qui le déportait à Sainte-Hélène. Je m'en souviens comme si c'était hier. Je n'ai pas compris tout de suite ce sentiment, fort quoique flou, qui m'envahit à la vue de ce visage évocateur. À travers le regard chargé de noblesse, ce grand personnage et l'odyssée fabuleuse qui fut la sienne frappèrent mon imagination. J'ignorais alors, dans mon adolescence insouciante, que ce personnage marquerait mon existence et que ses pas finiraient par guider les miens...

Adolescent, j'étais déjà un peu rebelle. Au cinéma, Marlon Brando s'imposait comme une figure dominante, et après avoir assisté à une projection du film *The Wild One* (*L'équipée sauvage*), dans lequel Brando interprète un chef de gang de motards, ma bande et moi nous percevions comme des rockeurs, des durs. C'est en me bagarrant avec les Anglos de Verdun, qui abusaient naturellement de leur position de force, que j'ai commencé à devenir le nationaliste que l'on sait. Je me souviens que, lors d'une élection municipale, un candidat francophone colonisé affichait, sur ses pancartes : *Let's give a chance to a French Canadian!* Comme aliénation, c'était difficile à battre.

Dans les années 1950, Verdun avait beau être la troisième ville en importance au Québec, elle n'arrivait pas à faire vivre sa population. Oh, il y avait bien la Dominion Industries Limited, qu'on appelait familièrement «D.I.L.» et qui, chaque matin, émettait un sifflement strident qui réveillait la moitié de la ville. Cette usine embauchait des femmes pour fabriquer de la poudre à canon. Cependant, la plupart des gens que nous connaissions travaillaient à Montréal, le plus souvent à la Northern Electric et dans le port de Montréal.

Mon père, après avoir été le chauffeur privé des Payette, une richissime famille d'Outremont, ce qui lui avait permis de passer au travers du krach économique des années 1930, bossa au bassin Peel. Il construisait des bateaux ravitailleurs, ces fameux [«Liberty Ships», que les Allemands coulaient parfois dans le golfe du Saint-Laurent. Son beau-père, mon coloré et bouillant grand-père Malette, était son supérieur immédiat.

Mes parents étaient loin d'être des saints — Claude Jasmin[1] et Raymond Paquin[2] en font d'ailleurs état dans les portraits qu'ils m'ont consacrés —, mais ils croyaient en Dieu. Mon père ne manquait jamais la messe du dimanche ; cependant, il ne fréquentait pas Notre-Dame-des-Sept-Douleurs, l'église de notre paroisse. Je présume que c'est parce que le curé de sa propre paroisse en savait un peu trop sur ses péchés... En bon anglophile qu'il était, mon père préférait St. Willibrord, l'église irlandaise du coin.

Ma mère était un peu moins dévote que lui. Néanmoins, une image particulière a marqué mes souvenirs. L'année avant sa mort, survenue en 1966 à la suite d'un cancer fulgurant, je l'ai vue s'agenouiller devant le téléviseur pour prier avec l'audacieux pape Paul VI, venu au Yankee Stadium de New York pour dénoncer, en français, la présence américaine au Vietnam.

De son vivant, ma mère a toujours été une femme ambitieuse. Elle nous poussait sans cesse à nous dépasser, mon frère et moi. Elle nous encourageait à étudier pour devenir médecins, avocats, notaires ou ingénieurs. C'était pour le moins téméraire, mais elle était comme ça.

Mon père, au contraire, ne nous mettait pas vraiment la pression. Il nous aimait tels que nous étions et, si nous l'avions voulu, il nous aurait pris comme apprentis mécaniciens chez Longueuil Automobile, où il travailla durant notre adolescence.

---

1. *Portrait d'un tirailleur tiraillé*, Québec Loisirs, 1995.
2. *Les 400 coups de Gilles Proulx*, Quitte ou Double, 2005.

Mes parents se chamaillaient souvent et, pour nous éviter d'avoir à subir leurs problèmes de couple, ils autorisèrent mon frère Jacques à suivre un ami au Collège militaire de Saint-Jean-sur-Richelieu, qu'on appelait à l'époque St. John, en vue d'une carrière dans l'aviation canadienne. Quant à moi, ils m'inscrivirent au Collège de Longueuil, où le célèbre frère Marie-Victorin et le maire Camilien Houde avaient été pensionnaires avant moi. On ne manquait jamais une occasion de nous le rappeler.

Ma jeunesse à Verdun était faite de tout cela. Des copains de la ruelle Rielle, des filles dans la pénombre des hangars, de la belle Luce Tougas, morte trop jeune, des bandes de bagarreurs du bord du fleuve, de ce premier coup de pied au derrière du frère Julien et de ces premiers coups de poing donnés à des Anglos.

J'étais mal parti quand, en 1961, par l'entremise de Bernard Rhéaume, figure sportive dominante dans Verdun, je rencontrai José Ledoux, un reporter de CKVL qui me mit aussitôt les points sur les « i » et les barres sur les « t ». Il m'expliqua que les bagarres de fond de ruelle et le langage tordu de joual ne menaient à rien, qu'il fallait que j'étudie, que j'apprenne, que je me discipline et, surtout, que je tourne le dos aux garçons avec qui je faisais les 400 coups si je voulais avoir la possibilité de devenir un bon animateur de radio. Mon frère Jacques avait alors déjà entamé sa carrière de *radioman* et il avait tant de succès que ça me donnait le goût de tenter ma chance. Je ne sais pas pourquoi, mais le sermon que José Ledoux me fit ce jour-là changea ma vie. Il m'initia à Honoré de Balzac et à Jean-Charles Harvey. Pour le lecteur de *Tintin* que j'étais, la marche était haute…

Auparavant, il y avait bien eu cette mademoiselle Crépeault, une prof d'histoire pas comme les autres qui, à la petite école, m'avait communiqué sa passion pour l'histoire et pour le passé, le nôtre en particulier. Elle nous parlait de l'Église et des batailles qu'elle avait menées à nos côtés, en insistant toutefois particulièrement sur la bravoure et l'héroïsme de nos ancêtres. Elle dessinait de petits bateaux au tableau noir et nous enseignait ces histoires du Québec et du Canada que plus personne ne transmet aujourd'hui... Mais il faut croire que j'avais besoin d'une grande poussée dans le dos pour pénétrer réellement dans l'âge adulte.

J'imagine qu'après mes années de bamboche dans les rues de Verdun, j'étais mûr pour une métamorphose. Mon passage au Collège de Longueuil et cette rencontre déterminante avec Ledoux m'aiguillèrent dans la voie de la discipline personnelle, et semèrent en moi l'envie de devenir quelqu'un et de travailler sans relâche pour atteindre mes objectifs.

• • •

Le goût des voyages m'est venu naturellement. Durant mon enfance, les dimanches après-midi, mon père louait une chaloupe au quai Leblanc et nous emmenait à l'île des Sœurs. Chemin faisant, il nous racontait les histoires de guerre qu'il avait glanées au port de Montréal. Il nous parlait surtout de cette île magnifique dans laquelle Champlain avait séjourné dans le but d'en tracer la cartographie. L'île appartenait aux Sœurs de la Congrégation de Notre-Dame de Marguerite Bourgeoys, qui allaient y rester pendant 200 ans.

Il y avait là un manoir dont la beauté me troublait. Il évoquait cette France lointaine que je ne connaissais pas encore, mais qui m'attirait déjà. Je me souviens de l'étonnement que j'éprouvai lorsque j'appris que l'armée américaine de Richard Montgomery y avait bivouaqué en 1775. C'était mon « île de beauté » à moi, comme disent les Corses. Elle m'impressionna suffisamment pour que, 50 ans après l'avoir visitée pour la première fois, je fasse campagne sur les ondes du 98,5 FM pour qu'on installe une statue de Marguerite Bourgeoys à l'entrée de l'île.

Je venais d'avoir sept ans lorsque mes deux tantes, Yvonne et Irène, m'invitèrent à passer un premier été en pleine campagne, au lac Vert, près de St-Jean-de-Matha. Transporté dans un autre monde, loin des ruelles de Verdun, mon univers de citadin se transforma complètement au contact de cette belle nature. Je me baignais dans un lac limpide, je découvrais un pays pur, où l'on parlait d'animaux sauvages qui maraudaient autour des trois ou quatre maisons qui garnissaient les abords du lac.

Je découvrais également les plaisirs de la ferme de Philias Gérard, un voisin. Ce fut sous le regard bienveillant de mes tantes que je me liai d'amitié avec un beau cochonnet rose. Les petits soins que je lui prodiguai récoltèrent toute une notoriété ! En effet, ils retrouveraient écho dans l'influent quotidien *Le Canada*. Le 18 septembre 1947, le journaliste Adolphe Nantel, amoureux de tante Irène, rédigea sous le pseudonyme de Gabadadi un billet décrivant avec émotion cette attendrissante camaraderie pour le moins originale. À la fin de l'été, au moment de la séparation, Nantel s'attarda alors sur la tristesse à fendre l'âme de la pauvre bête qui guettait la route du parterre, par où j'avais l'habitude d'arriver pour lui donner des restants de table…

C'est durant l'année 1950 que mon père qui, au volant d'une rutilante Studebaker, jouait au millionnaire du dimanche, nous emmena à l'extérieur du Québec pour la première fois. En approchant de Plattsburgh, il nous montra en passant la base militaire où étaient alignés les B-52 qui participaient à la guerre de Corée.

J'éprouvais des sentiments contradictoires. D'un côté, il y avait mon père qui me disait que je foulais le sol du pays le plus puissant au monde; de l'autre, il me semblait que j'étais entouré d'automobiles immatriculées au Québec. En ces années, je découvrais cette collection de livres, publiés depuis 1930, qui allaient accaparer mon adolescence et enflammer mon imagination: *Les aventures de Tintin*. Ce furent ces albums qui, les premiers, m'insufflèrent ce désir de connaître les confins du monde. À partir de ce moment, chaque fois qu'un nouveau *Tintin* paraissait chez le libraire, mon père, selon mes résultats scolaires bien entendu, m'en offrit un exemplaire. Je conserve encore toute cette collection que, de nos jours, on critique parfois vertement sans tenir compte du contexte sociohistorique dans lequel Hergé pondit ces récits extraordinaires.

J'avais décidément beaucoup de choses à apprendre. En 1951, ma grand-mère paternelle me fit découvrir le charme d'une croisière sur un magnifique bateau à barge plate de la Canada Steamship Lines, *Le Tadoussac*. Après un arrêt à Sainte-Anne-de-Beaupré, le navire sillonna ce fleuve Saint-Laurent dont je ne percevais pas encore toute la majesté[3]. Le Saguenay et son cap Trinité reçurent

---

3. Des décennies plus tard, j'eus le loisir d'interviewer le commandant Cousteau depuis sa *Calypso*, au milieu du fleuve. Il me parla de ce beau cours d'eau qui risque de devenir comateux. Quelques jours plus tard,

ensuite, en pleine nuit, un coup de réflecteurs du *Tadous-sac* qui nous fit voir là-haut la Vierge Marie qui veille sur ce royaume.

Ces premiers voyages emplirent donc mes yeux d'images et mon nez d'arômes. Bien qu'entassés sommairement dans ma tête d'enfant, ceux-ci deviendraient le berceau d'un feu bouillant qui, sans cesse avivé, me conduirait au fil des années dans tous les coins du globe. À peine quelques années plus tard, d'autres réflecteurs se braqueraient sur un horizon sans frontières, sur un univers beaucoup plus vaste, dans lequel je fis bientôt mes premiers pas d'adulte.

---

je reçus par courrier spécial sa légendaire tuque rouge, que je conserve toujours précieusement.

CHAPITRE I
Le timide explorateur

C'est en 1958 que je prends vraiment le large pour la toute première fois, avec Jean-Pierre Lemaire, un copain de la rue Willibrord. Sans le dire à nos parents, nous nous préparons à une cavale en moto. Nous en rêvons depuis des semaines. Nous sommes alors sous l'influence de Marlon Brando et du motard qu'il incarne dans le film *The Wild One*. Les copains s'achètent qui une veste de cuir, qui des bottes, qui une motocyclette… J'occupe alors un emploi de commis à Radio-Canada, et Jean-Pierre œuvre sur un chantier de construction à Montréal. Lui et moi sommes tannés de travailler. Ainsi, un matin, à l'heure habituelle du départ pour le travail, plutôt que de me rendre au boulot, avec pour seul bagage une brosse à dents (ma mère était une dictatrice du brossage des dents…), nous prenons la route. Lui en Harley Davidson et moi en Triumph, nous partons à la découverte des fabuleux royaumes du Saguenay, du lac Saint-Jean et de la Gaspésie. Nous dormons à la belle étoile, pour le plus grand bonheur des moustiques.

En regardant le Québec défiler sous mes yeux, je fredonne *Attends-moi ti-gars*, la chanson de l'heure de Félix Leclerc. Près de ce beau fleuve, les mots des premiers Français venus au Canada me remontent dans l'âme. Les paysages à couper le souffle, la beauté sauvage du Saint-Laurent… Ils ne l'ont pas baptisé «le majestueux» pour rien.

Je rentre à la maison au terme d'une randonnée de huit jours, portant les mêmes vêtements que le matin du départ. Mes parents m'attendent avec une brique et un fanal. J'ai quitté mon job de commis à Radio-Canada — et la somme rondelette de 42 dollars par semaine, ainsi qu'une «sécurité» à toute épreuve — pour me lancer dans une escapade en plein air. Quel irresponsable je fais! Ma mère s'en est arraché les cheveux durant toute mon absence.

Mais mes parents ne peuvent pas savoir que je viens de choper un virus qui enfoncera toutes mes défenses immunitaires, qui me fera perdre bien d'autres emplois et qui déroutera la plupart des femmes qui partageront ma vie. Une passion dévorante qui occupera 100 % de mes moments libres et empiétera sur tous les autres temps: l'appel du large.

La Florida

Sans avoir la prétention de me prendre pour Ulysse, je dirais néanmoins que c'est réellement ici que mon odyssée commence.

En 1961, je travaille à la Sherwin-Williams, une usine où le patron, un Suisse allemand, nous interdit de parler français. Cette usine se trouve pourtant à Pointe-Saint-Charles… Vers la même époque, le docteur Marcel Chaput, un biochimiste établi à Ottawa, se plaint du fait que les Canadiens français sont considérés comme des citoyens de seconde zone. Bien qu'à cette époque mes préoccupations socio-politiques ne jouent qu'un rôle de second plan dans ma façon de regarder le monde, ai-je besoin de vous dire que son discours me séduit rapidement? Quoi qu'il en soit, écœuré de l'usine, c'est en Triumph TR3, une décapotable qui me procure des sensations fortes, qu'avec un compagnon de travail, Al Markunas, je mets cette année-là le cap sur la Floride.

En pleine possession de mes moyens, déjà amoureux de cette liberté que je viens à peine de découvrir, je roule à tombeau ouvert en direction du sud. Sur ma route, une belle fille me dit que j'ai quelque chose de James Dean. Ça commence bien! Des plans pour m'enfler la tête... Elle aimerait bien que je passe la voir à Washington, me dit-elle. Je m'en tire en lui promettant de lui rendre visite sur le chemin du retour, ce que, sans le sou, fatigué et désireux d'emprunter un trajet plus court pour rentrer, je ne ferai jamais. J'ignore si elle m'attend toujours...

Un soir, sur le bord d'une route quasi déserte, quelque part en Virginie, mon compagnon et moi décidons de nous arrêter et de monter un campement. La chaleur est insupportable. Nous sommes allongés sur l'herbe quand un camionneur, qui doit avoir remarqué que ma Triumph est immatriculée au Québec, s'arrête à notre hauteur.

— Êtes-vous fous? s'exclame-t-il. Les serpents vont se faufiler dans vos sacs de couchage...

Après l'avoir remercié, complètement paniqués, nous ramassons en vitesse nos cliques et nos claques et louons une chambre dans le premier motel venu.

En traversant les deux Caroline, je prends conscience du clivage social qui existe entre Blancs et Noirs. Je me prends toujours pour un rockeur et je ne me soucie guère de sociologie à cette époque, mais je commence à prendre note des différences. Ces scènes dont je suis témoin au cours de ce premier long voyage commencent à semer en moi un certain intérêt pour les gens, pour leur façon de vivre. J'ai beau m'intéresser à leur sort, cependant, les Noirs de la Caroline manifestent à mon endroit une méfiance proche de l'hostilité.

Ça m'étonne d'autant plus que mon accent sent le *French Canadian* à plein nez; avec toute la naïveté de mes 21 ans, je suis convaincu que le monde entier doit savoir que nous, Canadiens d'origine française, sommes un peu les nègres blancs d'Amérique. Mais le Québec de ces années-là est cent fois moins connu que le Mexique, par exemple. Ainsi, pour les Noirs de la Caroline, je ne suis rien d'autre qu'un Blanc en auto sport.

L'ignorance des gens au sujet du Canada me désarme. Dans les postes d'essence, lorsque les pompistes remarquent ma plaque minéralogique québécoise, ils me demandent s'il y a encore des ours ou des loups autour de Montréal! Il est vrai que le maire Drapeau n'a pas encore mis « sa » ville sur la carte du monde...

Ce qu'il y a de plus incroyable, c'est que, plus de 15 ans plus tard, on pourra encore se demander si les connaissances géographiques des Américains ont progressé, comme en fait foi cette anecdote survenue au lendemain de la mort d'Elvis Presley, en septembre 1977. Je me trouve alors à Memphis, Tennessee, en reportage pour le magazine *Le Lundi*. Cette ville toute propre est caractérisée par ses douzaines de chapelles gospel d'où s'échappent des cantiques religieux. Tout cela me confirme que je me trouve dans ce que George W. Bush appellera plus tard la *Bible Belt* du *deep South* des États-Unis.

Graceland est un manoir qui paraît fort bien de l'extérieur, mais s'avère plutôt quétaine à l'intérieur, avec les teintes prédominantes de rose et les innombrables tapis *shag*. Dans la somptueuse résidence, je me faufile entre les meubles, les autos et les motos d'Elvis. Dehors, je m'arrête près de sa pierre tombale; il repose sur son propre terrain, aux côtés de sa mère, Gladys, et de son frère jumeau, Jesse Garon. Plusieurs se souviennent qu'à la suite de son décès, le 16 août 1977, son cercueil fut transféré dans son domaine après avoir été profané dans le cimetière municipal.

Pour les besoins de mon reportage, je cherche à m'entretenir avec le père d'Elvis. Quelqu'un m'indique qu'il habite le quartier le plus cossu de Memphis. Je me hasarde dans une rue où j'aperçois une maison plus luxueuse que les autres. Par pure coïncidence, je vois Vernon Presley qui s'apprête à monter dans sa rutilante voiture. Je m'approche, je me présente et je m'empresse de mentionner que je suis de Montréal. Mais il ne veut rien savoir des journalistes.

— Vous avez trop sali la réputation de mon fils! me lance-t-il. Et puis, tout ce dont je me souviens de Montréal, c'est qu'on l'y a empêché d'offrir un spectacle. En passant, est-ce qu'il neige beaucoup ces temps-ci? ajoute-t-il sur un ton goguenard.

En effet, le cardinal Léger intervint en 1956 pour annuler le spectacle que devait donner le King à Montréal… Voilà un homme qui a une mémoire d'éléphant, même s'il ignore qu'il ne neige pas au Québec en septembre!

Toujours étonné par mes premières rencontres en sol américain, donc, j'arrive en Floride en ce début des années 1960, cet État du troisième âge qui finira bien par devenir une gérontocratie, en compagnie de mon ami Al. Nous tombons sur le cap Canaveral, qui symbolise presque à lui seul la conquête de l'espace.

Les Soviétiques ont alors une longueur d'avance sur les Américains et ils s'apprêtent à envoyer Youri Gagarine dans l'espace (ce qui sera fait le 12 avril 1961). Dans sa réplique, la NASA parle déjà d'envoyer des hommes sur la Lune.

Je suis galvanisé.

Après le cap Canaveral, nous visitons Cypress Gardens, les Everglades et profitons des plages si familières aux *snowbirds* québécois durant les mois d'hiver.

Al et moi nous arrêtons ensuite dans un serpentarium. Mon téméraire collègue se fait photographier avec un reptile autour du cou et me le balance en pleine face. Je laisse échapper un juron qui me fait reconnaître de quelqu'un qui passe à côté de moi.

— Vous êtes Québécois, devine-t-il.

Les Mexicains ne nous appellent pas *los tabernacos* pour rien...

C'est à ce moment qu'un intrépide se permet de nous impressionner. Il entre dans l'enclos pour affronter un cobra laid et terrifiant de plus de 15 pieds... Le gars en question, dont l'avant-bras est déjà stigmatisé par de nombreuses morsures, est accompagné d'un infirmier muni d'antipoison. Le reptile se dresse et tente, à la vitesse de l'éclair, d'attraper l'avant-bras. L'homme, plus rapide, lui saisit le cou pour l'humilier et récolte des applaudissements. Quelques semaines plus tard, nous apprendrons que le cobra a fini par avoir raison de son dresseur, malgré l'antipoison...

En longeant la côte, je réalise que les Américains sont intoxiqués par un gouvernement qui leur fait voir un Fidel Castro menaçant, un poignard entre les dents. Le gouvernement de John F. Kennedy vient d'être humilié après le débarquement manqué à la baie des Cochons, pendant que celui de Khrouchtchev se prépare à stocker des armes nucléaires dans l'île de Castro. C'est à grands coups de panneaux-réclame que Washington rappelle aux Floridiens qu'à 90 milles de là se trouve une île habitée par les méchants communistes.

C'est la guerre froide. La radio et la télé sont alarmistes. La propagande américaine est si haineuse qu'elle finit par piquer ma curiosité ; il faut absolument qu'un de ces jours j'aille à Cuba pour voir le méchant loup en personne.

Baptême de l'air

Après la Floride, Al rentre à Montréal tandis que je me dirige vers les Bahamas. Je suis fébrile ; c'est mon baptême de l'air, et c'est à bord d'un DC-4 de la Pan Am que, pour 20 dollars, je fais l'aller-retour Miami-Nassau. Bien que la traversée ne doive durer que 20 minutes, ma peur est alimentée par ces nombreux documentaires alarmistes sur les dangers de survoler le triangle des Bermudes. Pourtant, le ciel est bleu et la mer est calme… Mais ces inquiétudes, c'est le cas de le dire, s'envolent dès que nous quittons le tarmac de l'aéroport. L'émerveillement et l'attrait de la découverte, chez moi, ont toujours été beaucoup plus forts que la peur.

Je débarque donc dans cette petite île, belle et propre — serait-ce l'héritage britannique ? —, avec un petit sac de voyage, caméra au poing. Je veux rapporter chez moi ce qui s'offre à mes yeux. Les clichés que je réalise sont autant de trésors, et je prends rapidement de l'assurance.

Dans les bars de l'endroit, la plupart des conversations tournent autour de l'indépendance nationale.

Chez nous, le mouvement indépendantiste québécois est encore au stade embryonnaire. J'ai peine à croire que cet archipel minuscule, perdu en pleine mer, puisse se séparer de l'Angleterre sans coup férir, alors que nous, au Québec, n'avons même pas encore rapatrié la Constitution canadienne (ce que nous ferons en 1982!). Mieux encore, les Bahamiens et les Britanniques, à la suite de cette scission qui accordera à l'archipel son indépendance en 1973, entretiendront des rapports presque chaleureux. Les insulaires briseront vite leur isolement en accueillant des casinos, un Club Med et les équipes de tournage des films de la franchise James Bond, qui donneront à l'île touristique ses lettres de noblesse.

On dit que les voyages forment la jeunesse. J'ajouterai qu'ils permettent au voyageur, mieux que toute autre expérience, de se définir lui-même. En ce début des années 1960, mon Québec natal n'a encore rien de la patrie multiethnique qu'il deviendra au fil des décennies, et ses gens n'ont pas encore ouvert leur esprit à la différence. Pourtant un produit de cette patrie blanche et francophone, je me retrouve, au hasard d'une soirée, dans les bras d'une superbe Noire aux lèvres chaudes, coussinées, sensuelles. La beauté n'a ni couleur ni nationalité... Je ne suis pas long à le comprendre! Nous passons la soirée à nous balader en parlant de politique. Cette jeune fille, qui est guide, mentionne l'existence sur l'île d'un fort que firent construire les Britanniques pour contrer une éventuelle attaque des troupes de Napoléon, postées dans l'île d'Haïti, non loin de là. Le nom de Napoléon vient de résonner pour la première fois dans mes oreilles, alors que je suis étourdi par ma superbe guide...

Ainsi, les périples dans lesquels nous nous engageons contribuent aussi à étayer les grandes passions qui seront les nôtres tout au long de notre vie. Dès le lendemain, je pars en excursion et, pour la première fois, je rencontre Napoléon sur le terrain, entre les murs de ce fort érigé pour contrer l'armée française qui fit jadis le siège d'Haïti. Heureusement pour les Bahamiens, l'armée du général Leclerc, malade et affaiblie, dut cependant renoncer à prendre l'île, ce qui, en 1804, aida Haïti, la «perle des Antilles», à acquérir son indépendance, bien avant les Bahamas.

Nous sommes en 1961. J'ai 21 ans. À cette époque, je ne sais pratiquement rien de Napoléon et de l'extraordinaire destin qui fut le sien. J'ai vu un portrait de lui dans le cabinet du docteur Archambault au temps de mon adolescence ; c'est à peu près tout. Avec le temps, au fil de mes expéditions, je trouverai des traces de sa présence aux quatre coins du globe. Je développerai une admiration sans bornes pour ce précurseur de l'Europe unie qui faillit conquérir le monde, bien longtemps avant l'invention de l'automobile.

Après cette épopée, je rentre à mon tour à Montréal. Malgré les frissons et les émerveillements de ce voyage, il me tarde de retrouver mon chez-moi, mes affaires, et de commencer à me construire une «vraie» vie.

Je n'ai plus un sou en poche. Mes études sont terminées. J'ai été initié peu après à la photographie par Yvan Goulet, qui travaille au studio Larose, un studio réputé dans mon Verdun natal. C'est lui qui m'a enseigné cet art. En photographiant des mariages à ses côtés — c'est la spécialité du studio —, j'ai attrapé la piqûre.

Il me faut donc trouver un moyen de gagner ma pitance. L'idéal, bien sûr, serait de gagner ma vie tout en voyageant... Une idée me vient alors en tête. J'ai le culot de me croire déjà de l'étoffe d'un grand journaliste et je me vois au service de l'armée française en Algérie, reporter-photographe dans les rues dangereuses et agitées d'Alger et d'Oran, et pourquoi pas en mission dans le Sahara. Je me présente donc, tout confiant, au consulat général de France, rue Sherbrooke. Toutefois, j'ignore que les tractations diplomatiques sont sur le point de mettre un terme à la présence française sur cette terre brûlante. La diplomate en poste, étant dans le secret, me fait savoir que mon projet est utopique; la révolution algérienne s'achève (elle se terminera un an plus tard). Je devrai trouver autre chose...

À la radio, à la maison

Entre 1962 et 1964, sous l'influence de mon frère Jacques, qui est un animateur très populaire dans la région de Matane, j'apprends le métier de *radioman* à Montmagny, à Matane et à Sept-Îles. Je me dis que, s'il est parvenu à obtenir un tel succès, je peux le faire aussi. Je suis sûr de moi. J'ai l'impression d'avoir évolué, d'avoir mûri depuis mon adolescence dans les rues de Verdun. Je me vois déjà en tête d'affiche... Pourtant, je n'ai pas le même talent que lui. Le temps sera long avant que je sorte de l'ombre de mon frère et que je trouve ma propre voix. Si mon timbre demeure similaire à celui de la voix de mon frère, je trouverai toutefois mon style dans une radio plus éditoriale, plus pamphlétaire.

C'est à cette époque que je me fiance à Pierrette Vigneault. Mais il faut croire que l'appel du large est plus fort que tout; bien que je m'emploie à «faire mon nid» au Québec, l'intensité de ma fièvre du voyage grandit toujours. En 1964, après des fiançailles qui ne dureront que trois ou quatre mois, je laisse la jolie coiffeuse derrière moi pour entreprendre la conquête de Paris, dont je rêve depuis longtemps.

Londres, Paris, l'Espagne...
Mes premiers pas «de l'autre côté»

Curieux de cette Angleterre dont l'histoire est si intimement mêlée à celle de ma patrie, je décide de faire escale à Londres avant de débarquer dans la Ville lumière. J'ai en poche 3 500 dollars. Cette somme devrait me permettre, selon mes estimations, de tenir le coup un bon six mois à Paris.

Dans le DC-8 d'Air Canada à moitié vide qui m'emmène chez les Anglais, je fais la connaissance d'une superbe Japonaise qui me fait instantanément oublier la fiancée que je viens d'abandonner à Sept-Îles. Les sièges vides ne manquent pas, mais elle me demande tout de même la permission de s'asseoir à côté de moi, une grâce que je lui accorde volontiers.

La belle m'apprend qu'elle est violoniste dans l'Orchestre symphonique de Boston. Elle est en route pour rejoindre les autres musiciens qui se préparent à donner une série de concerts en Europe. Au terme du voyage, nous sommes déjà familiers. Nous nous sommes épanchés librement, autant que possible sur un vol commercial...

En descendant de l'avion, je prends une chambre dans un *bed & breakfast* où j'attends en vain qu'elle vienne me rejoindre. Le lendemain matin, le concierge me remet ce qu'il croit être un billet doux. Hélas, c'est un mot d'adieu. Elle me remercie pour les bons moments passés ensemble et me souhaite bonne chance.

Malgré ma déception, quel bon départ pour ce premier voyage en Europe !

Mais je n'ai pas le temps de m'attarder à cette amourette déjà terminée ; mon escale ne doit durer que quelques jours. Je me console en visitant Londres. La courtoisie, la politesse et le flegme des Anglais, que la popularité naissante des Beatles propulse alors à l'avant-scène de l'actualité culturelle, me séduisent complètement. Et puis, le smog n'y est pas encore trop opaque… Au British Museum, j'ai la chance de lire une lettre d'amour qu'avait écrite Wolfe à sa fiancée durant le siège de Québec.

Touché par ce petit morceau de l'histoire de mon peuple, je mets aussitôt le cap sur Paris.

• • •

Je traverse donc la Manche en bateau, de Douves à Calais, un peu comme le firent les soldats qui participèrent au débarquement de Normandie. La force et la violence des vagues me rappellent les histoires que me racontait mon père au sujet de la traversée du 6 juin 1944… En regardant les falaises qui surplombent la Manche, je constate à quel point il dut être périlleux de débarquer sur le territoire français. C'est ce qu'on appelait alors le « mur de l'Atlantique », construit par Rommel.

Étrange… En mettant les pieds sur le sol de mes ancêtres, j'ai l'impression de revenir après des siècles d'absence…

À Calais, je m'arrête pour admirer ces œuvres sculpturales d'Auguste Rodin que sont *Les bourgeois de Calais*. Une fois à Paris, je m'empresserai de me rendre à sa résidence de l'hôtel Biron, devenue musée, pour apprécier la grandeur de cet extraordinaire maître.

Je suis mûr pour la conquête de ce Paris mythique qui m'attire depuis si longtemps. En me dirigeant vers la modeste pension du 15e arrondissement où j'ai réservé une chambre, je remarque une affiche géante sur les autobus et sur les colonnes Morris : c'est celle de *La peau douce*, un film de François Truffaut qui fait courir le Tout-Paris.

Des étudiants venus de partout dans le monde logent à la même enseigne que moi. La chambre coûte 150 francs par semaine, repas inclus, l'équivalent d'environ 30 dollars canadiens. Dans les cafés, nous restons parfois des heures à discuter autour de la table. C'est en échangeant avec eux que je prends conscience du gouffre culturel qui me sépare des Européens, ainsi que de la « valeur » de nos diplômes québécois soldés au rabais. Par exemple, un de ces jeunes évoque un soir Mordecai Richler, ce grand auteur montréalais anglophone obsédé par le duplessisme, qui a fait un parallèle entre l'Espagne de Franco et le Québec. Richler a dit trouver les Québécois tout aussi soumis à l'Église que les Espagnols. Je voudrais tant ajouter mon grain de sel dans la conversation, mais, ô ironie, le Montréalais que je suis ignore même l'existence du fils du Mile-End qu'est Richler. Tout le monde autour de la table est familier avec son œuvre, sauf moi…

L'Espagne de Franco est au cœur des discussions. Je réalise que, dans le Québec ultrareligieux d'où je suis issu, toute la question espagnole est sciemment occultée. Il m'apparaît évident qu'il n'y a guère que sur l'avenue du Parc et dans l'ouest de la ville qu'on en parle. Ce Mordecai Richler et sa bande, fascinés par l'ultracatholicisme de l'Espagne, vivent alors dans un monde qui m'échappe complètement. C'est ce qu'on finira par appeler les deux solitudes, j'imagine.

Je passe quelques semaines à me promener dans Paris, véritable laboratoire pour les amoureux d'histoire. Mes yeux s'attardent sur les édifices majestueux qui bordent ses rues et ses allées. Mon émerveillement — et ma candeur — sont sans bornes. Depuis des années, je me vois en rêve déambulant sur les Champs-Élysées et dans les rues du Quartier latin. J'ai vu à peu près tous les films de Fernandel, de Jean Gabin et d'Eddie Constantine, et je suis persuadé que « ma » France et la vraie France ne font qu'une… Il y a de ces idéaux qui sont destinés à se transformer en déceptions…

Dès les premiers instants de mon séjour, je serai à même de constater pourquoi, dans les sondages visant à déterminer le peuple le plus enquiquineur de la planète, les Français arrivent toujours en tête de file. Les guichetières du métro m'enguirlandent quand je leur demande un renseignement, et les chauffeurs de taxi me demandent sans cesse si je suis Belge, ce qui peut passer pour un compliment jusqu'au jour où l'on me fait remarquer que les Belges sont en quelque sorte les *Newfies* des Français… Je suis également aux prises avec le style théâtral de certains concierges, dont celui qui me propose la chambre « en face de celle où Henri de Montherlant s'est enlevé la vie » !

Quant aux serveurs, ils sont pires que tout ! Alors qu'en bon Nord-Américain, je suis habitué à ce qu'ils soient au-devant de mes désirs, je dois maintenant m'habituer à l'indifférence des garçons de cafés parisiens, qui donnent souvent l'impression qu'on les dérange. Un jour, un de ceux-là me bouscule. Pour me moquer de lui, je m'excuse, ce à quoi il réplique : « Il n'y a pas de quoi»! Un autre à qui mes trois compagnons et moi commandons quatre sandwichs jambon-fromage nous arrive avec… huit sandwichs — quatre au jambon et quatre au fromage! «C'était à vous de vous exprimer clairement», nous lance-t-il. Mais qu'à cela ne tienne, finis-je par me dire pour chasser le nuage noir qui menace d'éclater au-dessus de ma tête. Rien ne m'empêchera de conquérir la Ville lumière.

Me voici au pied de Notre-Dame de Paris, cette merveille architecturale du Moyen Âge qui passe pour avoir nourri les ambitions de tous les éteignoirs de France. Pourtant, il est clair qu'il a fallu une grande imagination, une immense créativité pour atteindre une telle perfection. Malgré sa mauvaise réputation, le Moyen Âge a quand même accouché de la charrue à socle, de la boussole, du canon, de la cheminée, du Quartier latin… Mais, que voulez-vous, on n'a pas toujours la réputation qu'on mérite, n'est-ce pas? Il est toujours plus facile de se rappeler des tares que des bons coups.

En écoutant la radio et la télé parisiennes, je constate que la politique occupe une place de premier plan dans le débat collectif. En 1964, c'est l'Organisation armée secrète (OAS) qui fait la une. Elle tient alors la dragée haute au général de Gaulle. Le slogan de cette organisation sonne comme un poème à mes oreilles: «Nous frappons où nous voulons, quand nous le voulons.» L'OAS est composée de pieds-noirs qui n'acceptent pas que la France, qui a occupé l'Algérie française durant plus de 130 ans, ait si facilement cédé cette dernière aux musulmans.

Et il ne s'agit pas que du commentaire des *radiomen*; cette tendance s'est également bien imprimée dans les choix musicaux. *Le déserteur*, une chanson pacifiste écrite par Boris Vian en 1954, fut interdite en France dès sa première diffusion, à la fin de la guerre d'Indochine. En cette année de 1964, Peter, Paul & Mary viennent d'en faire une traduction qui, maintenant associée à la guerre du Vietnam, fait le tour du monde. Paris n'y échappe pas; ses radios la font tourner plusieurs fois par jour. Jean-Pierre Ferland tourne aussi beaucoup à la radio française. Quelle fierté pour moi! Je me souviens des paroles d'une de ses chansons, intitulée *Je te cherche*: «Quand je pense à Sylvie, c'est à toi que je pense… Je te cherche, mais ne te trouve pas toujours.» Voilà, c'est moi tout craché: à Paris, il est extrêmement difficile d'avoir la tête à une seule femme. Je passe de bons moments à regarder les secrétaires à la sortie des bureaux, à 17 heures. Mais n'allez pas croire qu'elles soient faciles à aborder…

Durant mon séjour, je prends conscience de la grandeur de la France et de son influence dans le monde. Nous sommes à l'heure de la France gaullienne. En observant le défilé presque ininterrompu des chefs d'État en visite dans la Ville lumière, j'aperçois la garde républicaine qui escorte, sur les Champs-Élysées, une caravane de voitures dans lesquelles prennent place Georges Pompidou et le prince Norodom Sihanouk du Cambodge. Spontanément, je me dis que je marcherai dans les rues du Cambodge un de ces jours. À cet âge, pour moi, tout est prétexte à planifier d'éventuels voyages et à rêver d'exotiques destinations. On a le droit de rêver, n'est-ce pas? J'ai beau être émerveillé par tout ce que Paris a à offrir, je n'en éprouve pas moins l'irrésistible envie d'aller voir ailleurs.

L'appel du large, encore et toujours… Après avoir, pendant trois mois, observé le travail des animateurs français et déambulé dans les rues chargées d'histoire de la Ville lumière, je prends finalement le train pour cette Espagne de Franco, qui commence à m'intriguer sérieusement.

L'Espagne

À bord du train qui me conduit à Barcelone, j'aborde une jolie Française qui me fait d'emblée savoir qu'il est fort mal vu de tutoyer les filles, même si elles sont très jeunes. Elle a 20 ans et j'en ai 24! Nul doute que la langue française impose le respect d'autrui! Au fil de notre discussion, je me vois déjà devenir son amant, la ramener au Québec, la guider dans les rues de notre métropole, flâner avec elle sur le mont Royal, la bécoter. Quand elle descend du train à Carcassonne, mon rêve m'échappe déjà. Une autre fantaisie qui s'estompe sans jamais prendre forme... Il y en aura bien d'autres.

Au bout d'une dizaine d'heures, j'arrive enfin en Espagne. Dire que je suis dépaysé serait un euphémisme. Je suis frappé par le nombre d'ecclésiastiques en soutane que je croise dans la rue. On croirait le Québec d'avant la Révolution tranquille. Les bâtiments me semblent tout de même similaires à ceux de la France, mais la langue, la corrida... Tout cela me plonge dans un univers dans lequel je me sens résolument très loin de chez moi. Je suis ébahi devant la docilité d'un peuple qui se trouve sous une botte, sous un régime de cravache. Étant pour ma part un éternel anarchiste, un contestataire de nature, je trouve bizarre que ce peuple, placé sous un poids évident, ne se révolte pas.

Au hasard d'une marche qui me conduit de musée en musée, je rencontre une jeune femme à qui je conte fleurette en français, puis en baragouinant un peu d'anglais et les quelques mots d'espagnol glanés dans mon *Je parle espagnol*. Il faut croire que les Espagnoles sont plus accessibles que les Françaises! Maria Estella restera avec moi et me servira de guide durant les trois ou quatre jours que durera mon excursion, ce qui m'aidera à me sentir un peu moins dépaysé.

En longeant le port de Barcelone, j'aperçois deux gros vaisseaux de guerre américains. Il y a une base de l'armée américaine dans le coin. La présence de ces bateaux diminue mon insécurité... Les soldats américains me rappellent Plattsburgh et les voyages de mon enfance. J'éprouve à leur contact un sentiment de proximité, en ce pays si différent de ceux que j'ai visités jusque-là. Dans ma grande naïveté, je m'imagine qu'en présence de ces Américains, à la fois amis de l'Espagne et proches voisins du Canada, je suis en quelque sorte protégé.

Ma belle Andalouse me fait ensuite découvrir la corrida. Dans les estrades remplies à pleine capacité, je distingue des centaines de taches blanches; ce sont les uniformes de ces marins américains qui ont accosté dans le port. La mise à mort du taureau est un spectacle stupéfiant. L'ambiance évoque celle des combats de gladiateurs romains à l'issue desquels la foule décidait de gracier ou de condamner à mort les perdants.

Ma compagne et moi participons à des tours de ville, tant à Barcelone que dans la capitale, et la richesse ornementale impressionne le jeune provincial que je suis. À Madrid, nous visitons le musée du Prado, où les tableaux de Goya font faire la file. De retour au nord, nous croisons des séparatistes catalans qui ont eu vent des «bombettes» que nos révolutionnaires de salon font sauter à Westmount.

Je passe de beaux moments en Espagne, mais, comme dans toutes les histoires ordinaires, l'argent vient à manquer. Il me faut me résoudre à rentrer à Paris. J'arrive à peine à la gare pour l'embarquement que la dure réalité du régime autoritaire qu'a instauré Franco me laisse un souvenir... douloureux. Assis sur un banc public, les jambes allongées devant moi, j'attends le moment du départ en rêvassant. Soudain, un policier qui patrouille dans le secteur m'administre un coup de cravache sur les tibias en m'injuriant comme si j'étais un fauteur de troubles. N'eût été de mon passeport canadien, il m'aurait coffré pour vagabondage. C'est en tout cas ce que croit ma guide et compagne, venue me souhaiter un bon voyage de retour.

Je retournerai en Espagne 30 ans plus tard, et c'est juste si je la reconnaîtrai. Ce qui me frappera, c'est l'embellissement de Barcelone, la capitale de la Catalogne, qui s'enorgueillit, à juste titre, de la magnifique cathédrale Sainte-Famille que Gaudi y construisit de 1884 à 1926. Il est cependant malheureux qu'on se soit désintéressé du sort de ce célèbre architecte, au point de l'avoir laissé mourir dans la rue, comme un clochard.

Ainsi, à l'aube de mes 25 ans, n'ayant conquis ni Paris ni la France, je me résigne à rentrer au bercail. Mes 3 500 dollars ont fondu comme neige au soleil.

Le début de ma « vraie » carrière

À mon retour au Québec, je trouve heureusement du travail à CHRC-Québec. C'est alors que je délaisse mon job de *disc-jockey* et que je commence à m'intéresser aux affaires publiques. La proximité de l'Assemblée législative et le fait de côtoyer régulièrement les Jean Lesage, René Lévesque, Daniel Johnson père, Pierre Bourgault, Marcel Chaput et compagnie m'ouvrent des horizons nouveaux. Je trouve ces grands hommes plus intéressants que les vedettes du Billboard ou du Hit Parade...

Après CHRC, j'entre presque immédiatement à CJMS-FM, d'où je suis viré tout de suite pour «activités séparatistes». On m'accuse d'avoir organisé, avec Reggie Chartrand, une manifestation qui dénonce l'anglicisation de cette station. Je bosse ensuite durant une année complète à CHRS, la radio de Longueuil, avec Michel Trahan qui est alors un des animateurs les plus créatifs dans le métier.

Un midi, je reçois à mon micro un jeune boutonneux au teint fiévreux. Il gratte une guitare et chante *Le sandwich à la moutarde...* Ce jeune homme est un étudiant de l'école Gérard-Filion qui s'appelle Claude Dubois. D'emblée, je lui recommande d'oublier la chanson et de continuer ses études... Quelle effronterie de ma part.

On m'indique la sortie de CHRS quelques mois plus tard, en 1966, quand on réalise que je courtise ouvertement la femme du patron. Mais il faut croire qu'il y a un bon Dieu pour les coureurs de jupons, puisque Pierre Chouinard me fait alors une place au sein de la grosse équipe de CKLM, qui s'autoproclame alors seule et unique radio francophone au monde.

Inutile de vous dire que je m'y sens vite chez moi. Entouré des Roger Baulu, Roger Lebel, Pierre Chouinard et Guy D'Arcy, je deviens un vrai *radioman*. Je ne suis pas encore le pamphlétaire qui animera *Le journal du midi*, mais je me sens tout de même en bonne voie de devenir un communicateur accompli.

Les gens de CKLM me poussent au dépassement. Ce sont de véritables professionnels, amoureux de la langue et de la culture françaises qui plus est. Nous sommes faits pour nous entendre. Je m'inspire d'eux et du succès qu'obtient, dans le milieu radiophonique, mon frère Jacques, qui est alors le plus populaire des animateurs de Montréal. Jean-Marc Brunet, alors directeur adjoint, note mes lacunes et m'incite à lire de Gaulle. Oui, il s'agit bien du Jean-Marc Brunet qui délaissera le monde de la radio pour fonder la chaîne Le Naturiste, qui compte aujourd'hui 160 magasins! Je suis heureux à CKLM, mais l'appel du large s'apprête à me valoir un énième congédiement.

En cette année de 1966, à l'âge de 26 ans, je viens d'épouser la belle Lise Dauphin, qui ressemble à France Gall. Elle est alors enceinte de notre fils Nicolas, au grand dam de mon beau-père qui, opposé à notre union, a beaucoup de mal à s'empêcher de m'étrangler. Nous passons notre voyage de noces aux chutes du Niagara. Ça peut surprendre à première vue, mais, en revenant de France et d'Espagne, il me tardait de découvrir les beautés de mon propre pays, que je connaissais trop peu en fin de compte. Je n'ai alors à ma feuille de route que quelques sauts de puce au Saguenay, en Gaspésie, dans la région de Québec et au lac Saint-Jean.

Quand je rentre de ma lune de miel, après avoir photographié les majestueuses cataractes, une désagréable surprise m'attend: Guy D'Arcy, le patron de CKLM, me flanque à la porte. Un coup d'État, ça se prépare souvent en l'absence de celui à qui on le destine, n'est-ce pas? Que voulez-vous, je suis bien loin d'être le *disc-jockey* que la direction recherche. À cette époque, on me compare encore à mon frère…

Heureusement pour moi, D'Arcy me réintègre rapidement dans sa programmation. Après un passage obligé au service de la mise en ondes et un certain nombre d'affectations de *disc-jockey*, il me greffe à l'équipe de reporters de CKLM. Comme au hockey, il arrive parfois qu'après avoir eu du succès dans la Ligue nationale, un joueur soit rétrogradé dans la Ligue américaine. La durée du séjour dépend de son désir de retourner dans les grandes ligues…

L'Exposition universelle approche alors à grands pas. Montréal se prépare à accueillir des chefs d'État, des rois et d'autres sommités venus de partout sur le globe. CKLM et toutes les autres stations radiophoniques de Montréal seront bientôt à court de journalistes.

Expo 67

Jusque-là, au cours de ma courte vie, j'ai séjourné à Québec, au Saguenay, en Gaspésie et dans le comté de Charlevoix, traversé la Virginie, les Caroline et la Floride, passé quelques jours à Londres, à Barcelone et à Madrid, et tout un trimestre dans la Ville lumière. Je me suis baigné à Plattsburgh et aux Bahamas, où j'ai visité un fort britannique construit pour endiguer les soldats de Napoléon qui se trouvaient à Haïti. J'ai fait mes gammes ; j'ai timidement posé mes pieds sur des sols qui m'intriguaient, sans réellement m'immerger dans ces mondes inconnus. Toutefois, c'est en suivant pas à pas, à titre de reporter, les chefs d'État en visite sur cette île inventée qu'évoque Stéphane Venne dans le thème musical d'Expo 67 que j'attrape vraiment la piqûre.

Le 28 avril 1967, dans un froid de canard, le commissaire général Dupuy, le maire Jean Drapeau et le premier ministre Daniel Johnson déclarent l'Exposition universelle ouverte. Je n'ai pas assez de mes deux yeux pour tout voir. Malgré ce temps moche tout à fait inattendu pour la saison, 407 000 visiteurs franchiront les tourniquets ce jour-là.

Aux extrémités de l'île se trouvent les deux plus gros pavillons de l'Expo : ceux des États-Unis et de l'Union soviétique, qui s'y font face comme dans la vraie vie. Les plus petits pavillons sont regroupés au centre. Celui du Canada est de loin le plus coûteux et le plus spacieux parmi la soixantaine de bâtiments qui s'élèvent sur le site. Le pavillon de la France sera le favori des visiteurs.

Je me souviens d'Expo 67 comme d'une période euphorique. Je suis impressionné par Hailé Sélassié, le négus, le roi des rois des Éthiopiens. Je ne sais pas encore que je finirai par visiter son pays, que les anthropologues du monde entier considèrent comme le berceau de l'humanité, ni que je marcherai sur les pas d'Arthur Rimbaud qui, en 1880, au milieu de la vingtaine, se réfugia à Harar. Enthousiaste et fasciné, je me sens complètement outré quand un grossier gardien du pavillon de l'Éthiopie, n'ayant pas reconnu le négus, lui lance : « Hé, toé, enligne-toé comme tout l'monde ! » Comme quoi l'instruction et la politesse n'étaient pas des préalables à l'embauche pour ce poste…

En suivant le président américain Lyndon B. Johnson dans la plupart de ses déplacements sur l'île, j'entends les huées de la foule qui le tient pour responsable des ravages de la guerre du Vietnam. Je comprends ceux qui le huent autant que ceux qui l'applaudissent. J'ai là-dessus des sentiments partagés. Comme dans bien des conjonctures politiques, plusieurs facteurs sont à considérer, et il est impossible de faire une omelette sans casser d'œufs.

Le prince Rainier de Monaco, à qui j'accorde évidemment d'avance qu'il a en Grace Kelly la plus belle femme qu'un roi ait jamais épousée, me déçoit cependant. En désavouant le général de Gaulle pour son « Vive le Québec libre ! » qu'il vient de lancer à l'hôtel de ville de Montréal, il me semble faire preuve d'étroitesse d'esprit. Déjà que les relations entre Monaco et Paris souffrent de ce que le général de Gaulle estime être un américanisme trop flagrant... Il faut dire que le monarque a alors transformé peu à peu son « rocher » en une sorte de capitale hollywoodienne vouée à la promotion de l'*American way of life*...

Le général de Gaulle lui-même, je ne le lâche pas d'une semelle. À mon agenda pour les 23, 24 et 25 juillet 1967, il n'y a que lui. Je lui serre la main quand je réussis finalement à m'approcher de lui, jouant des coudes et des hanches, et j'ai conscience d'avoir devant moi un des plus grands personnages historiques du XXᵉ siècle. Je me revois comme si c'était hier... Quarante ans plus tard, en fermant les yeux, je distingue toujours nettement le visage blême du maire Drapeau qui n'a pas l'air de réaliser que le général vient de mettre le Québec sur la carte du monde, je réentends les journalistes anglophones se réjouir de son départ et je revois l'infâme une du journal *The Gazette* qui, impitoyable, montre une photo du visage de De Gaulle entrant dans l'avion — puisque le cadrage ne montre que son visage, on croit qu'il part seul et dans la honte, alors que, sur les passerelles de Dorval, nous étions des centaines à lui faire nos adieux et à le remercier. Ce n'est pas d'aujourd'hui que les médias manipulent l'information...

Le matin suivant le retour en France du général, j'entends dire à la radio que Bagdad salue sa déclaration historique. Dans cette cité sise à mille lieues de la mienne, on a entendu le général et on réagit favorablement à ses propos ! Il n'en faut pas plus pour attiser mon appétit pour les destinations insolites : Babylone, Bagdad, les mille et une nuits... L'appel du large, encore et toujours. Cette fois, plus rien ne m'empêchera de partir à la conquête du monde.

Mexique : le premier voyage... et les suivants

Septembre 1968 est marqué par mon premier séjour au pays des mariachis. Je n'ai pas encore 30 ans, et mon fils Nicolas n'est qu'un bambin. En compagnie de mon épouse, Lise, nous décidons de nous envoler vers le Mexique. Ce pays, construit à coups de conquêtes, a perdu de grands trésors de son histoire, mais j'ai néanmoins toujours eu un faible pour lui. Ce pays étant aux prises avec la culture omniprésente de son puissant voisin, sa résistance m'impressionne. Depuis mon premier voyage en 1968 et jusqu'au dernier, en 2004, j'y vivrai toutes sortes d'aventures et de mésaventures.

À l'aller, un violent orage coince notre avion au-dessus des montagnes et brasse comme une coquille de noix le 707 d'Air France à bord duquel nous avons pris place. À travers les éclairs, j'aperçois les ailes de l'avion qui ballottent comme des feuilles au vent. On se sent si petit, ainsi livré aux éléments ! J'ai beau avoir déjà volé auparavant, je ne me sens pas en sécurité dans cet appareil qui craque et tremble de toutes ses pièces. Toutefois, l'hôtesse de l'air se veut rassurante :

— Nous en avons vu d'autres, me dit-elle. Cet avion est capable d'en prendre.

Je voudrais tant la croire… Après ce terrifiant épisode, l'atterrissage à Mexico me semble aussi fluide qu'un doux ballet aérien. Fort heureux d'être toujours en vie, Lise et moi débarquons sur le sol mexicain. Mexico est une ville qui a beaucoup à offrir. Bien que l'altitude rende son climat très supportable, la pollution y est cependant visible à l'œil nu. Le parc automobile de la ville contient autant de véhicules que le Québec compte d'habitants. Sept millions de voitures… Avez-vous une idée de la quantité de gaz carbonique que ça dégage? Selon un règlement, les automobiles portant une plaque d'immatriculation aux numéros pairs ne doivent circuler que certains jours de la semaine; les autres jours sont réservés aux plaques impaires. Résultat? Tout le monde ou presque possède deux ensembles de plaques…

Dans cette ancienne capitale aztèque, à peu près rien n'a été conservé des splendeurs architecturales de l'époque; les conquistadores d'Hernán Cortés ont presque tout rasé pendant la conquête espagnole du XVIe siècle. Il ne reste que les jardins flottants de Xochimilco et les pyramides de la banlieue Teotihuacan. Ces ruines évoquent encore la grandeur de la civilisation aztèque, disparue sans laisser de traces. Pour compenser, dirait-on, on aménagea en 1964 la place des Trois-Cultures, au cœur de Mexico. Ça ne vous fait pas penser au Québec, où on a un penchant très marqué pour les plaques commémoratives?…

Les survivants du «génocide» mexicain et les soldats de Cortés finirent par métisser la population, tout comme le firent trois siècles plus tard les troupes françaises de Maximilien 1er. Leurs descendants sont des centaines de milliers à vivre dans les rues et les bidonvilles de cette mégalopole, et leur histoire est écrite dans les traits de leur visage. Ensemble, ils constituent ce que d'aucuns estiment être une population hispano-indienne.

J'ignore si ce sont mes expériences personnelles qui me portent à douter de l'assainissement des mœurs que proclament les Mexicains quand ils vantent leur ville. Peut-être ceux-ci mettent-ils cette « épuration » de l'avant afin d'enfirouaper les touristes... En ce qui me concerne, je doute de sa véracité ; voici, en vrac, quelques-uns de mes arguments.

Au début des années 1990, mon ami Gérard Latulipe, qui fut un temps le délégué général du Québec à Mexico, m'invite à prononcer une conférence portant sur l'histoire de la radio à l'université de Mexico, au cours d'un genre de Semaine du Québec. CKAC en profite pour me demander d'animer *Le journal du midi* à partir d'un studio mexicain. Quelle belle occasion !

Quand la petite lumière verte s'allume, j'enfourche mon cheval blanc, comme d'habitude. De l'autre côté de la vitrine qui sépare le studio de la régie, les Mexicains n'en croient pas leurs oreilles. Mes coups de gueule et mes coups de griffes les déroutent. Ils ne sont visiblement pas habitués à ce style d'animation ! À la fin de mon émission, la plupart d'entre eux me disent envier ma liberté d'expression.

Au cours de ce même voyage, mon ami Yves Dubuc, grand tombeur devant l'éternel, m'invite à l'accompagner en un lieu « sélect » où les femmes invitent les hommes à danser. Rien de tel pour dégêner les timides dont, malgré les apparences, je suis. Nous ne sommes pas sitôt arrivés que deux créatures de rêve nous font les yeux doux.

— Tu prends la brune, je prends la blonde, me lance mon ami Dubuc en se préparant à aborder la belle.

L'orchestre joue *Besame mucho*. En moins de deux, nous voici engagés dans le plus langoureux des *slows* qui soient, quand nous réalisons que nos deux compagnes sont en fait des travelos. Ai-je besoin de mentionner que notre libido tombe instantanément, comme un bouquet de fleurs fanées?...

Une quinzaine d'années plus tard, au cours d'une virée dans les bars du centre-ville avec mon ami Alain Dufour, nous nous apprêtons à commander des bières quand deux superbes filles s'invitent à notre table. Sans aucune gêne, elles commandent des verres à 50 dollars chacun. Alain et moi ne mettons pas longtemps à deviner ce qui nous attend : dans la minute, deux gorilles s'amènent naturellement avec la facture.

— C'est 100 dollars ou vous ne sortez pas d'ici.

Mais c'est compter sans Dufour. Cet homme est fort comme un taureau, et je n'en connais pas beaucoup qui sont plus intrépides que lui. Il bondit aussitôt sur ses pieds et attrape les deux mastodontes par la gorge. C'est la panique dans le bar. J'en profite pour m'éclipser dans le but d'alerter la police. Dans la rue, je tombe presque tout de suite sur une jeune policière qui s'exprime dans un français convenable. Elle demande des renforts. C'est accompagné d'un trio de gendarmes que je retourne sur les lieux de l'altercation.

Les policiers finissent par arracher mes 100 dollars aux gorilles et nous remettent, à Alain et à moi, 25 dollars chacun. Ils se gardent évidemment un pourboire de 50 dollars. Un marché à la mexicaine, comme on dit...

Ma rencontre avec Cuba

Mais je m'égare… Revenons à mes débuts de voyageur. À la fin de mon premier séjour à Mexico, en cette année 1968, mon épouse retourne à Montréal. Plutôt que de rentrer avec elle, je décide sur un coup de tête de piquer une pointe du côté de Cuba. Je me le suis promis en 1961 quand, au volant de ma Triumph, je lisais la propagande anticastriste sur les panneaux routiers de la Floride. Je suis loin de me douter que cette petite semaine sur l'île sera le prologue d'une série de séjours qui me mèneront, après de longues années, à serrer la main d'un des grands personnages du XXe siècle.

Me voici donc au kiosque de la Cubana de Aviación. À côté du douanier mexicain, un officier de la CIA essaie de me dissuader de mettre le pied dans l'île maudite, pendant que l'avion, sur la piste, attend l'ordre de décoller. Avant de me laisser enfin m'embarquer, l'agent américain me braque son appareil photo en pleine figure et relève mon numéro de passeport. Trois ans plus tard, alors que je tenterai, en compagnie de trois autres journalistes québécois, de me rendre au Vietnam avec les soldats de l'armée américaine, cette histoire me reviendra en pleine face : on refusera alors ma requête, tandis qu'on autorisera mes collègues à faire le voyage. La CIA a une mémoire d'éléphant…

À mon arrivée à Cuba, je suis escorté par des militaires polis jusque dans une salle de l'aéroport José Marti. J'ai beau exhiber une lettre d'appui que m'a bricolée un ami « communiste » du Québec, j'ai beaucoup de mal à venir à bout de leur méfiance. Il faut dire qu'à l'époque, il n'y a pour ainsi dire pas d'industrie touristique dans le pays, le tourisme étant considéré comme un suppôt du capitalisme. Après m'avoir cuisiné durant près de deux heures, les militaires me conduisent dans le Vieux Havane, où ils me dénichent une chambre d'hôtel. Je suis sûr d'y être surveillé, mais il n'y a rien que je puisse faire.

Le lendemain soir, appuyé dans l'embrasure de la porte de l'hôtel qui donne sur une rue très achalandée, je suis abordé par un individu qui se dit nostalgique du régime de Batista, renversé par Fidel Castro près de dix ans plus tôt, en 1959. Le type dénigre Castro sans se gêner et va jusqu'à s'en prendre à Che Guevara, qui a été exécuté l'année précédente. Je devine que j'ai affaire à un agent provocateur, et il parle un peu trop fort à mon goût. Je m'éloigne de lui le plus vite possible…

Au cours de la semaine que je passe là-bas, inutile de préciser que je n'ai rien d'autre à faire que de me promener, seul, dans les alentours. Aucun organisme touristique n'est là pour me faire découvrir les charmes cachés de La Havane. Aujourd'hui, les choses ont bien changé à Cuba. Fidel Castro a lui-même déjà dit que les prostituées cubaines sont les plus scolarisées au monde. De corruptrice qu'elle était, l'industrie touristique est devenue l'une des plus importantes de ce pays où l'on retrouve deux classes de personnes : les minables instruits qui crèvent de faim et les membres du Parti communiste qui bénéficient de l'argent des touristes.

Je viens de m'asseoir au parc Lénine, tout près de l'ancien Capitole, quand un homme d'un certain âge réalise, en m'entendant parler, que je suis franco-phone. J'ai affaire à un vieux Français qui vit à Cuba depuis une trentaine d'années. Il est professeur dans un lycée de La Havane. Il a connu les deux régimes, mais n'ose pas approfondir la question. Il me confie que la plupart des Cubains croient que Che Guevara est toujours vivant! On sait qu'avant son décès, survenu au sommet d'une montagne en Bolivie, on avait déjà annoncé sa mort sept fois dans différentes parties du monde. « Comme le chat, il a plusieurs vies », disent les admirateurs du Che.

Le lendemain, depuis le hall de l'hôtel, j'aperçois un défilé de Cubains brandissant le drapeau national. Mon hôtelier me suggère de les suivre jusqu'à la place de la Révolution. En m'approchant, je vois et j'entends le Lider Maximo en train de haranguer la foule. Son énergie et son magnétisme sont tels que je l'écoute parler durant plus de quatre heures, même si je ne comprends pas tout ce qu'il dit. Je ne vois pas le temps passer. Il faut savoir qu'au meilleur de sa forme, Castro était capable de discourir pendant une douzaine d'heures sans jamais perdre de son intensité.

Je suis fasciné. Je me dis qu'il faut être un grand chef d'État pour oser tenir tête aux Américains depuis si longtemps. Ce soir-là, il condamne le Printemps de Prague, ce grand mouvement de contestation du régime soviétique en Tchécoslovaquie. Cela me plaît un peu moins cependant, mais démontre bien la satellisation de l'île à l'égard de Moscou.

À mon retour à Montréal, Bernard Derome m'invite à raconter mon voyage aux téléspectateurs de la société d'État. L'émission est préenregistrée, mais elle ne sera jamais diffusée. Allez savoir pourquoi. Peut-être refusera-t-on de présenter l'émission pour éviter de soulever la polémique. J'y raconte que les Cubains manquent de tout et que les liens qui unissent le régime de Castro à l'ours soviétique sont plus militaires que socioéconomiques. À la fin des années 1960, ces années d'étourdissement, ce n'est pas à la mode de condamner Fidel, dont l'icône est encore vierge.

Bien entendu, un voyage comme celui-là fait rapidement des petits. Deux ans plus tard, en janvier 1970, je retourne à Cuba avec les premiers touristes autorisés à visiter l'île. On nous installe le long de la côte de Varadero, à proximité des plus belles plages d'Amérique. Un séjour enchanteur durant lequel je croise un Robert Charlebois venu offrir à Castro un exemplaire de sa chanson intitulée *Mon ami Fidel*. Je l'envie d'avoir la chance de serrer la main de l'homme d'État. Je ne sais pas encore que j'aurai à mon tour l'occasion de l'approcher, un de ces jours.

Mon troisième voyage à Cuba aura lieu en 1978. Je m'installe à l'Hôtel national de La Havane, où je rencontre l'ex-felquiste Pierre Charrette, qui s'est réfugié dans l'île après avoir détourné un avion d'Eastern Airlines en provenance de Miami. À son arrivée à Cuba en 1969, il n'avait qu'une seule idée en tête : rentrer au Québec et obtenir le pardon des autorités policières. Il atterrira à Dorval dix ans plus tard. Il faut croire que sa demande sera exaucée, puisqu'il est maintenant bien établi chez nous et a renoncé à toute forme d'activisme politique.

Mes pas m'emmèneront de nouveau à Cuba bien plus tard, en 1993 cette fois, à l'invitation du consulat cubain à Montréal, en compagnie d'un groupe de reporters québécois dont fait partie Jean-Guy Allard, un journaliste du *Journal de Québec*. C'est à ce moment que se présentera enfin pour moi l'occasion de m'entretenir avec Fidel Castro, 25 ans après mon premier séjour en ce pays. Cuba sort à ce moment-là d'une crise de contestations violentes, et les Cubains en ont ras le bol des rationnements et des files d'attente…

Quelques jours après notre arrivée, on nous prévient que Castro, qui se balade en ville sans jamais s'annoncer, doit venir à Varadero une heure plus tard pour inaugurer un nouveau complexe hôtelier. Après nous avoir fait traverser toute une série de contrôles, on nous autorise à entrer dans le complexe. Le *commandante* est entouré de gardes du corps qui surveillent les fenêtres, les portes, les voitures. Chaque recoin est soupçonné de servir de cachette aux opposants du régime. Castro est alors dans la soixantaine ; son pas commence à ralentir. Mais il ne se considère toujours pas comme un homme du passé. Loin de là… Autour de lui, les gens sont surexcités. Tout le monde veut le toucher. À tel point, d'ailleurs, que sa garde personnelle a du mal à maintenir le cordon de sécurité.

C'est alors que je suis choisi parmi d'autres journalistes pour participer à une conférence de presse durant laquelle j'aurai l'occasion d'interviewer Fidel Castro en français, grâce aux services d'une interprète. Je m'approche, m'apprêtant, fébrile, à serrer la main du *commandante*. Je suis extrêmement intimidé par ce personnage qui fut un géant de l'actualité, un des plus grands orateurs connus. Je revois défiler dans le couloir de ma mémoire toute cette décennie 1960 durant laquelle il a secoué le monde, le précipitant presque dans une troisième grande guerre.

Sur un ton gêné, la voix un peu perchée, craignant, comme un enfant, de me faire rabrouer, je me hasarde à lui parler du rétablissement d'une possible relation avec les États-Unis de Bill Clinton. J'évoque l'implantation prochaine d'une succursale de CNN à La Havane. Bref, je veux connaître son point de vue. Il me répond que le dégel des relations est évidemment souhaitable, mais qu'il doute fort qu'un véritable rapprochement soit à l'agenda de Clinton et de son gouvernement. Le lobby des Cubains installé à Miami est trop puissant. L'avenir lui donnera raison. À la fin de l'entrevue, je demande à Jean-Guy Allard de prendre une photo de moi près du *commandante*. Il empoigne son appareil et s'exécute. Je garderai précieusement ce cliché, que j'utiliserai pour de nombreuses publications. Malheureusement, le nom d'Allard s'échappe de ma mémoire... J'aurais aimé lui donner le crédit pour sa photo. Je n'aurai de ses nouvelles que 15 ans plus tard. En 2008, je téléphonerai à *Gramma*, journal local cubain, et réaliserai qu'un certain Jean-Guy Allard y travaille. Après avoir bavardé de choses et d'autres, il finira par me demander si j'ai toujours la photo qu'il a prise de moi en 1993! C'est là que je le reconnaîtrai enfin et replacerai un nom sur ce précieux cliché. Après ce voyage que nous avons fait ensemble, Allard est tombé amoureux d'une jolie Cubaine, la fille du PDG du journal *Gramma*, et a choisi d'élire domicile dans l'île.

Cette brève rencontre avec le père de la révolution cubaine demeurera toujours pour moi un souvenir grandiose. Castro fut un des principaux acteurs de la guerre froide. Rappelez-vous la crise des missiles... Il repoussa l'assaut de la diaspora cubaine dans la baie des Cochons. Il aura été, toute sa vie, le David du Goliath américain, et il est entré vivant dans l'histoire. Il a donné aux Cubains un système de santé et d'éducation qui fait l'envie de bien des pays disposant de ressources supérieures. Il « prête » même des médecins à son ami vénézuélien Hugo Chavez en échange de pétrole (on doute cependant que celui-ci lui coûte 0,20 $ le litre)! Avec le temps toutefois, son bulletin de notes faiblira puisque, enivré par le pouvoir, il ne saura jamais s'ouvrir à des élections libres, quitte à instaurer une démocratie dirigiste.

Tout cela me rappelle les premiers bulletins de nouvelles que je lisais à la radio de Montmagny en septembre et octobre 1962, pendant la crise des missiles, lorsque je faisais mes premiers pas dans le métier. Je n'étais pas encore un très bon lecteur de nouvelles, à cette époque. Toutefois, je me souviens que la crainte d'un conflit nucléaire était dans l'air, bien réelle, palpable.

Voilà qui est loin derrière, mais ce jour-là de 1993, je ne pus m'empêcher d'admirer Castro, et je me félicite aujourd'hui d'avoir eu la chance de m'entretenir avec lui. Comme quoi un coup de tête peut parfois mener bien plus loin qu'on l'aurait cru...

Le *peace and love* à Amsterdam... aux frais du royaume

Durant les années 1960, donc, je traverse la vingtaine. C'est ma jeunesse. J'explore timidement, j'ouvre les yeux sur le monde et je me découvre des passions, puis me bâtis tranquillement une carrière. Comme on l'a vu, c'est au cours de ces décennies à la fois éclatées, festives et torturées que viennent au monde mes désirs de voyage et de découverte les plus fous. À cette époque de ma jeune vie, je me rendrai pour la première fois dans certaines contrées ou encore commencerai à concevoir l'envie d'aller respirer les effluves de certaines autres. Dans le cadre de mon travail à la station de radio CKLM, où j'œuvre depuis 1966, je serai même appelé à découvrir quelques-uns de ces coins de pays plus rapidement que je ne l'aurais cru. Les circonstances et le hasard jouent parfois pour beaucoup dans le parcours du voyageur… C'est en novembre 1968, au terme d'un été chaud sur le plan politique, que je participe à mon premier voyage de presse pour le compte de CKLM, à l'invitation du Canadien Pacifique. C'est en Hollande que ça se passe, un royaume qui préserve jalousement ses traditions tout en étant au cœur des idées nouvelles. Un royaume qui a donné au monde les Rembrandt et Van Gogh. La Hollande n'est pas seulement cette portion des Pays-Bas que d'ingénieux bâtisseurs ont arrachée à la mer. C'est également l'un des États où l'on est le plus soucieux de protéger ses coutumes. Certaines stations de radio sont même dirigées par des communautés religieuses, comme quoi les accommodements raisonnables sont bel et bien possibles… De plus, il n'est pas rare d'y croiser des pêcheurs costumés et chaussés de sabots comme ceux que devait porter la belle Hélène de Georges Brassens.

Dès ma descente de l'avion, on me fait visiter un appartement d'Amsterdam dont la façade donne sur un canal. À l'intérieur, bien camouflée derrière un placard, une porte s'ouvre sur un logement où se cachait une famille juive durant la Deuxième Guerre mondiale, une famille comme celle d'Anne Frank, morte à 16 ans au camp de concentration de Bergen-Belsen, qui accoucha entre 1942 et 1944 d'un récit des plus saisissants sur cette Allemagne aveuglée par le fanatisme nazi.

Je m'étonne de voir que les Néerlandais, dans les rues d'Amsterdam, voyagent énormément à vélo. Nous ne sommes pourtant pas à Pékin! Déjà, en 1968, c'est le moyen idéal pour combattre la pollution due au monoxyde de carbone. En ces années, chez nous, c'est tout juste si on ne considère pas les quelques téméraires qui osent se déplacer à bicyclette comme des vestiges du Moyen Âge! Ça se passait il y a 40 ans. Ça démontre bien que le niveau de conscience environnementale varie considérablement d'un pays à l'autre.

Il faut dire que ce royaume ne combat pas toutes les sources de pollution avec la même ardeur. Bien que ses citoyens aient été adeptes de la bécane bien avant le protocole de Kyoto, sa réputation est entachée du fait qu'on y cultive la marijuana à ciel ouvert. En y repensant aujourd'hui, je refuse de croire que les gens ne circulaient à vélo que pour mieux inhaler le nuage de fumée bleue qui flottait au-dessus de certains quartiers. On pouvait couper au couteau ces nuages qui étourdissaient la jeunesse contestatrice de cette turbulente décennie 1960.

Après une balade en ville, donc, je m'embarque à bord d'un yacht, dans le grand port d'Amsterdam qui a inspiré Jacques Brel. Avec un petit groupe, nous partons pour une expédition touristique. La jeune guide qui nous accompagne se lance dans une description documentée des navires à grand tonnage, puis, une fois son discours terminé, s'approche de moi pour me confier son désir de m'embrasser! Oui, nous sommes vraiment à l'heure du *peace and love*…

De retour sur la terre ferme, près du Palais-Royal, cette jeune femme me fait humer l'arôme de milliers de tulipes, symboles d'amitié entre son pays et le mien. Je me demande si elle sait que la reine Juliana a séjourné à Ottawa à l'époque où son royaume était ratissé par les Allemands… Toujours est-il que depuis ce voyage, chaque printemps, lorsque je mets les pieds à Ottawa, je ne peux faire autrement que de penser à la reine Juliana… et à ma jolie guide. Amsterdam passe pour être la Venise du Nord, le ciel bleu en moins. Le long de certains de ses canaux se trouvent les rues des «vitrines». Elles sont connues des touristes du monde entier. Elles exposent à la vue de tous les charmes des plus jolies péripatéticiennes. Je ne vous cacherai pas qu'au cours d'une autre escale — au sortir de la brousse kenyane, après neuf heures d'avion, sale et fatigué —, il m'arrivera à moi aussi de me reposer en compagnie d'une de ces dames de petite vertu…

CHAPITRE II
Les années 1970 : de l'autre côté de l'Atlantique... et du téléobjectif

N'est-ce pas Thomas Jefferson qui a dit que chacun devrait avoir deux pays, le sien et la France ? Depuis mon premier voyage à Paris en 1964, je ne compte plus le nombre de navettes qui, de chez moi, me transportèrent en sol français. Ainsi, en 1969, une belle surprise m'attend. L'Office franco-québécois me propose un stage de perfectionnement dans une radio de Paris. Ce séjour durera une année complète.

Lise, mon épouse, m'a finalement passé par-dessus bord... Très décontenancé, j'accepte donc cette invitation de la France, qui arrive assurément au bon moment. Seule ombre au tableau : j'abandonne derrière moi mon fils Nicolas, mais je me reprendrai plus tard en le faisant voyager.

Habitué aux lieux exigus dans lesquels mes collègues et moi nous entassons au Québec, je débarque à la grande station de radio RTL, qui regroupe 600 employés. L'information y est traitée avec une précision quasi chirurgicale. Jean Chanut, de l'agence France-Presse, tuteur de mon stage, m'a recommandé auprès de Jean-Pierre Farkas et de Julien Besançon, tous deux de cette influente station de la rue Bayard. Pour ma première affectation, on m'enjoint de suivre un journaliste dans différents endroits. Ainsi, mon statut me donne l'occasion de rencontrer le cinéaste Jacques Tati, créateur du personnage à la fois étourdi et touchant de monsieur Hulot, qui passe en son temps pour être le plus lent de tous les réalisateurs du monde. Comme début de stage, on a vu pire!

Au fil des mois, je finis par me faire quelques amis, puis je m'intègre à un groupe social, ce qui me permet de mieux connaître la société française en rendant visite aux uns et aux autres. Avec mon accent qu'ils aiment bien, je deviens une espèce d'attraction. J'ai l'impression d'être comme les fils de Donnacona, ces premiers autochtones que Jacques Cartier amena à la cour du roi François 1er. Dans le petit cercle, qui va en grossissant, on me traite affectueusement de «maudit Québécois», en référence aux nombreux «maudit!» qui émaillent la plupart de mes conversations.

À ce propos, une «maudite» belle fille prénommée Béatrice fait partie de mon groupe d'amis. Un jour, elle m'invite spontanément à passer la nuit chez ses parents, qui habitent un château en Corrèze. Je m'empresse d'accepter — ce n'est pas tous les jours qu'une telle occasion se présente.

C'est un domestique qui nous accueille au manoir. La chambre où l'on m'enjoint à m'installer, située près d'un donjon, donne sur un étang occupé par des cygnes. Dire que je suis impressionné serait trop peu. À l'heure convenue, je rejoins ma jeune hôtesse et ses parents pour le dîner. Nous nous installons autour d'une table si surdimensionnée que je suis presque mal à l'aise de m'y asseoir. J'ai l'impression de me trouver dans un décor de cinéma. La mère, curieuse de nature, m'interroge longuement sur le Québec français. Mon accent la charme rapidement. Il lui rappelle celui de Félix Leclerc. Je lui parle de Félix-Antoine Savard et des livres qu'il a écrits dans la langue typique des premiers colons venus en Nouvelle-France. Nous évoquons la visite historique du général de Gaulle à Montréal, survenue deux ans plus tôt, et les relations tendues entre le Québec et le reste du Canada. Le père me confie que, durant la guerre, un parachutiste anglo-canadien a atterri dans la cour du château et demandé qu'on le cache au grenier. Pour l'avoir fréquenté un certain temps, mes hôtes ont fini par voir le Canada à travers lui. Dans ce contexte, le «Vive le Québec libre!» du général les a laissés pantois. En écoutant parler ces gens, je mesure la différence qu'il y a entre les nouveaux riches de chez nous et les anciens «colonisateurs» qui ont fait fortune dans les orangeraies du Maroc...

Je ne peux évoquer ce stage à Paris sans mentionner les CRS (Compagnie républicaine de sécurité, l'équivalent du SWAT de chez nous), les «CRS SS», comme les appellent les manifestants de mai 68. Ces contestataires estiment que ce corps de police, créé par de Gaulle, est le plus brutal d'Europe. Moi, je leur réponds toujours: «Vous n'avez pas vu nos mastodontes de l'escouade antiémeute de Montréal!»

Un soir, dans le Quartier latin, 10 000 protestataires organisent une manif en souvenir de mai 68. Face à eux se tiennent environ 800 CRS bien casqués, armés de bonbonnes de gaz et de matraques. La manifestation tourne au vinaigre quand des jeunes commencent à arracher les pavés du boulevard Saint-Germain. Le sifflet donne le signal de départ. Me voilà entraîné malgré moi dans cette foule et coincé dans une entrée de magasin. La police « varge » à grands coups alors que, moi, je brandis mon passeport canadien au-dessus de ma tête, le tenant fermement de la main. Croyez-le ou non, les CRS cognent sur tout ce qui bouge autour de moi, mais décident de m'épargner. Voilà une police qui sait faire preuve de discernement ! La go-gauche parisienne a bien tort de la baptiser « CRS SS ».

Après quelques mois de travail, le chef de pupitre de la station parisienne qui m'emploie me demande d'aller couvrir la messe de minuit du 24 décembre 1969 à la basilique Notre-Dame. Cette affectation n'a rien de bien spécial, me direz-vous ! Eh bien, détrompez-vous, puisque c'est ainsi que je vis à Paris mon premier Noël hors du Québec.

La basilique est en liesse. La cérémonie est présidée par un prêtre catholique et par un Grec orthodoxe. Une première ! L'un raconte aux fidèles que le Christ est né à Bethléem. Le second annonce la naissance prochaine du Messie puisque, suivant ses croyances, il se conforme au calendrier julien, selon lequel Noël coïncide avec notre 7 janvier. Les grandes orgues font vibrer les vitraux. Les sermons s'accompagnent de chants en latin et en grec, d'une rare beauté. C'est un spectacle enivrant ! À ma sortie de la basilique, la ville est recouverte d'une mince pellicule de poudreuse. Un Noël blanc à Paris… Comment peut-on oublier une telle image ?

Sur le chemin du retour, dans la voiture qui me ramène à l'hôtel, la radio fait tourner la chanson de Claude Dubois, *Comme un million de gens*. Il me revient alors en tête que, quelques années plus tôt, à la radio de CHRS, j'ai conseillé à Dubois d'étudier plutôt que d'envisager une carrière de chanteur. À bien y penser, je n'aurais peut-être pas fait un très bon impresario…

Quelques mois auparavant, j'ai fait la connaissance de Marie-Claire, une belle Acadienne qui étudie à l'université d'Aix-en-Provence. Il ne m'a fallu que quelques heures pour tomber amoureux d'elle. Aux vacances de Noël, après avoir couvert cette messe splendide à Notre-Dame, je retrouve donc Marie-Claire, qui me propose de partir en voyage hors de la France. Nous décidons alors, sur un coup de tête, de nous rendre en Tunisie... le jour même.

Premier contact avec l'Afrique

Je ne vous dis pas le choc culturel que nous ressentons lorsque nous débarquons en Tunisie, petit pays arabo-francophone d'Afrique du Nord qui fut occupé, entre autres, par les Français, les Italiens, les Arabes et les Berbères. Ce pays où Jésus n'était qu'un simple prophète, dans un décor qui n'évoque en rien les Noëls de mon enfance.

C'est la première fois que nous mettons les pieds dans un pays musulman. Notre consolation : on y parle français. Les femmes sont voilées, les hommes habillés comme des bergers de l'ère biblique. Quel contraste avec Paris où nous nous trouvions quelques heures auparavant ! Marie-Claire ne me quitte pas d'une semelle, jusqu'à ce que nous décidions de nous séparer pour une heure ou deux, question de se dénicher un petit cadeau de Noël. Nous avons l'intention de trouver ensuite un coin sombre pour célébrer en cachette, comme au temps des premiers chrétiens.

Perdu dans les dédales du souk, j'achète pour elle, sans négocier — je suis tout à fait ignorant de la coutume du pays — un bijou berbère. Le commerçant trouve la transaction fort étrange. Il m'offre, en guise de compensation, un sachet d'encens. L'atmosphère n'en sera que plus heureuse! Marie-Claire m'offre un beau foulard et une paire de babouches; je garderai ces deux présents jusqu'à ce que l'usure ait raison d'eux. Ma compagne a-t-elle négocié pour ces achats? Non, me dit-elle! Quels jeunes gens innocents nous faisons, perdus au cœur de cette culture millénaire...

Mon Noël est inoubliable et étrange à la fois. Le matin du 26, les rues de Tunis-Carthage sont envahies de camions, de grues et d'ouvriers qui travaillent comme le font chez nous les travailleurs un lundi matin. Et en après-midi, des milliers de gens célébreront le sacrifice d'Abraham. Les boîtes des camions sont remplies de moutons. Chez nous, c'est la dinde; ici, c'est le mouton...

Nous dînons dans une auberge creusée à même le roc, parmi les ouvriers venus y prendre leur repas du midi. Un peu plus loin, nous nous heurtons à toute la puissance de l'empire Coca-Cola: les dromadaires du coin aiment tellement le goût de cette boisson qu'ils refusent de bouger à moins qu'on leur serve du Coke à boire. Je l'ai vu de mes yeux vu.

Au bout de quelques jours, mon Acadienne suggère de poursuivre notre périple improvisé du côté de l'Algérie. Je suis un peu réticent. J'ignore s'il est prudent de s'aventurer au cœur de cette contrée qui tente encore de panser ses blessures. Après tout, l'armée française s'en est retirée il y a moins de six ans...

Mais la tentation est forte, et il y a un bon moment que l'Algérie me « travaille ». On se rappellera qu'en avril 1961, alors dans la jeune vingtaine et tiraillé entre une carrière d'animateur à la radio et l'idée de devenir photographe, je m'étais rendu au consulat de France pour demander qu'on m'envoie en Algérie avec l'armée française, à titre de reporter. Mais on avait refusé de considérer ma candidature parce que la guerre tirait à sa fin... Le 2 juillet 1962, c'en était fini de l'Algérie française, et les pieds-noirs avaient le choix entre la valise et le cercueil. Ils sont plus d'un million à avoir quitté le pays, laissant derrière eux 130 ans d'histoire française dans ce coin du Maghreb. L'autobus qui nous conduit en Algérie nous dépose en plein *no man's land*, au milieu de nulle part. Nous pénétrons ainsi en sol algérien à pied, par un soir de pleine lune, seuls dans la forêt des Atlas. Nous marchons en cette terre excessive aux montagnes et aux arbres brûlés par le dernier été. Le ciel, avec la tombée de la nuit, perd de son azur, et le froid s'installe. « Qu'est-ce qu'on est venus faire ici? » me demandai-je. Marie-Claire ne se sent pas en sécurité. Je tente de la rassurer, tout en avançant moi-même dans l'incertitude...

Cependant, la police frontalière ne tarde pas à nous mettre la main au collet, et un militaire portant moustache à la Charlie Chaplin nous dirige sans ménagement vers le poste-frontière. Là, je n'ai qu'à me proclamer Français d'Amérique pour m'attirer la sympathie de l'officier en poste.

— De Gaulle vous l'a dit : n'attendez pas trop avant de faire l'indépendance, sinon il sera trop tard..., nous dit-il d'emblée.

Drôle comme, si loin de chez moi, les gens les plus improbables semblent avoir une opinion sur la situation politique de ma terre natale...

— Je vais vous faire déposer à Constantine par un ami qui s'en va là-bas. Après quoi, vous vous débrouillerez. Par ici, il y a des sangliers sauvages qui chargent les promeneurs. Il vaut mieux ne pas vous balader dans le coin la nuit.

La suite du voyage ne sera pas de tout repos : de Constantine, nous ratons le train pour Alger. Le prochain départ n'est prévu que pour le lendemain. Nous nous dirigeons donc vers un bouiboui où on nous sert un couscous maison. Les Algériens dévisagent Marie-Claire avec une insistance gênante. À la fin du repas, il nous faut retourner à la gare où nous dormons dehors. Et nous sommes en décembre ! Il pleut, il fait froid... La totale, quoi. Mais cette horrible nuit ne nous empêche pas, le jour suivant, à bord du train qui longe la mer par moments, de nous émerveiller devant ces ruines qui rappellent l'Empire romain.

Après deux jours de train, nous arrivons enfin à Alger la Blanche. Au bras de ma belle Marie-Claire, j'admire la lune, énorme, qui nous contemple, cette lune si présente dans les incantations de la chanson arabe. Arrivés à la noirceur, nous cherchons désespérément un hôtel, sous l'œil hagard et inquisiteur des marcheurs. L'hôtelier qui nous loue une chambre regarde Marie-Claire avec un certain mépris, comme si elle était impure. Marcher librement au bras d'un homme en pleine nuit n'est pas admis dans les mœurs algériennes. Nous avons hâte de nous réchauffer tellement nos vêtements sont transpercés par l'humidité...

Au final, nous ne ferons qu'effleurer l'Algérie dans un inconfort quelque peu décourageant. J'aimerais que nous puissions nous aventurer plus profondément dans Alger, mais le temps me manque. À Paris, du travail m'attend, et ce voyage ne peut durer éternellement. Je me promets donc d'y revenir plus tard.

Avec Marie-Claire, nous décidons néanmoins de prendre le train pour Oujda, au Maroc. La ville est tellement belle et accueillante que je décompresse sur-le-champ. Je m'apprête à faire la découverte d'un pays qui me sera cher tout au long de ma vie[4]...

Marie-Claire et moi traversons le pays tant bien que mal. Nous dormons même à la belle étoile sur un banc de gare, fauchés comme les blés. Au matin, un Marocain originaire de Fès, un des foyers de la culture nationale, qui passe près de nous reconnaît mon accent québécois. Au bout d'une courte conversation, nous réalisons qu'il est familier avec Montréal. Et voilà qu'il nous invite chez lui, ce qui nous réconforte quelque peu ; nous savons que, le soir même, il nous faudra dormir dans un hôtel à un dollar, tout habillés, sur des puciers sablonneux dans lesquels des hommes bleus du désert, de passage en ville, ont probablement dormi la veille.

Le ventre creux, nous profitons allègrement de l'offre de notre nouvel ami. En ce royaume, l'hospitalité est sacrée. Nous prenons rendez-vous dans une casbah connue surtout pour le travail de ses tanneurs. Marie-Claire, vaguement inquiète, et moi nous y rendons à l'heure dite, après avoir couru sous une pluie diluvienne. Nous ne sommes pas sitôt arrivés que l'épouse de notre hôte se retire dans l'arrière-cuisine pour y préparer du couscous pour tout le monde. Nous croyons que nous dînerons « en famille », mais avons bientôt la surprise de réaliser que, chez les musulmans, l'épouse ne mange pas avec ses hôtes. Elle prépare le repas, le sert et se retire immédiatement dans ses quartiers.

Ici, tout est culture et traditions. Les Marocains composent avec de nombreux rituels. Parmi ceux-là,

---

4. J'y retournerai 13 fois ; je deviendrai même citoyen honoraire du Maroc. J'y reviendrai dans un chapitre ultérieur.

celui du thé. On en boit autant chez les pauvres que chez les riches. Il est tellement populaire que chaque région du royaume se distingue par la couleur de ses tasses de thé. Au Maroc, la religion interdit de boire de l'alcool, et le café coûte cher. Alors, on se rabat sur le thé.

À table, la conversation prend une tournure que nous n'avons pas prévue. Notre hôte se met à nous parler, à mots couverts évidemment, du roi Hassan II, de ses nombreux palais et du faste dans lequel il évolue, en ce royaume où il y a beaucoup de pauvreté. Malgré sa discrétion, j'ai l'impression que cet homme n'est pas heureux dans son pays. Il dit même songer à refaire sa vie à Montréal. À la manière qu'il a d'en parler, on jurerait que les rues de notre métropole sont pavées d'or[5] !

Le lendemain matin, Marie-Claire et moi quittons notre hôtel « une étoile » et montons à bord d'un autobus bondé de monde qui se dirige vers Tanger. Le trajet nous paraît interminable. Le chauffeur a un mal de chien à éviter les immenses flaques d'eau qu'a creusées la pluie torrentielle de la veille, qui continue toujours de marteler les toits. Nous craignons de nous enliser. L'estomac de nouveau creux, nous salivons au souvenir des ripailles du Nouvel An auxquelles nous sommes habitués chez nous.

Cette fois, c'est dans un hôtel à cinquante sous de Tanger que nous attendons le traversier qui doit nous emmener à Algésiras, en Espagne. Il pleut toujours, et les gouttes d'eau tombent dans un seau juste au pied du lit. Ça ne s'améliore pas ! Ce genre de concert est

---

5. Croyez-le ou non, j'ai croisé ce type dans le quartier Côte-des-Neiges il y a quelques années. Il était au volant d'une voiture de taxi. Voulez-vous que je vous dise ? Il avait l'air heureux !

difficile à oublier. Nous n'avons plus un sou, mais un Français, sympathique à la cause du Québec et à de Gaulle, accepte de jouer les bons Samaritains et nous avance le coût du traversier. Le parcours nous conduit près du roc de Gibraltar. L'armée et la marine anglaises surveillent. Surveillent quoi? Je l'ignore.

Il nous tarde de rentrer. L'aventure a ses charmes, bien sûr, mais nous en avons marre. Une fois en Espagne, nous sautons dans des trains bondés où nous jouons à cache-cache avec les poinçonneurs jusqu'à ce que nous arrivions enfin à Aix-en-Provence. Enfin, pas tout à fait…

En réalité, un contrôleur nous met la patte dessus à Marseille. Nous tâchons de lui faire gober que nous venons tout juste d'embarquer à Montpellier. Malheureusement, il ne nous manifeste aucune sympathie et refuse d'entendre notre histoire. Il se contente de nous suggérer de rester à bord et de nous arranger avec son collègue d'Aix-en-Provence quand le train entrera en gare.

Arrivés à destination, la bonne fortune se présente comme un billet gagnant! Une barrière, loin de la porte centrale, est ouverte, et il n'y a personne dans les parages… On décampe en riant de notre propre audace, qui nous a permis de nous rendre d'Algésiras à Aix-en-Provence à bord de trois trains différents, sans rien payer à personne et sans nous faire attraper.

À Aix, Marie-Claire, qui habite près du cours Mirabeau, m'offre sa tendre hospitalité. Elle me laisse le temps de refaire mes forces, puis me paye le billet Aix-Paris. De son côté, elle retourne à ses études universitaires et… dans les bras de son amoureux. Son escapade avec moi était sa façon à elle de le punir de quelque chose. D'une certaine manière, j'aurai contribué à son bonheur. C'est en tout cas ce que je me dis, ce jour-là, en la regardant s'éloigner sur le quai.

Un Sommet décevant

En mars 1970, je foule de nouveau le sol de l'Afrique, noire cette fois. Je suis toujours en stage à Paris, et la délégation générale du Québec m'invite à participer à un Sommet francophone[6] à Niamey, au Niger.

À mes yeux, ces Sommets francophones sont un peu risibles à l'heure de la mondialisation, en cette ère où l'on vend la culture américaine à la carte… Déjà, en cette décennie de 1970, je suis frappé de plein fouet par le fait que les bonzes de l'Agence de la francophonie[7] perdent leur temps à discuter de sujets à saveur locale et des droits de tel groupuscule par rapport à ceux qu'exercent d'autres communautés, alors qu'il est déjà évident que le français est en voie de marginalisation, faute de défenseurs. Plus tard, l'adhésion du Vietnam à l'association sera votée par ses membres, en même temps qu'Hanoï, la capitale, décidera de privilégier l'anglais dans ses communications officielles. Même chose au Liban. Je vous rappelle que je vous parle de l'Agence de la *francophonie*. Comme quoi le ridicule ne tue pas. Et dire que cette même organisation me fera en 2007 chevalier pour la défense du français, alors qu'on massacre la langue sur nos ondes québécoises…

En débarquant de l'avion à Niamey, je reçois en pleine figure une masse de chaleur écrasante, déconcertante pour le Nordique que je suis. Bien que

---

6. Cet événement est l'ancêtre du Sommet de la francophonie que l'on connaît aujourd'hui.

7. Fondée en 1970, celle-ci deviendra l'Organisation internationale de la francophonie.

j'entretienne peu de foi à l'égard de ce Sommet, je suis content de pouvoir jouir de cette belle occasion de découvrir le Niger, un de ces pays du Sahel régulièrement dévastés par la sécheresse, un de ces endroits où on ne trouve pas toujours facilement à boire. Ses habitants, musulmans pour la plupart, vivent surtout d'élevage. Mais le sous-sol du pays contient énormément d'uranium, ce qui risque de changer la donne à l'heure du nucléaire.

Le Sommet s'amorce bien vite et, après les traditionnelles chicanes de famille entre fédéralistes et souverainistes — Gérard Pelletier et Pauline Julien sont les belligérants cette année-là —, on met à notre disposition une flotte de Land Rover, et nous partons en safari-photo dans les steppes. Je suis aux anges.

Nous roulons durant six bonnes heures sur des routes accidentées et poussiéreuses avant de nous arrêter dans une oasis, où les uns déjeunent tandis que les autres dînent. Nous pique-niquons au bord d'un bras du fleuve Niger qui ondule à travers des marécages infestés de serpents et de crocodiles. Au loin, des femmes dénudées placent leur panier de poissons sur leur tête. Ainsi, ces pêcheuses ont les mains libres pour manier leur filet. Tout en les contemplant, je m'empresse de manger mon goûter afin de ne rien manquer du spectacle de la faune, mais les Français qui font partie du groupe prennent tout leur temps, si bien que nous arrivons sur les lieux du safari à la tombée de la nuit, à l'heure où les grands fauves se couchent.

De retour à Niamey où se tient le Sommet, nous sommes conviés à une grande fête au palais présidentiel d'Hamani Diori (celui-ci sera victime d'un coup d'État en 1974). La fabuleuse terrasse de marbre se dresse au bord du grand fleuve Niger. La cérémonie, bien arrosée, ne manque pas d'émoustiller les invités du président. Mon confrère Yvon Turcot — grand reporter international à Radio-Canada — et moi sommes distraits par les magnifiques danseuses aux seins nus… et par la fille du ministre de l'Éducation nationale qui me fait du plat. Après tout, en ce début de la décennie 1970, nous ne sommes pas totalement désensibilisés par la nudité, devenue banale pour nos danseuses de Chez Parée…

Au bout du compte, mis à part les chicanes de clocher entre Québec et Ottawa, le safari-photo raté à cause de la goinfrerie des Français et la fête bien arrosée au palais présidentiel, je ne garderai pas de souvenirs marquants de ce Sommet de la francophonie. Il ne ressort rien d'important de cette rencontre inter-nationale. Et on se demande pourquoi les Anglais se moquent de nous…

Avant de quitter le Niger pour rentrer à Paris, je m'informe auprès de mes hôtes nigériens des meilleurs endroits où partir en safari-photo. Ceux-ci me recommandent de me rendre au Kenya et en Tanzanie, où je pourrai photographier les grands fauves qui me fascinent et me fascineront toujours.

Une graine est donc semée ; comme chaque fois que j'envisage une nouvelle destination, j'ai déjà des fourmis dans les jambes. Mais avant que ce projet puisse se concrétiser, je dois rentrer à Paris et me consacrer aux dernières semaines de mon stage, commencé l'année précédente. En effet, comme toute chose à une fin, Guy D'Arcy, mon patron de CKLM, me téléphone quelque temps après mon retour pour me dire que le stage est terminé. Mon temps est écoulé, et il m'attend au bureau, à Montréal. J'ai l'impression qu'il siffle la fin de la récréation.

Je suis alors bien installé en plein Quartier latin, où j'ai désormais mes habitudes. J'aime l'atmosphère des bistros et la convivialité de la clientèle. Leurs «au revoir, messieurs, dames» vont me manquer. Je ne verrai plus les belles Parisiennes défiler dans les rues, aux abords des stations de métro, sur les Champs-Élysées...

Au revoir l'Arc de triomphe, la tour Eiffel... Adieu Polydor, le cinéma Saint-Germain et le Panthéon que j'aperçois depuis l'Hôtel des Grands Balcons, où j'ai trouvé à me loger pour 14 dollars par semaine[8]...

Ciao, Notre-Dame de Paris, la belle «gothique»...

Avant que je plie bagage, mes amis parisiens m'organisent une petite fête. Une centaine d'entre eux se sont déplacés. Quand on dit que les Parisiens sont froids et distants, on oublie parfois d'ajouter qu'ils sont également chaleureux avec les amoureux de la France.

Je viens de passer une année complète à bourlinguer à travers le pays de mes ancêtres. Le choc est brutal quand je rentre à la maison. La situation politique du Québec n'a pas évolué d'un iota. Quelle déception! J'ai l'impression de me retrouver à bord d'un vieil autobus et d'entendre le chauffeur crier : «Avancez en arrière!»

• • •

Le temps d'un sondage radio, je reprends le train-train quotidien à Montréal. Puisqu'il nous est interdit de nous absenter durant les sondages — qui durent environ huit semaines —, je ronge mon frein

---

8. Le même séjour coûte, en 2008, 150 dollars par nuitée, et je suis convaincu que si j'y retournais, je dormirais sur les mêmes vieux matelas...

en attendant que celui-là soit enfin terminé. Mon année à Paris et les escapades en Afrique qui l'ont ponctuée ont définitivement mis le feu aux poudres : je suis prêt à prendre d'assaut les destinations les plus exotiques. Mon goût pour l'aventure n'a jamais été plus fort.

En cette année de mon trentième anniversaire, je décide de partir à la découverte de la Yougoslavie du maréchal Tito, qui sera bientôt rayée des cartes géographiques. Le maréchal, que d'aucuns comparent au général de Gaulle, défie alors ouvertement Moscou et cherche à prendre ses distances avec la capitale soviétique. En ces années-là, la Yougoslavie est fédérée, et Tito a la réputation de la diriger d'une main de fer. Au cours de ma carrière, j'y retournerai deux fois, pour constater que la Yougoslavie de cette époque deviendra un royaume morcelé, déchiré par les guerres intestines qui y feront rage.

En 1970 donc, bien que peu de touristes se rendent en ce pays, les fonctionnaires yougoslaves font déjà la promotion des plages et des paysages idylliques qui bordent l'Adriatique. Par le hublot du vieux DC-3 aux moteurs fatigués et aux ailes encrassées qui m'y amène, j'aperçois des villes grises et discerne une architecture sévère, deux caractéristiques de ces pays situés derrière le Rideau de fer. Je me trouve au-dessus de Dubrovnik, que l'on baptisera la « perle de l'Adriatique ». Les grands voyageurs savent que Zagreb et Belgrade n'ont rien à envier à l'Europe libre, mais ils sont peu nombreux à connaître Split et Dubrovnik, deux véritables joyaux. Les rayons du soleil frappent les murs combien éprouvés de cette splendide forteresse. Du haut des airs, j'ai l'impression de voir un diamant.

C'est au détour d'une rue étroite et pierreuse de Dubrovnik que je croise mes premiers gitans. Leurs visages, marqués par les épreuves et par la vie au grand air, évoquent pour moi cet air des Compagnons de la chanson : «D'où viens-tu, gitan? Je viens d'un pays qui n'existe pas.» Ils traversent et retraversent les frontières au hasard de leurs pérégrinations. Leurs vêtements sont dépenaillés et usés à la corde. Ils se promènent d'un village à l'autre en roulotte, parfois en autostop.

Ces gens parlent peu. Ils ont beau se déplacer par groupes de dix ou douze, ils observent un silence quasi religieux. Ils échangent parfois des signes et des onomatopées «codées», comme s'ils parlaient en catimini. Leur langue est censée être le romani, un dialecte de l'Inde d'où ils sont originaires.

J'interroge le guide qui m'accompagne sur leur cause.

— Leur cause, me prévient-il, c'est de faire des mauvais coups.

Mais j'ai envie de les approcher et de les prendre en photo. Je passe outre l'avertissement. Les gitans acceptent le pourboire que je leur offre, mais sitôt que je m'apprête à les photographier, ils se mettent à me lancer des pierres… Quel tempérament!

Quelques jours après cette troublante rencontre, je me trouve à la porte de l'Albanie, le pays le plus fermé au monde. J'exhibe mon passeport canadien au nez du douanier, mais il n'y a rien à faire. *Niet!* On n'entre pas dans ce pays plus stalinien que Staline. En cette année 1970, nous sommes encore loin de l'écroulement de l'Empire soviétique, même si le démoniaque Enver Hoxha s'est déjà éloigné des «trop modernistes Moscovites». Tout ce que je parviens à voir en m'étirant le cou, c'est que les calèches semblent y être plus nombreuses que les cylindrées…

Je ne suis pas sitôt rentré de mon escapade en Yougoslavie que j'organise déjà mon prochain voyage. Au contact de cette réalité, de ces façons de vivre si différentes de la manière occidentale, j'ai l'impression que je me suis un peu transformé.

Dans le feu de l'action

En ces années 1970, la carrière de Pierre Nadeau à Radio-Canada m'impressionne beaucoup. Je ne manque aucun des rendez-vous hebdomadaires auxquels il nous convie. Les reportages qu'il ramène des quatre coins du monde font jaser dans les chaumières.

— As-tu vu Nadeau hier ? se demandent, le lendemain matin, les gens à qui il tarde de discuter de l'émission.

Au cinéma, j'ai admiré James Dean et Marlon Brando, et Maurice Richard a été mon idole au hockey, mais du jour où j'ai entendu Pierre Nadeau à la SRC, il est devenu un modèle pour moi. Réaliste cependant, je suis bien conscient que je n'ai ni l'envergure ni le charisme de Pierre Nadeau, et je suis loin d'avoir la voix chaude et profonde qui le caractérise. Je ne parle pas autant de langues que lui et je n'ai jamais disposé des moyens dont la SRC pourvoit ses reporters. Mais ce diable d'homme me stimule.

Dès la naissance de mon admiration pour ce grand reporter international, j'ai envie de suivre son exemple. Je suis résolu à tout faire pour arriver à être convié sur les lieux où l'actualité internationale se transporte. Mes cartons d'invitation proviendront des Nations Unies, de l'armée canadienne ou des offices de tourisme de divers pays. Bref, on se débrouille comme on peut.

Ainsi, en cette même année 1970, au mois de juin plus précisément, je passe de l'autre côté de la Méditerranée pour accoster en Israël, après avoir effectué un arrêt en Crète. Dans cette île appesantie par une chaleur torride, je me paye une visite chez le roi Minos. Son palais Cnossos, le plus important des palais minoens et sans doute le plus connu des sites crétois depuis sa découverte en 1878, exhibe fièrement ses fresques représentant des taureaux et des motifs marins. Bien que le palais tel qu'on le voit aujourd'hui soit en fait une reconstitution — parfois controversée —, fruit du travail de l'architecte Sir Arthur Evans, on imagine facilement que ces peintures sont tout aussi colorées qu'au temps du roi Minos.

Ensuite, durant trois semaines, je sillonnerai Israël du nord au sud, tant dans les zones occupées que dans celles dites «libres». Israël est un État minuscule et très peu peuplé, mais qui peut tout de même compter sur une des armées les mieux équipées du monde. Me voilà donc au pays de la Bible, au pays des croisés, celui des Hébreux et des Palestiniens qui se chamaillent depuis si longtemps. Quoi de nouveau?...

Mon voyage commence à Tel-Aviv, alors la capitale. C'est une ville qui ressemble à bien d'autres, mais on y sent une tension à trancher au couteau[9]. Des sirènes, des sirènes, partout des sirènes... Un groupe de policiers armés qui forcent un Palestinien à s'agenouiller, sans raison apparente... Je dis bien «apparente».

En passant devant l'ambassade de France, je n'en reviens pas de voir la porte d'entrée protégée par un char d'assaut. Pourquoi? Parce que de Gaulle

---

9. De nos jours, bien évidemment, le tourisme y fonctionne «au rabais»... Mais, comme on peut le voir, ce n'est pas d'hier que la tension y est palpable.

a condamné Israël au lendemain de la guerre des Six Jours, survenue trois ans auparavant, qui a opposé Israël à une coalition formée par l'Égypte, la Jordanie, la Syrie et l'Irak. Dans la ville, on ne parvient pas à pardonner cet affront du général. Je me revois, marchant prudemment dans ses rues désertes de touristes. Pour visiter les lieux d'intérêt, qui pour la plupart se trouvent en dehors de Tel-Aviv, il faut aviser les militaires. Bref, une ville sous tension.

J'ai 300 dollars en poche quand j'entreprends ce voyage. À cette époque, c'est suffisant pour faire un bout de chemin. Je commence par m'installer dans un hôtel de qualité douteuse situé au bord de la mer. Je flanque mes vêtements dans le placard et, un peu naïvement, je laisse la moitié de mon argent dans une poche de chemise, puis je sors faire un tour. À mon retour, je réalise qu'on m'a fauché mes 150 dollars. Je pique évidemment une crise au gros hôtelier ripou et j'appelle la police. Le tenancier finit par accuser une femme de chambre palestinienne, qu'il congédie sans autre forme de procès. Je gagerais ma chemise que c'est lui le coupable, mais il n'y a rien que je puisse faire.

Il me reste donc 150 dollars pour passer les 21 prochains jours… Je quitte l'hôtel et prends une chambre dans une pension bon marché. Je fais et refais mes calculs. En jouant serré, je devrais pouvoir y arriver.

Pour me remettre de mes émotions, je me rends à la plage, et c'est là que le destin se décide à m'être un peu plus favorable : comme dans un mirage, une fille belle à étourdir sort de l'eau. Je saisis aussitôt mon téléobjectif et je tire une photo. Elle s'en rend compte, et nous échangeons nos plus beaux sourires.

— Vous êtes Allemand? me lance-t-elle en anglais. Vous vous rendez compte? Nous sommes chez les juifs et elle me demande si je suis Allemand...

— Je suis un Français du Canada.

Elle s'appelle Janis. Nous bavardons durant plusieurs minutes. Elle est sympathique et très belle, comme le sont souvent les Israéliennes. J'apprends qu'elle a 20 ans et qu'elle est juive. La conversation est assez décousue, mais nous nous rapprochons assez pour que je tente quelque chose.

Janis est la fille d'un richissime Américain qui vit à Stamford dans le Connecticut. Son père l'a envoyée travailler dans un kibboutz israélien, une exploitation agricole coopérative. Quand elle précise que leur voisin s'appelle Paul Newman, je me dis que sa famille doit demeurer dans le quartier le plus huppé de Stamford. Pour l'instant, elle profite de petites vacances de quelques jours avant de se rendre au kibboutz.

C'est le coup de foudre. Malheureusement, les amours de vacances passent toujours trop vite. Au bout d'une semaine, il me faut laisser ma belle naïade à la plage. J'ai rendez-vous avec un journaliste français qui arrive de Paris pour me voir. Lui et moi avons conçu le projet de traverser Israël et d'explorer le pays de fond en comble.

C'est ici que Janis et moi allons devoir nous dire adieu.

— Laisse-moi tes coordonnées, me dit-elle dans une dernière étreinte. Écris-moi en français. Je veux apprendre. Moi, je vais t'écrire en anglais.

Ce seront les derniers mots que nous échangerons de vive voix.

À mon retour de cette première expédition en Israël, la poste me livre une lettre en provenance·

d'Israël. C'est Janis qui m'annonce qu'elle en a ras le bol de la vie en kibboutz et qu'elle désire me revoir. Ça tombe bien. J'ai justement envie de lui faire adopter l'idée de s'inscrire à l'Université McGill. Elle pourrait venir me rejoindre à Montréal, où elle apprendrait le français et tout le reste...

Quand j'y repense aujourd'hui, je me dis que j'ai dû la refroidir un peu avec mon enthousiasme. J'étais jeune à l'époque et, comme tous les gens de 30 ans, j'avais l'impression que les obstacles s'élimineraient d'eux-mêmes et qu'il suffisait d'un peu de volonté pour vivre un amour facile...

Janis rentre donc à Stamford, me laissant plutôt désemparé. Je lui enverrai plus tard les photos que j'ai prises d'elle, mais elle ne répondra jamais à mes lettres. Qui sait... Peut-être que son père l'aura découragée de s'intéresser à un « goi[10] » ? Ses parents l'auront peut-être convaincue de réserver son cœur à un homme de son rang ?

Je la reverrai à Montréal 15 ans plus tard. Nous nous rencontrerons dans un restaurant et évoquerons longuement nos amours de vacances et cette époque, extrêmement intense, de nos jeunes années. Mais il ne sert jamais à grand-chose d'être nostalgique...

Revenons plutôt à mon périple en Israël. Après avoir fait mes adieux à la belle Janis, donc, je m'enfonce au cœur d'Israël en compagnie de mon collègue.

Sur la route, notre guide nous indique la baie d'Haïfa, parfumée d'arômes de cèdre et de fleurs. Juste à côté se dresse une colline sans odeur au sommet de

---

10. Un non-juif.

laquelle dorment les restes d'une forteresse des croisés. C'est Saint-Jean-d'Acre, là où des centaines de chrétiens furent massacrés par le «boucher» Diezza, ennemi de Napoléon, en 1799.

Un peu partout, des douzaines d'archéologues et d'historiens français, allemands, américains ou juifs fouillent et grattent ce sol biblique, tentant de faire parler les pierres. «Visiter Israël, c'est un peu comme voyager dans le temps», me dis-je en jetant des yeux gourmands autour de moi. C'est entrer de plain-pied dans le musée des civilisations. Israël, terre promise des juifs, et l'enfer sur terre pour les «Palestiniens sans Palestine». Le mur des Lamentations, érigé mille ans avant Jésus-Christ, attire des juifs du monde entier, venus y prier pour une paix qui n'arrive pas. Au faîte du mont des Oliviers, que j'aurais cru plus haut, je suis envahi par un indescriptible sentiment. Assis sous un olivier, qui malgré son âge n'a sans doute pas connu le Christ, je fixe cette muraille de Jérusalem qui n'est pas celle de l'époque des Anciens, mais bien de celle des Turcs, et je prends tout à coup conscience que 3 000 ans d'histoire me contemplent. En marchant en ces lieux calmes, j'imagine Jésus au milieu des siens. Un puits communautaire attire mon attention; existait-il au temps de ce réformateur?...

Remarquez qu'il est plutôt facile, une fois en Israël, de s'imaginer être de retour au temps de la vie de Jésus; durant mon premier voyage et au cours des suivants, c'est sans grand étonnement que je constate que les vendeurs du temple pullulent en Terre Sainte. C'est d'ailleurs à se demander si Dieu n'aurait pas intérêt à y renvoyer son Fils pour les en chasser, comme il y a 2 000 ans...

Cependant, bien qu'on soit plongé dans l'histoire du christianisme, on a beau visiter des douzaines d'églises (construites 300 ou 400 ans après les événements de la vie de Jésus), on ne peut jamais être tout à fait certain qu'elles soient assises précisément sur les lieux désignés par les écrits bibliques, puisque c'est la mère de l'empereur Constantin qui décida, au IVe siècle, de choisir ces sites et de leur conférer leur valeur historique.

Si la bassine dans laquelle Marie-Madeleine aurait lavé les pieds de Jésus est toujours là, c'est en province qu'il faut aller pour revoir les décors que nous ont dépeints nos livres d'histoire. Le long du lac de Tibériade, par exemple, où le progrès n'a pas encore eu le temps d'effacer le passé. C'est Hérode Antipas qui nomma ce lac en l'honneur de Tibère, qui avait là sa résidence favorite. La petite colline sur laquelle le Christ prononça son célèbre Sermon sur la montagne est presque intacte. Au bord du lac, on imagine sans peine les apôtres en train de pêcher... Ce sont aujourd'hui des gitans qui peuplent les berges. « D'où venez-vous ? » leur demandé-je en m'approchant de leur tente. Ces gens aux vêtements multicolores disent venir de « l'Arabie heureuse » — le Yémen. Ils me donnent le goût d'y aller voir, ce que je ferai ultérieurement.

À côté d'un village de pêcheurs qui s'appelle Magdala, d'où Marie-Madeleine est originaire, le guide qui nous accompagne nous montre la carcasse d'une embarcation en cèdre du Liban. Les archéologues qui viennent d'examiner cette charpente m'assurent qu'elle date du 1er siècle après Jésus-Christ et qu'elle a fort bien pu être utilisée par les apôtres. Je suis transporté !

Je retournerai en Israël en 1973, puis plus de 15 ans plus tard, en 1986, pour y passer Noël[11] en compagnie de mon fils. Nous sommes alors en pleine intifada. Nous marchons dans cette partie de Jérusalem où sont concentrés des milliers de Palestiniens. Des enfants se mettent à nous jeter des pierres. Pour eux, nous sommes des alliés d'Israël, plus préoccupés par le tourisme que par la préservation de l'histoire. Il va sans dire que nous prenons nos jambes à notre cou. Nous croisons alors des religieuses qui, au vu de notre situation, nous invitent à nous réfugier dans la cour de leur institution. Quelques minutes plus tard, une jeep de la Tsahal (l'armée de défense d'Israël) passe nous prendre et nous tire de ce mauvais pas.

À Bethléem, la grotte de la nativité — celle qui aurait abrité la crèche où se réfugièrent Marie et Joseph, désignée comme authentique par la mère de l'empereur Constantin — est enchâssée dans une église qui s'appelle la basilique de la Nativité. L'armée encercle les lieux, au cas où. Les soldats juifs ont beau ne pas reconnaître l'existence du Christ, ils n'en sont pas moins aussi coopératifs que possible. J'en ai vu, le soir de la Nativité, qui mettaient des fleurs dans le canon de leurs fusils...

Durant ce Noël que j'y passe avec mon fils, la foule est si dense que nous ne réussissons même pas à entrer dans la basilique. Il n'y a guère que les notables de Bethléem qui parviennent à se frayer un chemin jusqu'à la crèche. Pendant ce temps, dehors sur l'esplanade, des milliers de jeunes gens célèbrent Bacchus aussi bruyamment que possible. J'aurais

---

11. Plusieurs chrétiens rêvent de célébrer Noël à Bethléem, mais ils risquent fort d'être déçus. Saint-Pierre-de-Rome, à mon avis, est beaucoup plus indiquée.

personnellement souhaité que l'atmosphère soit plus chrétienne. Il faut apprendre à vivre avec son temps...

• • •

C'est en juin 1970 que, pour la première fois, je mets les pieds à Chypre, cette île qu'Homère identifia comme étant celle de la déesse Aphrodite. Mais, hélas, l'amour a depuis longtemps déserté l'île. Imaginez ! Elle a 10 000 ans d'histoire ! Devant une bouteille de l'un de ses vins, les plus vieux au monde, cette île se raconte aux yeux des voyageurs...

À cette époque, les Grecs et les Turcs se regardent en chiens de faïence. Ces deux pays revendiquent chacun leur part de l'île. De plus, nombre de Grecs se sont réfugiés dans l'île pour échapper à la dictature des colonels, qui règne toujours en leur patrie.

Tout cela se déroule sous les yeux des Casques bleus. Dès mon arrivée, je reconnais rapidement les soldats du 22e régiment de Valcartier. L'un d'entre eux, croisé à Nicosie, me passe le message qu'une fois rentré à Montréal, je n'aurai aucun mal à être invité à retourner à Chypre avec les soldats du 22e, une occasion que j'allais saisir avec enthousiasme.

J'y retournerai quatre fois au cours de ma vie. À chacun de ces séjours, j'ai l'impression de visiter un des pays les plus suffocants, dominé par les cris stridents des criquets qui atténuent un peu les discours haineux des Grecs et des Turcs. De toute façon, la canicule y est si accablante que les protagonistes préfèrent boire des ouzos à l'ombre des palmiers plutôt que de s'épuiser en vaines palabres.

En 1973, je me rends à Chypre en compagnie d'un groupe de journalistes pour rencontrer le vice-président de la jeune république, Rauf Raif Denktash. À ce moment-là, Chypre, qui n'est plus une colonie britannique depuis 1960, est dirigée conjointement par le Turc Denktash et l'archevêque grec Makarios III. Durant notre entretien, Denktash évoque déjà les troubles à venir dans l'archipel d'Aphrodite. Il ne croit pas si bien dire… Un an plus tard, un coup d'État favorable à l'Enosis — unification de Chypre à la Grèce — provoquera le débarquement des troupes turques dans le nord de l'île.

Tandis que j'évoque monseigneur Makarios, il me revient une anecdote survenue au cours de ce voyage et mettant en scène Roger Drolet, mon collègue de CKVL, que mes auditeurs connaissent mieux sous le nom de « cardinal Drolet-ô-Bec ».

Épuisé, comme tout le groupe, par les 18 heures d'avion nolisé que nous venons de nous taper, un des officiers qui nous accompagnent décide de jouer un tour à l'un des nôtres.

— Trouvez-moi un journaliste un peu naïf. Je vais lui faire croire que je lui ai obtenu un rendez-vous avec monseigneur Makarios.

Je désigne immédiatement Roger, qui n'est pas très méfiant de nature. Nous nous sommes tous endimanchés comme si nous allions vraiment rencontrer le président; ainsi, Roger embarque d'autant plus facilement dans le canular de l'officier. Celui-ci parvient à faire venir des taxis sans plafonniers, des Mercedes de luxe, ce qui fait croire au cardinal Drolet-ô-Bec que la flotte présidentielle s'est déplacée pour nous.

En route, notre joueur de tours, qui parle couramment le grec, invite nos chauffeurs de limousine à s'arrêter au bar Chez Hélène, en plein cœur du *Red Light* de Nicosie, la capitale administrative chypriote.

— Je vais vous confier un secret, nous dit-il sur le ton de la confidence. Notre rendez-vous est à 22 heures. Alors, nous allons nous arrêter chez Hélène qui, vous le savez, est la maîtresse de monseigneur Makarios. Roger, qui est le seul à ne pas être dans le coup, roucoule presque. Il est convaincu de vivre là des instants d'exception. Dans les faits, il y a bien une Hélène au bar, mais ses plus belles années sont derrière elle, comme on dit, et elle ignore complètement qu'elle nous a été présentée comme étant la maîtresse de l'archevêque. Nous lui remettons alors discrètement un pourboire de 25 dollars et elle accepte de marcher dans notre combine.

Elle insère une pièce de monnaie dans le juke-box et se déshabille en dansant et en agitant sa grosse bedaine, sous l'œil étonné de Roger qui trouve que la maîtresse de monseigneur Makarios est un peu délurée. Il en est là dans ses pensées quand la belle Hélène se jette sur sa braguette dans une tentative désespérée de lui offrir une «petite gâterie». Elle n'en a naturellement pas la chance, puisque le cardinal Drolet-ô-Bec se démène comme un damné pour lui échapper. Il apprend alors que le président avec lequel il a rendez-vous, c'est elle, et qu'il vient de se faire joyeusement rouler...

Récemment, j'ai revu Chypre avec un œil tout à fait différent. Cette île est aujourd'hui opulente, propre, et tout y coûte très cher. Chypre a été «anoblie» par l'UNESCO, qui a inscrit ses églises orthodoxes de Paphos au patrimoine mondial en 1980. En l'église de saint Lazare, celui que le Christ aurait ressuscité, on nous montre ce qui pourrait être ses restes. C'est là, également, que termina sa vie l'un des Ptolémée de la lignée de Cléopâtre.

Mais toutes les prières de Chypre ne mettent pas ses citoyens à l'abri du terrorisme. Le Ledra Palace, l'hôtel qui faisait jadis la fierté de Nicosie, est toujours entouré de sacs de sable et agit comme poste-frontière entre Turcs et Grecs. On se croirait à Checkpoint Charlie, ce célèbre point de passage entre les secteurs est et ouest, au temps du mur de Berlin...

La position de l'île, à courte distance de tous les points chauds du Moyen-Orient, en fait l'escale idéale pour tous ces terroristes qui transitent par ses aéroports, sautant d'un avion à l'autre pour aller faire leurs dégâts ailleurs. La déesse Aphrodite n'a donc pas réussi à transmettre l'amour dans ce coin de terre déchiré... Les Chypriotes grecs sont par ailleurs certains qu'Oussama Ben Laden se cache du côté turc de l'île. Oublient-ils que la récompense pour sa capture est de 50 millions de dollars? Peut-être devraient-ils, ensemble, s'employer à vérifier si les rumeurs sont fondées, plutôt que d'entretenir de vieilles querelles...

• • •

L'année 1973 s'avère riche en destinations agitées. Peu après ma rencontre avec Denktash à Chypre, je me retrouve parmi une délégation de journalistes invités par l'ONU dans ce pays qu'on achève d'appeler « la Suisse du Moyen-Orient», le Liban.

À cette époque, la guerre couve sous la cendre. C'est deux ans plus tard que s'amorceront 15 années de conflit qui ruineront le pays. En 1973 toutefois, la capitale, Beyrouth, est une ville d'une grande beauté et francophile de surcroît. J'y prends une chambre à l'hôtel Napoléon. Les casinos, les boîtes de nuit et les grands hôtels offrent aux citadins et aux touristes des spectacles à faire pâlir Las Vegas de jalousie. J'y vois, sur scène, des éléphants danser avec de jolies filles sur des rythmes orientaux. Le Liban est alors la réussite économique de l'Orient. Parmi mes souvenirs de ce pays me reviennent spontanément la corniche qui borde la mer, les plages désertes et les pitons rocheux qui contiennent tant bien que mal toute la vigueur de la Méditerranée, le majestueux boulevard du général de Gaulle et la célèbre vallée de Baalbek. Mon guide me raconte que, dans cette vallée, il n'y a jamais de mauvais temps. Un peu sceptique au départ, je suis rapidement confondu. Nous nous y rendons en effet à la pluie battante, il fait un froid de canard tout autour, mais la vallée de Baalbek est complètement ensoleillée. Sous l'Empire gréco-romain, Baalbek, ancienne cité syrienne, s'appelait Héliopolis, en hommage au dieu du Soleil et de la Lumière. Les temples de Jupiter, de Vénus et de Bacchus témoignent de la grandeur passée.

Sur le chemin du retour, mon chauffeur, qui s'est improvisé guide, tente de m'arnaquer en exigeant un tarif déraisonnable. Si je l'avais écouté, il aurait pu m'enlever l'or entre les dents sans que je m'en aperçoive... Je lui montre alors ma carte de presse et lui fais croire que j'ai rendez-vous le lendemain au ministère du Tourisme. Il révise donc gentiment son tarif à la baisse. Ça se passe souvent comme ça au Moyen-Orient. Le cas échéant, il faut refuser de payer. Je retiendrai la leçon...

Malgré les splendeurs qu'offre à mes sens le Liban de cette époque, il suffit d'être un peu perceptif pour anticiper les dissensions qui transformeront bientôt le pays en champ de bataille. Au cours d'un second voyage au Liban en 1986, j'aurai l'occasion de visiter les camps de réfugiés de Sabra et de Chatila, site d'un massacre perpétré par l'armée israélienne en septembre 1982, et d'y rencontrer les « Palestiniens sans Palestine » qui les encombrent. La misère qui y règne me marque profondément. Comment oublier ces enfants qui quémandent des sous pour acheter de la nourriture ?... Ils n'ont pas besoin de nous raconter leur histoire, elle est écrite dans leurs yeux sombres et creux. Ils vivent dans une telle insalubrité qu'ils sont presque tous malades. Ces camps sont des foyers de haine et de révolte. On ne s'étonne pas que les organisations terroristes aient autant de facilité à recruter ceux qui sont passés par là. En discutant avec ces gens, je réalise l'ampleur des griefs qu'ils entretiennent envers la communauté internationale qui, au lendemain de la fondation d'Israël, avait promis de trouver une solution à leur problème.

Durant la nuit, l'hôtel où je loge est souvent secoué par des boums violents que je suis incapable d'associer à quoi que ce soit. Au mieux, je m'imagine qu'un chantier de construction se trouve à proximité. Évidemment, je me trompe lourdement... À l'aube, l'hôtelier frappe à ma porte et m'intime de quitter les lieux sur-le-champ. Un obus a traversé un des murs de la salle à manger. Les clients du restaurant détalent sans demander leur reste ! Le petit-déjeuner est pourtant inclus dans le prix de la chambre !...

Aujourd'hui, personne n'a la moindre idée de ce que l'avenir réserve au Liban. Sera-t-il rayé de la carte pour faire place à l'ancienne grande Syrie ? Sera-t-il partagé entre Jérusalem et Damas ? Quand j'y retournerai en décembre 2006, je trouverai le pays dévasté. L'aviation israélienne vient de bombarder 78 ponts, rendant la circulation infernale. Nombre de maisons appartenant aux membres du Hezbollah ont été détruites. Le long de la frontière israélo-libanaise, les armées, sous l'égide des Nations Unies, tiennent en respect la Tsahal. Les chars Leclerc ont même fait reculer les Baklavas israéliens... Inutile de vous dire que les Libanais apprécient.

Nous ne sommes que quatre touristes. Notre guide, qui n'a pas travaillé depuis le mois de juillet, est des plus heureux de nous montrer son beau pays qui pourrait un jour, il l'espère, redevenir une destination touristique. En attendant, les hôtels sont presque vides et ne coûtent rien. Dans les rues, des manifestations attirent des centaines de milliers de gens qui réclament le départ du premier ministre Fouad Siniora. C'est le Hezbollah qui commandite l'événement. Parmi la foule se tiennent nombre de fanatiques aux yeux meurtriers.

Avant de quitter le pays, je revois en passant l'hôtel Napoléon, dont les murs ont été reconstruits. Mais combien de temps tiendront-ils encore?...

La chute des colonels

Au milieu de la trentaine, ma carrière à la radio est bien entamée. Depuis la déclaration du général de Gaulle entendue à Montréal pendant Expo 67, je demeure fasciné à l'idée de voir l'histoire s'écrire devant mes yeux. Ainsi, à force de courir les contrées qui se trouvent au cœur de l'actualité, j'aurai bientôt la chance d'assister, de près et en direct, à un autre événement historique.

L'année suivant mon premier séjour au Liban, je convole une nouvelle fois. En 1974, j'épouse Marie-Louise et, en juillet de cette année-là, nous nous envolons pour la Grèce en voyage de noces. À Athènes, j'ai la surprise de croiser Pierre Nadeau, qui s'y trouve en vacances.

La semaine précédant notre arrivée, les colonels étaient encore au pouvoir et personne n'aurait osé parler contre le régime. Tout le monde se méfiait de tout le monde, et c'est à peine si quiconque osait émettre à voix haute la moindre opinion.

Mais ce jour-là, dans le quartier de la Plaka particulièrement, une agitation bien perceptible se transforme vite en euphorie : les colonels viennent de quitter l'ancien palais royal. C'est la fin de la dictature qui a fait trembler le peuple grec entre 1967 et 1974. Les rues sont bondées. Des gens déchirent les pancartes du colonel Papadópoulos. Ils sont bientôt des dizaines de milliers sur la grande place, en face du palais présidentiel, l'ancienne résidence du roi. Le climat est explosif. Les Athéniens célèbrent la défaite du régime de la terreur qui les a opprimés, mais l'armée turque, qui vient d'envahir Chypre, leur inspire les plus grandes craintes.

En exil depuis longtemps, Konstantínos Karamanlis, chassé du pouvoir en 1961, apparaît à la fenêtre de l'hôtel de l'Angleterre, situé à proximité du palais présidentiel. Des centaines de visages se montrent aux fenêtres des édifices tout autour. Une explosion de joie éclate alors dans le ciel d'Athènes, cette ville qui en a tant vu depuis l'Antiquité.

Sous l'œil réprobateur de mon épouse Marie-Louise, je regarde toutes les jolies Grecques qui passent devant ma porte. Dans cette explosion de joie et de liberté, elles ont retrouvé le sourire.

Quelques instants plus tard, un grand nombre d'avions militaires survolent la grande place. La rumeur court que l'aéroport est fermé et qu'il est désormais impossible de quitter le pays.

La succession d'événements nous amène ainsi à prolonger notre séjour. Comble de malchance, nos billets d'avion sont désormais périmés... Pauvre Marie-Louise... Elle m'encourage alors à vendre des reportages à la station CKVL, puisque nous avons dépensé tout l'argent du voyage.

Je grimpe donc sur le toit de l'hôtel, d'où j'envoie des topos enflammés à CKVL. Paul Tietolman, mon patron, est aux oiseaux. À mon retour, j'apprendrai qu'il a confié mon émission à un remplaçant. Voilà pour la sécurité d'emploi !

Mais je tente de ne pas trop m'en faire pour le moment avec ces peccadilles. Tout cela est formidable. Je suis aux premières loges, en train de vivre l'événement en direct ! Mais il faut bien manger... Au bout d'un moment, je dois me résoudre à me rendre à l'ambassade canadienne pour y quémander une aide, qu'on m'accorde avec plaisir. Les membres de l'ambassade, qui savent que j'ai été candidat aux élections québécoises de 1973 aux côtés de René Lévesque, ne manquent pas de me faire remarquer que « le Canada aide tout le monde, y compris ses indépendantistes », et ils me traitent avec énormément de respect.

Quand nous quittons finalement le pays, je promets à Marie-Louise, avec une pointe d'humour, que notre prochaine destination sera l'Alaska. Nous avons terriblement sué en Grèce, tant à cause des événements dont nous venons d'être les témoins qu'à cause de la chaleur de four qui y règne. Athènes repose au fond d'une sorte de cuvette de pierre et elle passe pour être la ville la plus chaude d'Europe. C'est insupportable ! Je déteste la chaleur.

Je retournerai souvent en Grèce au cours de ma vie. Je ne la fréquenterai pas qu'en temps de turbulences.

Je découvrirai avec enthousiasme l'extraordinaire civilisation qui donna au monde les Platon, Socrate et Aristote, qui eut pour élève Alexandre le Grand lui-même, et ces Grecs qui, après les ratés des Perses, imposèrent au monde leur savoir-faire et leur culture.

À notre retour à Montréal, je dois aussitôt m'efforcer de trouver du boulot. Tietolman m'offre une émission d'affaires publiques intitulée *Micro libre*, qui tiendra l'antenne jusqu'à la grève qui paralysera la station, l'année suivante, durant huit longs mois. Je suis rassuré, mon épouse aussi; la radio ne m'a pas définitivement laissé tomber...

Première incursion en Indochine française

Le Vietnam est une autre de ces contrées qui m'ont toujours attiré. En fait, toutes les anciennes colonies de la France m'attirent. Tout au long de ma carrière, j'ai affirmé et réaffirmé mon amour de la langue et de l'histoire françaises, et ce penchant est déjà manifeste chez moi durant la trentaine. Dans le cas du Vietnam, c'est son histoire et son glorieux passé militaire — de 1946 à 1975, le Vietnam n'a jamais cessé de combattre — qui me donnent le goût d'aller y voir de plus près.

L'Indochine française, c'est le colonialisme, l'argent, la vie de château, les plantations d'hévéas, le bonhomme Michelin, l'empereur Bao Daï à qui Paris offrait des voitures de luxe et des palais climatisés pour qu'il accepte de diriger un gouvernement fantoche... Tout cela m'a toujours fasciné.

Toutefois, ma première visite à Saigon, aujourd'hui Hô Chi Minh-Ville, s'avérera décevante au possible.

Je m'attends à baigner dans l'après-colonialisme français, c'est-à-dire à retrouver cette « saveur » française en Asie, mais je passerai plutôt trois jours enfermé dans ma chambre de l'hôtel Majestic. Nous sommes en mars 1975. Le Vietnam du Sud s'apprête à déposer les armes. J'accompagne une délégation internationale chargée de vérifier si les accords de Paris, signés en janvier 1973, sont respectés. Sur place, les communistes se fichent des accords internationaux comme de leur dernière chemise. On viendra finalement nous annoncer que la tournée des camps militaires du Vietnam du Sud, qui constitue la raison même de notre présence, est annulée en raison de la débandade des soldats du président Van Thiêu.

Ceux-ci se promènent dans les rues au bras de filles de petite vertu et échangent leurs chemises vertes et leurs bottines aux commerçants contre des espadrilles et des tee-shirts. Ces soldats cherchent à se dissocier de l'armée du Sud, puisque l'avance des communistes est désormais impossible à rattraper. Des coups de canon font trembler les fenêtres de nos chambres d'hôtel...

Nous restons là trois jours à espérer que les vietkongs nous autoriseront à faire au moins une partie de notre travail ; peine perdue. Nous repartons dégoûtés par la situation, encore sous l'effet du décalage horaire inutile qu'il nous a fallu endurer.

En quittant le Vietnam, je me promets d'y revenir un jour. Mais les communistes fermeront les portes aux étrangers durant une assez longue période qui s'amorce le 29 avril 1975, quand le premier char d'assaut T-54 défonce la barrière du palais de l'indépendance. En s'attaquant à Saigon l'impure, les vietkongs et communistes du Nord veulent éradiquer tout le mal qu'elle incarne.

Il va sans dire que je mettrai ainsi un certain temps avant d'être autorisé à retourner en ce pays... Mais, comme nous le verrons plus loin, mon expédition de 1990 s'avérera beaucoup plus satisfaisante que celle-ci.

Un peu de fraîcheur...

Après avoir eu si chaud en Grèce, Marie-Louise et moi effectuons néanmoins un voyage en Égypte et rentrons à Montréal complètement drainés. Là, ça y est, j'ai poussé ma chance trop loin ; je n'ai plus le choix, je dois tenir la promesse que j'ai faite à mon épouse au retour de notre lune de miel. À l'été de 1975, nous nous embarquons pour l'Alaska.

En cette décennie de mes 30 ans, le royaume de glace n'est pas une destination touristique très courue. On dit généralement que seuls les grands voyageurs un peu blasés y trouvent leur compte. Loin d'être blasé à cet âge, pourtant, je suis fermement décidé à entreprendre ce périple. Ceux qui me connaissent savent que j'ai l'habitude d'évoquer en ondes mes destinations à venir. C'est ainsi que je m'ouvre un jour à mes auditeurs de mon désir de redécouvrir le Canada, quatre siècles et demi après Jacques Cartier. Mes propos arrivent aux oreilles de Jean Lafortune, directeur des communications du Canadien Pacifique, qui m'offre un laissez-passer de presse pour un voyage en première classe dans un train en partance pour Vancouver. Je profite évidemment de l'occasion, et c'est dans un wagon V.I.P. du Canadien Pacifique que je pars à la découverte du Canada, avec en tête l'Alaska pour destination finale.

Ma route transcanadienne commence par l'Ontario. Au nord, des villes minières et des pépinières de joueurs de hockey… Timmins, Sudbury, North Bay et Kirkland Lake, le *hometown* d'Elmer « Moose » Vasko, le gros défenseur des Black Hawks de Chicago. Un paysage assez monotone, pour tout vous dire, qui s'éclaire un peu à la hauteur des Grands Lacs.

Le Manitoba, qui intéresse d'emblée nombre de Québécois parce qu'il a été fondé par les francophones et les Métis, est malheureusement aussi ennuyant à traverser que l'Ontario. Ce n'est qu'à partir de la Saskatchewan que j'ai l'impression de découvrir « l'autre » Canada. Ceux qui ont eu la chance d'admirer les immenses champs de blé des provinces des Prairies me comprennent certainement. Idem pour l'Alberta, caractérisée par ses Rocheuses et sa Bow River. Une province de cow-boys, certes, mais un lieu idyllique tout de même. Dommage que les sables bitumeux et les quantités astronomiques de gaz naturel qu'on utilise pour chauffer les résidences soient en train de polluer ce petit coin de paradis. Mais, que voulez-vous, comme dit Jean Chrétien, on n'arrête pas le progrès.

Bien sûr, mes convictions nationalistes me portent naturellement à me montrer un peu froid à l'égard du Canada. Mais en cette année 1975, au fil des paysages qui se succèdent devant mes yeux, je suis forcé d'admettre que peu d'endroits au monde jouissent d'une nature aussi luxuriante et aussi diversifiée. À la vue de ces panoramas majestueux, on comprend aisément que, dès le XIXe siècle, le gouvernement fédéral se soit empressé de créer autant de parcs nationaux dans le but de protéger cette extraordinaire richesse.

Le parc de Banff, pour ne nommer que celui-là, attire aujourd'hui trois millions de visiteurs annuellement. Des gens de partout s'amènent au pays des cow-boys dans l'espoir d'y apercevoir des ours, des béliers, des chèvres de montagne, des loups et des aigles. Tandis que je contemple cet univers enchanteur, le train argenté qui m'emmène continue de se faufiler entre les montagnes, tel un grand serpent se dirigeant lentement vers son but. Et ce but, c'est Vancouver !

Après avoir traversé le célèbre Rogers Pass, je ne mets pas beaucoup de temps à comprendre l'engouement des milliers de retraités qui choisissent d'y finir leurs jours. L'air du Pacifique, les montagnes, la végétation et le climat tempéré sont autant de raisons qu'ils invoquent quand vient le temps de justifier leur choix.

Au cours de mon séjour à Vancouver, je suis néanmoins frappé par le grand nombre d'itinérants d'origine amérindienne qui traînent dans les rues. Beaucoup d'entre eux sont ivres morts. C'est un phénomène local, assez difficile à comprendre pour les Québécois que nous sommes. Chez nous, les itinérants sont blancs et, pour la plupart, francophones.

Je suis également saisi par la grande quantité d'Asiatiques venus s'établir à Vancouver. Le quartier chinois y est presque aussi gros qu'une petite ville…

La ville de Victoria vaut elle aussi le détour. S'y trouvent les célèbres Butcher Gardens qu'il faut avoir vus au moins une fois dans sa vie. On y remarque surtout l'architecture britannique et l'attachement de sa population aux valeurs de l'ancien empire colonial, grâce auxquelles Victoria se distingue nettement des États-Unis. Mais en ce qui a trait à la mode et à la mentalité, ses habitants sont noyés dans la mer de l'américanisation.

Après avoir visité Victoria, Marie-Louise et moi nous embarquons, en compagnie d'un groupe de touristes français, sur le *Princess Patricia*, un des plus beaux fleurons de la flotte du Canadien Pacifique. Sur le pont, nous sommes accueillis par une fanfare. Un certain nombre de dignitaires viennent nous souhaiter un bon voyage au pays des grizzlys et des béliers de montagne.

Vingt-quatre heures plus tard, nous traversons la frontière nord-ouest des États-Unis pour arriver en ce lieu qui appartenait jadis à la Russie, l'Alaska. À peine débarquons-nous du *Princess Patricia*, pour une courte escale à Sitka, qu'on nous rappelle que nous sommes dans l'ancienne sainte Russie. C'est dans la cathédrale russe orthodoxe de Saint-Michael qu'est conservé le texte en vertu duquel les Américains ont acquis l'Alaska. Après une brève visite de la bâtisse, nous retournons vers le bateau sous les yeux d'une meute de loups qui se tient à bonne distance. Pas de danger, nous rassure le guide, ces canidés sont des trouillards. N'empêche…

Prochaine destination : le territoire des Indiens de Ketchikan. Ceux-ci nous attendent au Saxman Village, où ils exécutent des danses traditionnelles. Pour les Français qui font partie de notre groupe, c'est l'extase. Ces Indiens à plumes évoquent pour eux les grandes batailles du Far West. Personnellement, c'est plutôt aux personnages de Jack London que je pense, et à leurs cabanes en rondins perdues au milieu de nulle part.

À Alert Bay, le musée U'mista, un mot indien qui signifie « heureux retour au pays », témoigne de la vigueur de la culture des Kwakwaka'wakw — pouvaient-ils choisir un nom plus compliqué ? ! — qui ont renoué en 1954 avec leurs traditions ancestrales. Bien qu'ils soient menacés par la culture américaine qui gomme tranquillement toutes les différences, au moins, ils se défendent !

Plus loin sur notre parcours, les villes de Skagway et de Juneau évoquent la ruée vers l'or... Ma famille elle-même a pris part à ce morceau d'histoire. Mon grand-oncle Alphonse, qui était en fait le frère de ma grand-mère paternelle, née Morin, s'y est rendu à la fin de la décennie 1890 dans l'espoir d'y trouver l'or et la gloire. Comme plusieurs autres, il n'en est jamais revenu. Peut-être est-il tombé dans un ravin? Ou s'est-il perdu en forêt? Il a peut-être été carrément assassiné dans un bar... Ses dernières lettres recelaient une grande amertume : « Des gages de quatre piasses par jour, pis la pension coûte une piasse. Y a du monde partout... » Tous ces gens, jadis jeunes et idéalistes, sont morts aujourd'hui. Je ferai le tour des cimetières durant ce voyage de 1975 et j'examinerai de près la plupart des pierres tombales. J'y trouverai des Tremblay, des Dufour et des Pronovost, mais aucun Morin.

Le temps fort du voyage, c'est l'entrée de notre petit navire dans la grande baie des Glaciers, au nord de Skagway. L'immensité blanche et bleue, qui craque de temps à autre en laissant tomber d'énormes blocs de glace, nous fait prendre conscience de notre petitesse et de la fragilité de notre embarcation, comme de celle de nos vies. On y entend des bruits qui rappellent le grondement du tonnerre. C'est très impressionnant. Autour de nous, sur les banquises, une multitude de phoques constituent le gros du comité d'accueil. C'est un spectacle absolument féerique! De temps en temps, de tout petits voiliers s'approchent de la banquise. Notre capitaine n'hésite pas à jouer du haut-parleur ; de sa voix forte et assurée, il les enjoint de s'éloigner au plus vite, les prévenant sans détour des dangers qu'ils courent. Au loin, des baleines nous montrent leur dos. Ce sont des épaulards. En 1975, on parle déjà de les protéger et de préserver leur environnement avant que le tourisme ne devienne une menace pour leur habitat naturel.

Lorsque je retournerai en Alaska en 1997, ce sera pour constater que la baie des Glaciers, malheureusement, a perdu beaucoup de sa splendeur naturelle. Elle est survolée par des hélicoptères et abordée par toutes sortes de bateaux et d'embarcations. Les oiseaux et les baleines y sont désormais plus rares... Le tourisme et l'environnement font rarement bon ménage.

Il est toutefois compréhensible que les touristes — et ceux à qui leur présence profite — aient investi ce territoire. Voir un glacier du haut des airs est une expérience inoubliable. Se poser sur cet immense bloc de glace poli par le vent qui s'avance dans une mer scintillante, pour contempler ce paysage bleu avant de se retrouver à quelques pas d'une large crevasse de 300 pieds de profondeur... On ne s'étonnera pas que les hélicoptères y viennent de plus en plus souvent, avec les conséquences que l'on sait. Tout cela est formidable pour les aventuriers, mais fort dommageable pour la nature. Auparavant, quand un phoque émergeait de son trou, c'était pour voir s'il y avait des chasseurs ou des ours blancs dans le coin. Aujourd'hui, il sort de l'eau pour respirer un air déjà trop vicié pour lui.

Ce n'est qu'un autre des effets pervers du tourisme sauvage... Chaque fois qu'une nouvelle destination fait parler d'elle, les visiteurs se mettent à affluer, et les décideurs échafaudent aussitôt des projets de développement. Les écologistes arrivent presque toujours deuxièmes et, bien souvent, trop tard pour réparer les pots cassés. Il n'y aura bientôt plus que les musées, les zoos et les documentaires qui rappelleront au monde que la terre fut jadis un jardin de délices.

Ainsi, c'est au cours de ce voyage qu'est réellement né mon empressement à voir le monde tel qu'il est, tel qu'il a toujours été... avant que survienne la catastrophe écologique qui nous menace. La trentaine, dit-on, est un âge de prises de conscience... bien que l'on ne cesse jamais, lorsqu'on est voyageur dans l'âme, de s'éveiller à de nouvelles réalités.

Ce périple en Alaska terminé, Marie-Louise et moi remettons le cap sur le Canada à Dawson City, une ville du Yukon perdue au milieu de nulle part. Elle est moins agitée qu'au temps de la ruée vers l'or, mais demeure tout de même intéressante. Il n'y a plus de bagarres, mais on y entend encore le ragtime des pianos bastringue. Les filles de joie qui, il y a plus d'un siècle, faisaient tourner la tête des prospecteurs, reposent en paix dans un petit cimetière situé à proximité des églises catholique et protestante. Je ne rate évidemment pas l'occasion d'aller voir si la dépouille de mon grand-oncle Morin y repose, mais c'est peine perdue.

Nous prenons donc l'avion pour le voyage de retour. Nous sommes à la mi-octobre et, au passage, nous faisons un saut à Churchill, au Manitoba, ville minuscule déjà fixée dans la glace, malgré la saison. C'est en banlieue de cette agglomération que se tient toujours le fort Prince-de-Galles, dont la France tenta de s'emparer, quelques décennies après sa défaite sur les plaines d'Abraham.

Malgré le bagage d'histoire que porte ce bâtiment, le souvenir le plus marquant que je rapporterai de Churchill demeure tout de même celui des ours polaires qui viennent s'appuyer sur la portière du véhicule surélevé dans lequel nous avons pris place. J'entends encore leurs cris frénétiques. À les voir avec leur regard innocent, il est difficile de croire que ces rois du Grand Nord sont capables d'une si grande cruauté et sont facilement sanguinaires.

Une de ces charmantes bêtes s'approche donc de notre véhicule. L'ours se dresse sur ses pattes de derrière en s'appuyant contre la portière. Son regard est d'une telle douceur que je m'avance un peu pour le photographier. Mais c'est une erreur. En un rien de temps, il balance sa patte griffée dans ma direction, avec l'aisance et la rapidité d'un boxeur poids lourd. Sans l'intervention d'un membre du groupe qui saisit ma chemise et me tire prestement vers l'arrière, j'aurais probablement laissé mon bras gauche dans la gueule de ce monstre. Ai-je besoin d'ajouter que j'ai raté ma photo?...

C'est au cours de cette escale à Churchill que je suis le bienheureux témoin d'un autre spectacle saisissant: devant mes yeux, un grand nombre d'ours polaires s'embarquent sur les glaces de la baie d'Hudson et se laissent déporter jusqu'à la baie James, du côté de l'Ontario. Ce genre de chose ne se voit presque plus de nos jours. Durant leur long périple, les ours, rassemblés sur la glace, se nourriront de phoques et de poissons de toutes sortes. Au printemps, ils recommenceront leur rituel par la voie d'un sentier qui les ramènera, amaigris, à leur point de départ, en octobre.

À cette époque, ils sont entre 500 et 600 à attendre la formation des glaces. Aujourd'hui, il reste si peu d'ours polaires que tout voyagiste découragerait l'aventurier qui désire se rendre à Churchill dans l'espoir de contempler un tel tableau. C'est bien dommage. Il faut désormais aller au nord du Nord pour apercevoir ces animaux si merveilleusement adaptés à la vie des pays froids. Et comme pour se consoler, le millier d'habitants de Churchill a mis tous ses espoirs dans le réchauffement climatique, qui permettra à son port d'être opérationnel douze mois par année, créant ainsi des emplois pour la population locale. Résultat : on vendra en solde des parkas rembourrés de plumes d'oie comme des artefacts...

•••

Cette année-là, j'anime à CKVL le *Journal Québec-Soir* avec Jean Yale. Paul Tietolman, propriétaire et directeur de la station, décide de m'envoyer en stage à New York pour une semaine en compagnie de trois autres reporters. Plutôt que de suivre l'itinéraire prévu, selon lequel je dois me rendre dans plusieurs stations de radio locales pour comparer les diverses façons de pratiquer le métier, je passe la semaine dans les studios de la station d'information WINS-AM, situés au sommet d'une tour de verre, où j'observe le travail des journalistes. Par les fenêtres, on assiste au ballet des hélicoptères affectés à la surveillance de la circulation routière. Le directeur de l'information tient tellement à ce que ses journalistes présentent leur propre point de vue sur l'actualité qu'il leur interdit de lire les journaux locaux.

Tietolman, qui a lui-même préparé notre itinéraire, réalise bien vite que nous sommes bien plus intéressés par la comparaison de nos salaires avec ceux des journalistes new-yorkais qu'à quoi que ce soit d'autre... Et, pendant que j'y suis, les salaires de ces derniers sont en moyenne, à l'époque, 50 % plus élevés que les nôtres ! Il faut dire qu'ils s'adressent à des millions d'auditeurs, comparativement aux quelque 150 000 que je rejoins...

L'année suivante, c'est la grève à CKVL. Pendant ce « congé forcé », j'arrondis mes fins de mois en devenant reporter pour l'émission *Le temps de vivre*, diffusée à Radio-Canada. Puis, en novembre 1977, je me présente aux élections municipales dans Verdun ; après ma défaite, j'exprime le désir de retourner en ondes. Mais je suis bientôt forcé de réaliser que mon engagement politique me ferme des portes. Heureusement, Paul Tietolman me permet de revenir à CKVL. Comme plusieurs de mes collègues l'ont constaté au cours de leur carrière, il est difficile de porter à la fois l'étiquette de journaliste et celle de politicien...

• • •

De fil en aiguille, je me retrouve en Allemagne en 1978. Mon frère Jacques m'accompagne dans cette expédition. C'est l'Office du tourisme allemand qui nous a organisé cette escapade à Berlin. À Berlin-Ouest, il va sans dire, puisqu'un mur s'élève entre l'Est et l'Ouest et que, de l'autre côté, la présence communiste n'est pas vraiment favorable au tourisme... Les tensions qui y règnent en cette fin des années 1970 annoncent clairement les couleurs de cette cité, passée maître aujourd'hui dans l'art d'effacer le passé.

Chaque matin, une guide vient nous voir à l'hôtel Kempinski — où nous avons d'ailleurs rencontré l'acteur Pierre Richard — et nous propose quelques itinéraires. Puisque mon frère et moi sommes des enfants de la guerre, nous tenons bien sûr à voir les vestiges de l'ère hitlérienne. Malheureusement, la plupart de nos requêtes tombent à plat. Les guides se montrent laconiques, vagues. Les lieux que nous souhaitons visiter sont habilement contournés ; la chancellerie bâtie par Albert Speer, le stade où eurent lieu les Jeux olympiques de 1936... Il y a un malaise, nous le sentons bien.

Finalement, la guide, peut-être fatiguée de nos demandes répétées, décide de nous emmener voir la colline sous laquelle se terrait le bunker du führer. Pour apercevoir la butte, dissimulée entre deux murs parallèles, il faut grimper sur l'échafaudage du poste d'observation et point de passage entre les secteurs communiste et américain que l'on appelle Checkpoint Charlie.

Lors de ce premier voyage à Berlin, le mur est toujours debout — comme on sait, il ne sera démantelé qu'en 1989. Du côté ouest, une capitale moderne, dynamique et trépidante. À l'est, une ville communiste triste, morne, grise et métallique. Sur une section du mur sont inscrits les noms de tous les Allemands de l'Est qui furent abattus en essayant de passer à l'Ouest. De l'autre côté, aucun nom, puisque pas un Allemand de l'Ouest ne tenta jamais de passer à l'Est. Ça se passe de commentaires.

Après nous être fait examiner par une *vopos* à la gueule de bois et par des bergers allemands, nous voilà de l'autre côté du mur. D'emblée, nous contemplons l'imposante porte de Brandebourg de Frédéric II, où Napoléon entra triomphalement en novembre 1806 — c'est ce monument qui lui donnera l'idée de construire l'Arc de triomphe. Devant cette porte, un char d'assaut soviétique rappelle la libération de la moitié de Berlin par les Russes, qui l'enchaîneront à leur tour.

C'est Berlin-Est qui a hérité de la plupart des bâtisses de l'époque hitlérienne. On nous descend sur la place Marx-Engels, lieu de l'autodafé nazi. Sur Normannenstrasse, la guide nous montre un énorme édifice gris : c'est le quartier général de la Stasi, la police secrète et « le meilleur service d'espionnage au monde », nous dit-on avec fierté. Mon frère et moi sommes stupéfaits de constater que des Berlinois de l'Est, futés, se sont constitué une réserve de souvenirs ; leur inventaire comprend aussi bien de « vrais képis » portés par les nazis que des drapeaux de l'Allemagne de l'Est. Les seuls rares acheteurs sont les étrangers et les amateurs d'histoire.

Revenus à l'Ouest, nous passons devant la prison de Spandau, là où Rudolph Hess, le dernier officier d'Hitler, est incarcéré. Nous demandons à notre accompagnatrice d'entrer, invoquant notre statut de reporter, mais un militaire soviétique nous en empêche. Nous complétons la journée par une visite du Stade olympique. Il est magnifique ! J'y revois Jesse Owen, le Noir qui a remporté quatre titres. Pas mal pour ce qu'Hiler qualifiait de sous-homme… En soirée, nous faisons halte au café Adler, où les espions se rencontraient pour discuter, entre autres, du prix de passage d'un *kamerad* dissimulé dans un cercueil ou dans le double coffre avant d'une Volkswagen…

Près de 15 ans plus tard, je retournerai à Berlin. Le mur aura alors été abattu. Je découvrirai un pays complètement transformé… méconnaissable, en fait. Une ville en train de cicatriser, pressée d'oublier le passé, étouffée par la honte. Il ne reste déjà plus aucun témoin direct de l'ère hitlérienne, et leurs descendants n'ont visiblement aucune envie de raviver la mémoire de cette sombre époque. À part une église à moitié détruite lors des bombardements de 1945, qui se dresse au centre-ville de ce qui fut Berlin-Ouest, tout a été rasé. Le mur de la honte, dont on n'a conservé qu'une infime portion, ressemble désormais à celui qui ceinture Graceland, la célèbre villa d'Elvis Presley, à Memphis. Il est couvert de graffitis. Le café Adler vend désormais sept dollars ses cafés aux visiteurs.

Le guide qui conduit de site en site le groupe dont je fais partie nous montre ce qu'il veut bien nous montrer, insistant lourdement sur le fait que lui-même et ses parents n'ont jamais été partisans du régime nazi. Sur le plan humain, je le comprends. Mais comment apprendre du passé si nous en effaçons la trace? lui demandé-je. Il se contente de me répondre qu'un débat national a eu lieu à ce sujet et que les champions de la gomme à effacer, qui préfèrent s'enfoncer la tête dans le sable plutôt que d'apprendre à vivre avec la réalité, l'ont finalement emporté. De plus, le guide est convaincu que la restauration de ces monuments risque d'aviver la flamme des néo-nazis.

Au cours de ce second voyage, ma route me conduit à Nuremberg, là où eut lieu le procès des criminels nazis... Quand l'autobus longe le stationnement qu'est devenue la grande place où, en 1935, un discours d'Hitler attira 800 000 militants, notre guide ne prononce pas un seul mot. C'est là que la cinéaste Leni Riefenstahl, une proche d'Hitler, tourna en 1934 *Le triomphe de la volonté*, un film de propagande encore à l'étude dans les départements de communication de nos universités. De nos jours, sur cette grande place, on organise des concerts rock. Ah! le rock and roll. Aucune dictature au monde ne peut vaincre l'invasion de cette stridente musique, pas même au pays d'Hitler, lui qui aimait tant Wagner...

Toujours désireux de dénicher des trésors du passé, j'entreprends, fébrile, mon excursion dans la ville. Malheureusement, je fais encore une fois chou blanc. J'ai beau chercher, interroger tous les passants que je croise, personne ne peut ni ne veut me dire où est le palais de justice. On dirait qu'ils ont tous perdu la mémoire… Au bout de quelques heures, un jeune étudiant en histoire accepte, finalement, de me servir de guide… et, au bout du compte, nous nous cognons le nez à des portes closes.

Cependant, tous les lieux historiques n'ont pas été « effacés » du territoire allemand. Parmi ceux qui existent toujours, il y a le camp de concentration multiethnique de Dachau. Là, le malaise est palpable. On peut encore lire sur les murs les inscriptions et les directives des tortionnaires. Cette visite me flanque le cafard… Pourtant, ce camp n'a rien de comparable avec ceux d'Auschwitz et de Birkenau, en Pologne. Mais c'est d'un lugubre à faire pleurer. Est-ce que je me complais dans le lugubre ? Je ne crois pas. Il n'y a pas que les livres qui parlent, il n'y pas que les histoires des survivants qui soient évocatrices. Les murs, les fours crématoires, les bâtisses… tout cela parle. Tout cela raconte une époque qui changea à tout jamais l'humain et façonna sa manière de se percevoir lui-même, de regarder ses semblables et de choisir d'apprendre du passé plutôt que d'oublier dans la honte les erreurs commises par ses prédécesseurs.

• • •

En 1979, j'ai la chance d'être invité à participer aux célébrations du millième anniversaire de Bruxelles, parmi 1 000 journalistes choisis de par le monde entier. Quel événement ! Nous sommes traités avec les égards réservés aux grands de ce monde.

Après nous avoir fait visiter de long en large cette capitale de la Belgique et de l'Union européenne, la mairie nous invite à la Villa Lorraine, restaurant cinq étoiles. Le ministre des Affaires étrangères du Canada, Mitchell Sharp, qui est de notre groupe, rebrousse chemin, jugeant que son indemnité quotidienne ne lui permet pas d'entrer dans cet établissement. Avant que nous passions à table, qui vois-je au fond de la salle, bavette autour du cou? Le président de la CSN, feu Marcel Pepin, en train de discuter des problèmes de la classe ouvrière. Il est vrai que Pepin, loin du Québec, fut également président de la Fédération mondiale des travailleurs.

Une fois terminé ce dîner aux frais du Royaume, on nous invite à une balade sur la morne plaine de Waterloo, là où la grande armée de Napoléon dut plonger au cœur des combats en cette fatale journée du 18 juin 1815. Notre autocar est plein à craquer. Le guide, un très jeune homme visiblement peu féru d'histoire napoléonienne, nous donne de vagues informations sur ce champ de bataille, le plus célèbre du monde, sur lequel gisaient ce jour-là 50 000 morts et blessés.

Devant la culture quelque peu limitée de notre guide, je me permets de partager mes connaissances avec les passagers qui m'entourent, et on m'invite bientôt à prendre le micro. Je m'exécute et décris, dans les moindres détails, cette journée fatidique trempée par la pluie, depuis la veille, quand le maréchal Ney, le brave des braves, échappa la victoire devant un Wellington tremblant. La délégation québécoise m'applaudit. C'est un moment gratifiant pour moi, mais fort embarrassant pour notre jeune guide qui se fait damer le pion par son propre client…

Nous faisons une halte dans une boutique près de la ferme du Caillou, dernier quartier général de

Napoléon, et les gens m'offrent une belle réplique d'un pistolet de l'Empereur, que je conserverai jusqu'à la fin de mes jours. Un voyage inoubliable !

Peu de temps après, Ben Weider, président et fondateur de la Société napoléonienne internationale, qui a eu vent de mon discours, me contacte pour me demander si je suis assez ferré en histoire napoléonienne pour répondre à des questions qui me vaudront un honneur. En compagnie de Mme Stewart du musée McDonald-Stewart de Montréal, du père de la Sablonnière, napoléonien connu, et de quelques autres personnages, Weider me questionne de long en large sur la vie de l'Empereur. Après ma performance, il me remet devant un groupe d'historiens la 8e médaille de l'Ordre napoléonien. C'est avec une grande fierté que je porte à ma boutonnière, depuis ce temps, l'épinglette que le grand Montréalais m'a remise à cette occasion.

• • •

À mon retour à Montréal, un simple coup de fil me permet d'accomplir un véritable coup d'éclat radiophonique. Je suis toujours reporter à CKVL. En cette année 1979, Mohammad Reza Pahlavi, le dernier shah d'Iran, est en fuite sans son célèbre coffre-fort, et les brigades de l'ayatollah Khomeiny viennent de séquestrer des otages à l'ambassade américaine de Téhéran. Khomeiny, qui a vécu un long exil à Neauphle-le-Château en France — en se payant, soit dit en passant, le luxe de ne pas apprendre un seul mot de français —, vient de rentrer au pays, où il est accueilli en sauveur. Les fanatiques qui ont investi l'ambassade américaine ne veulent rien de moins que le retour du shah. Ils ont l'intention de le juger et de le condamner à mort.

Ne me doutant de rien, je réussis à mettre la main sur le numéro de téléphone de l'ambassade et je le compose sans arrêt. La ligne est naturellement occupée, mais je persiste. À la énième tentative, c'est un des fanatiques qui me répond! Le type baragouine assez d'anglais pour me passer son message. Il se borne à répéter sans cesse que le shah a mérité la colère de Dieu et qu'il doit mourir.

En ondes, le résultat est spectaculaire! Les propos du soldat de Khomeiny font un tel bruit que des équipes de reportage de la station CTV s'amènent à CKVL. L'entrevue est diffusée à la grandeur du Canada anglais.

C'est donc ainsi que se déroule mon premier contact avec l'Iran. Ce n'est que beaucoup plus tard, cependant, que j'aurai l'occasion de m'y rendre pour réaliser à quel point l'exil du shah persan aura modifié la donne au Moyen-Orient.

Au cœur du conflit d'Irlande du Nord

L'Irlande! S'il est un pays, autre que le mien, où j'accepterais de vivre, c'est bien celui-là. Et les avantages fiscaux chers à tous les richissimes de ce monde n'ont rien à y voir. Ce que j'adore au sujet de l'Irlande, c'est son climat frais et souvent pluvieux. Eh oui, j'aime la pluie! L'été, lorsqu'il fait chaud pour ces Irlandais, le mercure atteint à peine 22 ou 24 degrés Celsius. Voilà ce qui me plairait plus que la canicule de notre métropole, avec ses journées collantes à 35 degrés…

L'île d'Irlande est constituée, elle aussi, de deux solitudes. Ça ne vous fait pas penser à quelque chose?…

La protestante du Nord était jadis la plus prospère. Elle a toujours été la plus industrialisée, mais les conflits qui y firent rage pendant 25 années finirent par faire fuir tous les investisseurs, à l'exception de Bombardier… et contribuèrent à son déclin, à celui de ses chantiers navals notamment. C'est dans ces chantiers qu'en 1912, à une époque moins trouble, on construisit le légendaire *Titanic* qui allait couler au cours de son voyage inaugural.

La première fois que je mets les pieds en Irlande, c'est en 1979. Je cherche assurément à me rendre dans des pays où se produisent des turbulences! À la fin des années 1970, le sol de l'Irlande du Nord tremble sous la violence des catholiques et des protestants qui s'affrontent dans ses rues. Belfast est une belle ville, mais les sirènes qui résonnent à tout moment et les véhicules militaires britanniques chargés de protéger les protestants gâchent un peu le tableau, on s'en doute.

Je suis avec mon fils Nicolas qui n'est alors qu'un jeune garçon. Je viens de me séparer de ma seconde épouse, Marie-Louise. Le démon du midi s'est emparé de moi, mais ma liberté me permet à tout le moins de donner un peu plus d'attention à mon fiston.

De quelle audace — ou de quel égarement — faut-il faire preuve pour se promener dans les rues de Londonderry et de Belfast! Je ne compte plus les contrôles auxquels on nous soumet, même pour le trajet très bref que nous parcourons pour aller acheter une carte postale dans une boutique. Chose étonnante, en discutant avec ces Irlandais, je réalise qu'ils savent tous que le Québec est «passé par là» en 1970… Pour ma part, je considère qu'il n'y a aucune comparaison possible entre notre petite Crise d'octobre et la leur, qui perdure. Entre les arrêts et les fouilles, à bord du train Dublin-Belfast, je ne calcule plus le temps perdu. Des militaires, chiens en laisse, montent à bord et nous enjoignent à plusieurs reprises de quitter le wagon. Quand nous parvenons enfin à Belfast, c'est pour admirer un panorama piqué de carcasses de voitures calcinées qui, la veille, ont été la cible de terroristes. Les occupants de ces voitures sont-ils morts ou s'en sont-ils sortis avec l'idée de se venger de ces attentats? Les soldats britanniques nous regardent avec des yeux de lynx. Nul doute, ils sont sur les dents.

Où avais-je la tête pour emmener mon jeune fils de 13 ans à l'intérieur d'un tel baril de dynamite? Voulais-je lui inculquer mon esprit d'aventurier? Malgré l'inconscience dont j'ai pu faire preuve à ce moment — j'avais nettement sous-estimé le danger que nous courions —, l'avenir, d'une certaine façon, me confirmera que j'ai bien fait de prendre ce risque: Nicolas deviendra à son tour un grand voyageur.

Mes 40 ans

Comme elle me semble vite arrivée, l'année 1980, l'année de mes 40 ans! On ne peut pas dire que je me suis tourné les pouces depuis mon entrée dans l'âge adulte, depuis que je me suis extirpé de ma jeunesse «rock and roll» dans les ruelles de Verdun. Les semonces de José Ledoux, qui m'enjoignit avec insistance de me cultiver et d'entretenir de nobles idéaux, ont fait beaucoup de chemin…

Quarante ans… Aujourd'hui, je donnerais cher pour avoir 40 ans de nouveau! Je sais maintenant qu'un homme n'a jamais autant de charme, de ressources et de force qu'à l'aube de la quarantaine. Mais Dieu que ce chiffre me fait peur à l'approche de mon anniversaire… Il faut dire qu'en cette année 1980, je me relève péniblement d'une opération à la colonne vertébrale qui m'a temporairement diminué. On m'a enlevé deux disques à la suite d'une chute de cheval qui a bien failli me laisser paralysé, comme ce sera 15 ans plus tard le destin de l'acteur Christopher Reeve. Je souffre littéralement le martyre. Mais il m'en faudrait plus pour accepter de demeurer cloué à un fauteuil… Malgré mon état, je décide d'accepter l'invitation que me lance l'Office du tourisme du Portugal à me rendre en ses murs.

L'avion de la TAP (Transports aériens portugais) me dépose dans un Lisbonne aux multiples attraits touristiques. Au nombre de ceux-ci, le pont du 25 Avril, suspendu au-dessus du Tage. À proximité, la tour de Belém évoque les grandes expéditions maritimes portugaises, et le musée national des Carrosses recèle la plus grande collection au monde.

J'en profite pour me taper un tour vers l'Algarve, le lieu de villégiature favori des Anglais et des Portugais. Les Anglais aiment bien le bord de mer portugais qui accueillit si souvent leur marine de guerre, dont les troupes du duc de Wellington et ses espions. L'Algarve est constituée d'une rangée de pitons rocheux qui servent d'abri aux baigneurs… et aux amoureux, surtout.

En marchant sur la plage, je croise un petit Anglais qui s'amuse dans le sable avec un Mirage miniature. Je suis en train de lui expliquer que les Mirage sont français quand sa mère — au demeurant fort jolie — m'interpelle. C'est le commencement d'une aventure qui durera trois jours… au bout desquels nos chemins se sépareront. Elle m'écrira plusieurs lettres et m'invitera maintes fois à venir la rejoindre à Londres, mais, comme le dit l'adage, loin des yeux, loin du cœur.

Un soir, dans une boîte de nuit où j'assiste à un spectacle de fado, je tombe sur un groupe de touristes lavallois venus en Algarve autant pour admirer la beauté des pitons qui ceinturent la mer que pour profiter des boîtes folkloriques qui pullulent le long de la côte. Ce sont des agents d'assurances. Parmi eux, une dame déblatère contre les «maudits péquistes». Elle en a contre «l'inique loi 101» qui vient à peine d'être votée à l'Assemblée nationale.

Le lendemain matin, au déjeuner, cette dame se met en mode séduction. Elle s'approche d'un jeune homme qui parle un français irréprochable et se met à lui «perler» dans un français «campagnard» au possible.

— Allô, toé… Tu vais bien à matin, mon beau Brummell?

La réponse du bel hidalgo la pétrifie sur place:

— Je constate que la langue française bat de l'aile au Québec. Heureusement que votre gouvernement a voté une loi qui améliorera grandement la situation.

Madame, tenant à avoir le dernier mot, creuse encore un peu plus sa tombe.

— Ça, ce sont nos séparatistes qui ont fait ça mais les choses vont se replacer…

À voir — et surtout, à entendre — les Montréalais d'aujourd'hui, cette dame avait malheureusement bien raison…

Avant de quitter le continent pour les Açores, je décide de m'offrir un dernier tour de ville dans la capitale. Notre jeune guide nous parle du maréchal Junot, l'ambassadeur de Napoléon à Lisbonne; des Anglais de Wellington qui débarquèrent et s'employèrent à repousser les Français, au grand dam de l'Empereur qui se trouvait alors à Bordeaux.

On me parlera encore de l'Empereur en Égypte et sur la Place rouge à Moscou. Puis une autre fois à Berlin, où il passa sous l'arche de la porte de Brandebourg… Tous ces déplacements, à cheval, aux quatre coins du continent… Toutes ces guerres contre toutes sortes de coalitions, avec l'argent des Anglais… Je ne cesserai jamais de me passionner pour ce gigantesque pan d'histoire.

En arrivant aux Açores, cet archipel portugais de l'Atlantique qui compte neuf îles volcaniques — c'est là que le champion de boxe Marcel Cerdan, l'amant d'Édith Piaf, se tua en 1949 à bord d'un avion d'Air France —, je suis frappé par le délabrement des infrastructures. À cause d'un terrible tremblement de terre, la plupart des maisons ne subsistent plus qu'à l'état de ruines. Les autorités attendent l'aide internationale pour achever les travaux de reconstruction. En visitant São Miguel, Ponta Delgada et Terceira, je découvre des îles pauvres. L'armée américaine y a installé deux bases qui compensent un peu la rareté d'argent. Pour le reste, on vit de pêche, d'artisanat et du tourisme.

Mais l'air des Açores est tellement humide que le mal de dos m'empêche, dans ma condition de convalescent, de profiter des charmes de l'endroit. Après quelques jours, je dois me résigner : il faut que la TAP me ramène à Montréal, et d'urgence à part ça.

Il n'y a pas de place du côté des passagers. On m'installe donc dans la cabine de pilotage, d'où je peux admirer le ciel en toute quiétude. C'est si beau que la moitié de ma douleur s'envole comme par enchantement. C'est un peu comme chez le dentiste, en fait. On a beau avoir eu mal aux dents toute la nuit, il suffit souvent qu'on arrive chez l'arracheur pour que le supplice s'évanouisse. C'est sur le chemin de retour que je commence à prendre du mieux. Il est bien tard pour revenir sur mes pas...

• • •

Une fois remis sur pieds, je reprends le fil de mes voyages. J'envisage autant de destinations que possible, toujours animé de l'envie d'aller voir le monde et de découvrir ces coins que je n'ai pas encore explorés — ou de retourner en des lieux déjà connus. Je détaillerai plus loin ces expéditions. Cependant, en 1983, une occasion en or se présente à moi. Je suis toujours reporter à CKVL et je m'apprête à vivre une expérience unique en Afrique.

Enseigner au Sénégal : une occasion extraordinaire

De 1979 à 1991, je suis chargé de cours en communication à l'Université de Montréal. Dans le cadre d'échanges universitaires, on m'invite en 1983 à enseigner le journalisme radiophonique pendant un trimestre à l'université Cheikh Anta Diop de Dakar, au Sénégal.

Le peuple sénégalais est constitué de plus de 20 ethnies : Peuhls, Mandingues, Lébous, Sérères, Toucouleurs et Wolofs... pour ne nommer que celles-là. La population y est majoritairement musulmane. Tout ce beau monde parle wolof, la langue la plus courante au pays avec le français. Les Sénégalais sont calmes, enjoués de nature et pas très pressés. Au début de mon séjour là-bas, cette désinvolture me met, bien inutilement, hors de moi. Les étudiants arrivent régulièrement en retard et, plutôt que de s'excuser, tout ce qu'ils trouvent à me dire, c'est :

— Ce n'est pas grave, monsieur le professeur, rien ne presse...

Avec le temps, ces Africains me montreront à ajuster ma montre à l'heure locale. Il faudra bien que je m'adapte à leur rythme ! Cela dit, je constate au fil des jours qu'énormément de sociologues sont formés au Sénégal. Résultat : en plus de prendre tout leur temps, ils en consacrent énormément à la discussion. À l'exception d'occasions comme les matchs de football, durant lesquels le pouls s'accélère un peu, ça jase beaucoup... sauf quand la nature nous rappelle que le moment est venu d'agir, non plus de palabrer ! Un après-midi, durant un cours, un de mes étudiants se lève soudain en hurlant :

— Monsieur Proulx ! Monsieur Proulx ! Tout le monde par terre !

— Qu'est-ce qui te prend ? lui demandé-je.

En regardant, stupéfait, mes étudiants se jeter sur le sol, je perçois la cause de cette agitation. Un nuage constitué de milliers d'abeilles gigantesques vient de faire irruption dans la classe. On dirait un escadron de Mirage ! L'attaque foudroyante ne cause heureusement aucun dommage. Les abeilles repartent comme elles sont venues... J'en suis quitte pour une bonne frousse.

Un dimanche, le directeur du département, Babacar Sine, m'invite à une *garden-party* qui réunit une cinquantaine de convives dans sa magnifique villa située au bord d'un cours d'eau. Le luxe dans lequel je me retrouve me laisse pantois. Je n'arrive pas à croire qu'un simple job de directeur de département à l'université puisse être aussi bien rémunéré... quand mon attention est attirée par un bruit provenant du fond du jardin. Je jette un coup d'œil et aperçois deux domestiques en train de taper sur quelque chose à grands coups de bâton.

Je demande à un invité ce qui se passe.

— Oh, probablement un cobra qui a réussi à se faufiler jusqu'ici...

Je file aussitôt à l'anglaise, comme on dit dans les pays francophones !

Chacune de mes balades en ville me laisse toutes sortes d'impressions contradictoires. Les installations sanitaires très rudimentaires — la ville est alors traversée par un réseau d'égouts à ciel ouvert que les coopérants étrangers appellent entre eux le « Rio Merde » — n'empêchent pas les femmes de se draper de vêtements d'une blancheur immaculée et d'une propreté étincelante.

Dakar est une ville pleine de contrastes, belle et désolante à la fois. Mendiants et riches, Noirs et Blancs, tas de ferraille et Mercedes-Benz, bordels et hôtels de luxe, médecins, marabouts et griots s'y côtoient, composant une mosaïque d'un éclectisme peu commun. Bien souvent, je vois aussi passer des hordes de petits infirmes qui rôdent autour des grands hôtels. Leur but : soutirer de l'argent aux étrangers, proies faciles s'il en est. Ces enfants s'acharnent à nous émouvoir en boitant ou en exhibant des membres atrophiés, et tout voyageur novice ouvrira son porte-monnaie presque à coup sûr. Lorsqu'un de ces petits réussit à m'arracher quelques francs, il se met immédiatement à rire de moi comme s'il m'avait bien eu. Ce phénomène n'est pas unique à Dakar ; on retrouve de ces handicapés qui perçoivent les touristes comme des millionnaires faciles à arnaquer dans bon nombre de cités africaines.

À la demande de Christian Lagauche, un journaliste de la télé française qui me contacte à Dakar, je réalise une interview avec Léopold Sédar Senghor, reconnu comme étant le poète de la « francité » et de la négritude. Senghor a occupé le fauteuil de président du Sénégal de 1960 à 1980 et deviendra cette année-là, en 1983, le premier Africain élu à l'Académie française. C'est dans son splendide domaine mauresque qu'il me reçoit, en présence de sa femme, une Française discrète qui se tient à l'écart tout au long de la rencontre. Il nous sert un petit goûter sur sa terrasse au milieu d'un véritable jardin botanique. Je m'étire le cou pour tenter de voir l'intérieur de sa maison ; ses splendides planchers de marbre me font dire qu'après tout, même dans un pays pauvre, la politique peut mener vers le confort.

L'ancien président sénégalais est davantage d'humeur à parler de poésie que de politique. Il évoque les valeurs françaises et africaines, parle de symbiose et de la prééminence des valeurs intellectuelles. Il se dit convaincu qu'un de ces jours, les hommes vivront d'amour. On a le droit de rêver ! Il me révèle alors toute l'admiration qu'il voue aux Québécois pour avoir eu la témérité et l'audace de faire du français leur seule langue officielle. Il croit en la souveraineté culturelle du Québec à l'intérieur de la Confédération canadienne. Il me demande même de lui faire parvenir une copie du texte de la Charte de la langue française.

Le directeur du département des communications de l'université, probablement un adversaire politique du président, n'apprécie toutefois pas que j'aie rencontré Senghor. Il s'arrangera donc pour ne pas me réembaucher au trimestre suivant, au grand dam de mes étudiants. Ne vous demandez pas pourquoi, au fil du temps, j'ai fini par perdre la plupart de mes illusions concernant les politiciens...

• • •

Durant les 12 semaines que doit durer mon séjour à Dakar, je prends le temps d'explorer les environs de la cité, sa banlieue, les îles à proximité. Il faut que je profite de chaque occasion pour engranger des images et me constituer des souvenirs de ce voyage inespéré. Au large de Dakar se trouve l'île de Gorée, lieu historique balayé par des vents doux en provenance de l'Atlantique. C'est sur cette île que furent parqués les esclaves africains en attente d'être transportés en Amérique à fond de cale par les négriers.

Durant les deux grandes guerres, les Européens utilisèrent Gorée à des fins stratégiques. En 1940, Pierre Boisson, le gouverneur de l'île à la solde du gouvernement de Vichy, s'opposa, au nom du maréchal Pétain, au débarquement des forces franco-anglaises menées par le général de Gaulle. Un coup d'un gigantesque canon fut même tiré en direction du chef de la France libre, coulant un de ses navires. Ce même canon fut utilisé durant le tournage d'une scène du film *Les canons de Navarone*, qui eut un certain retentissement à l'époque de sa sortie, en 1961.

Pendant ma visite du site de Gorée, des Afro-Américains réagissent aux propos de notre guide, qui insiste un peu trop à leur goût sur la tragique déportation des Noirs, en arguant qu'au contraire, les négriers se sont montrés généreux envers leurs ancêtres en les «transplantant» aux États-Unis. Comme quoi on n'interprète pas tous les leçons de l'histoire de la même façon...

En banlieue de Dakar, un autre site enchanteur : le lac Rose, de son véritable nom Retba, qui doit sa réputation au fait que ses eaux, suivant la position du soleil, passent du rose au violet.

Je visite également la ville de Saint-Louis, au nord du pays, un joyau historique que l'on surnomma longtemps la «Venise africaine» et dont la fondation remonte aux débuts de la Nouvelle-France. On y retrouve la trace d'un certain Bougainville, connu chez nous sur les plaines d'Abraham et pour ses bougainvilliers ! Les aviateurs français Saint-Exupéry et Jean Mermoz laissèrent derrière eux des lettres et des photos qui sont aujourd'hui suspendues aux murs d'un certain nombre de bâtiments d'architecture coloniale.

Mais je ne fais pas qu'explorer les environs de la ville. Tout au long de ce trimestre, je m'aventure dans quelques-uns des pays voisins.

Tout d'abord, le voisin du nord, la Mauritanie. J'ignorais jusqu'au nom de la capitale de ce pays avant de m'y rendre pour la première fois. Il faut avouer que Nouakchott, sa capitale, ne fait pas beaucoup de bruit sur la scène internationale…

C'est dans ce pays que je goûte à ma première tempête de sable. Sur le bord des routes, des véhicules «chasse-sable» font des ravages, et les «essuie-sable» de ma voiture de location fonctionnent à plein régime. C'est un spectacle hallucinant ! Je comprends maintenant ce que doivent ressentir les Mauritaniens qui émigrent chez nous et se retrouvent soudainement aux prises avec à nos tempêtes de neige.

En route vers Nouakchott, sous un vent qui siffle, j'aperçois des dromadaires accroupis, cloués sur place par la vélocité des rafales. Ils font cercle autour des hommes bleus emmitouflés jusqu'au cou, leur servant de rempart contre les douloureux coups de fouet qu'assène le sable soulevé par le vent. Ces robustes bêtes sont absolument formidables. En saison chaude, elles peuvent se passer de boire pendant deux à trois semaines. Quelques branches d'arbustes et des dattes constituent leur frugal menu. Mon guide m'apprend qu'une membrane protège leurs yeux de la violence du sable. Et lorsqu'il fait trop chaud, ces quadrupèdes ont recours à un système de refroidissement corporel interne. Quelles créatures !

Une fois arrivé en ville, je constate que tout y est construit sur le sable. Pour un Occidental comme moi, habitué au froid et à l'humidité, le climat de la Mauritanie est insupportable. La chaleur y est suffocante. Ma description de la capitale se résume à ceci : du sable, du sable et encore du sable. À la station-service, le pompiste qui fait le plein de notre véhicule prend toutes les précautions nécessaires pour éviter que du sable pénètre dans le réservoir.

Je quitte bien vite Nouakchott et je mets le cap sur Boutilimit, coin perdu s'il en est un. Il s'agit d'un hameau enchâssé dans le sable qui n'a pas grand-chose à offrir, si ce n'est un fort datant de l'époque de l'intrépide Légion étrangère, fort qui a encore fière allure. En déambulant dans les rues sablonneuses de ce petit bled, je tombe sur ce que je crois être un marché. Il fait si chaud que les légumes, sur les étals, ont presque cuit au soleil. Ils sont évidemment en solde, mais je n'ai pas le temps de m'en étonner, car j'aperçois alors, alignés sur une estrade érigée au bout de la rue centrale, tout un lot de jeunes garçons et de jeunes filles âgés tout au plus de 12 ou 13 ans. Ces jeunes sont *à vendre*.

— Je croyais que l'esclavage était aboli depuis longtemps, dis-je à mon guide.

— Les nouvelles voyagent lentement par ici, se contente-t-il de me répondre.

Inimaginable...

Ils sont donc une douzaine à défiler dans l'attente d'être achetés par les négriers. On se serait cru sur le parquet de la Bourse. Les acheteurs désignent l'enfant qu'ils convoitent : « Celui-ci... Celle-là... », et ils chipotent sur les prix. Ces adolescents serviront leurs nouveaux maîtres durant un certain nombre d'années.

Ce que je vous raconte là date de 1983. J'ignore si les choses ont changé depuis, mais j'ai bien peur que, dans certains coins reculés d'Afrique, l'esclavage existe toujours. Il n'y a probablement que la présentation, « l'enrobage », si vous préférez, qui varie.

Sur le chemin du retour, mon attention est attirée par une tente berbère. À l'intérieur, un très bel homme est entouré de quatre jolies femmes drapées d'étoffes de toutes les couleurs.

— Étranger, me dit le gaillard, veux-tu prendre avec nous le thé de l'amitié ?

Je ne le sais pas encore, mais je m'apprête à assister à une cérémonie du thé qui me laissera un souvenir impérissable.

Le musulman, au corps d'athlète et à la voix grave, parle un excellent français. Les femmes se retirent et, à l'écart, écoutent notre conversation en murmurant entre elles. L'une d'elles s'approche pour verser du thé à la menthe très sucré. Elle porte une djellaba blanche que transpercent les rayons du soleil, révélant les courbes de son corps. Mon hôte remarque mon regard qui s'y attarde et ordonne à ses épouses de se retirer.

La scène est si tentante à photographier que j'ai le réflexe de me saisir de mon appareil photo. Je pose mon doigt sur le déclencheur quand mon hôte intervient aussitôt pour m'interdire formellement d'appuyer. Il est outré ; l'atmosphère s'alourdit en un instant. J'ai beau lui parler du Québec, du Canada, de nos mœurs, lui expliquer que cette image représente pour moi un chef-d'œuvre, l'homme reste de glace. À ses yeux, mon geste frise la grossièreté.

Je dois me résoudre à avaler mon thé d'un trait et à prendre congé.

— *Salam aleykum*, lui lancé-je en partant.

— *Aleykum salam*, répond-il avant de se retourner.

Je le regarde rapetisser dans mon rétroviseur, debout devant sa tente. Le tableau est saisissant. Cependant, je m'abstiens de le photographier. Toute une cérémonie entoure l'offrande du thé chez ces nomades. Voilà ce que j'ai brisé avec mon envie de prendre une photo…

En rentrant à la capitale, sous un ciel subitement redevenu bleu, je passe du sable à la mer. La tempête s'est enfin calmée. Ce n'est plus le Nouakchott d'il y a quelques jours… Comme quoi un rayon de soleil a le don de modifier tout un paysage ! Le long des côtes, j'aperçois les villas blanches que les architectes mauritaniens ont conçues de manière à ce que leurs occupants échappent aux rayons brûlants du soleil. À l'intérieur s'épanouissent des jardins où se faufile le son des vagues. J'y prends le thé, cette fois en compagnie de femmes plus « occidentalisées » que ne l'étaient mes hôtes de la tente berbère. Mais ces habitations ont beau être relativement fraîches, le sable n'en continue pas moins à s'insinuer partout. Je passerai une partie de la soirée à nettoyer mon appareil photo et à secouer mon pantalon…

Je retourne finalement au Sénégal. Dans les rues de Dakar, je remarquerai désormais les Mauritaniens qui s'y baladent régulièrement ; ils m'ont tout l'air de fuir le sable ou encore les coups d'État répétitifs. Voilà bien l'intérêt de voyager. On apprend des choses qui nous échapperaient autrement et on est bien forcé de relativiser.

• • •

Je me permets ensuite un détour au «royaume de l'or blanc», le Mali. Il s'agit, à mon humble avis, du plus authentique de tous les pays francophones. Les Maliens ont développé leur propre style architectural — les mosquées y sont d'une originalité stupéfiante —, et le port du costume traditionnel est encore monnaie courante au pays. Malgré tout, le peuple est demeuré très proche de son côté français, ce qui est de plus en plus rare dans les anciennes colonies. N'ayant pas accès à la mer, toutefois, on compte sur les fleuves et rivières pour s'approvisionner en eau. L'économie du pays repose sur la culture du coton, que ses habitants appellent «l'or blanc du Mali».

Pendant mon séjour, je vais à la rencontre des Dogons, les plus anciens habitants de la vallée du fleuve Niger, qui font de grands efforts pour s'adapter au monde moderne. Ils ont notamment renoncé au nomadisme, leur mode de vie traditionnel, ce qui, à mon avis, ne constitue qu'un autre effet pervers de la mondialisation...

Les Dogons vivent au pays des pierres à feu, une zone qui est en quelque sorte leur forteresse. Leurs villages, situés sur la falaise de Bandiagara, sont très difficiles d'accès. Ils y habitent dans des maisons comme on n'en voit nulle part ailleurs : faites la plupart du temps de boue séchée, elles sont rectangulaires et surmontées de toits coniques. Au centre de chaque village dogon s'étend une grande place où l'on retrouve une *toguna*, une «maison des hommes». C'est une sorte d'hôtel de ville où on se réuni pour discuter des grands enjeux qui concernent la collectivité. Et si on l'appelle «maison des hommes», c'est que les femmes n'y sont pas les bienvenues.

Contrairement à mes hôtes mauritaniens, les Dogons s'offrent toujours de bonne grâce à l'objectif de mon appareil photo. Ils semblent m'avoir adopté. Ils insistent même pour que je les accompagne au marché de Djenné, une ville sise sur une île entre deux bras d'un affluent du Niger, où ils vont vendre leur coton et leur tabac.

Je suis absolument renversé par ce que j'y vois en arrivant. La mosquée y est tout simplement spectaculaire ! Je ne suis pas le seul à le penser ; en 1988, l'UNESCO l'inscrira, tout comme le reste de la ville, sur la liste du patrimoine mondial.

En ma qualité de non-musulman, il m'est interdit de pénétrer dans la mosquée qui peut contenir 1 000 personnes. Avec regret, je me résigne à me conformer à la loi. Cette construction est pourtant si impressionnante… Son architecture, dite «mauresco-saoudienne», est très distinctive. Mais c'est la taille de cette bâtisse qui est surtout remarquable. J'ai peine à croire que quelqu'un a eu un jour l'idée de planter pareille construction dans un bled semblable.

Toujours au Mali, je me rends à Mopti, chez les Peuhls, un peuple d'éleveurs de chèvres et de moutons qui, tout comme les Dogons, envisagent de renoncer au nomadisme. Chez les Peuhls, la polygamie est tolérée.

On peut avoir plus d'une épouse, pourvu que l'on puisse se les payer… et avoir la patience nécessaire ! Les jeunes filles, très coquettes, mettent parfois des heures à se faire une beauté. Puis, au milieu de leur hameau, elles se rassemblent en cercle autour des étrangers pour leur souhaiter la bienvenue. Me voyant ainsi entouré de quatre ou cinq jeunes filles, mon guide me lance à la blague qu'en vertu du règlement polygamique, je pourrais acheter quelques-unes d'entre elles, mais qu'il doute que la station de radio locale soit en mesure de me verser un salaire suffisant à les faire vivre toutes…

Mon séjour est agréable et les images qui emplissent mes yeux sont magnifiques, mais il m'est impossible d'ignorer que ce pays, comme bien d'autres, est aux prises avec un grave fléau. Je suis frappé par les efforts que déploie le gouvernement malien pour éradiquer le sida, dans ce pays où l'espérance de vie ne dépasse guère 50 ans. Une affiche me revient en tête, marquée du slogan : « Prolongez votre vie avec le plaisir, utilisez un préservatif. »

· · ·

À mon retour au Québec, un peu plus hâtif que je ne l'aurais souhaité, je ponds un article sur mon expérience sénégalaise. J'ai le réflexe de le proposer à Lise Bissonnette, du journal *Le Devoir*. Elle fait mieux que l'accepter : elle le publie en première page. Ce texte me vaudra le prix Judith-Jasmin, décerné à l'époque par le Cercle des femmes journalistes du Québec. Cette distinction, attribuée pour la première fois à un homme œuvrant à la radio privée, clouera temporairement le bec de ceux qui me considèrent comme un macho impénitent…

Peu après, quelques-uns de mes élèves sénégalais, enchantés de l'enseignement que je leur ai prodigué, réclament à l'université un stage de perfectionnement à Montréal. Dès leur arrivée, ils m'avouent être sidérés par deux phénomènes : la quantité d'obèses qui se baladent dans les rues de notre métropole et la nudité des Québécoises qui dansent dans ses cabarets. Je saisis la perche qu'ils me tendent malgré eux ; j'exige qu'ils réalisent sur ces deux sujets leurs reportages de fin de stage. Pour l'obésité, ça va, mais ils s'opposent formellement au travail de ces danseuses qui se déhanchent Aux Amazones ou Chez Parée. C'est contre les principes de leur religion !

— Dans ces conditions, leur dis-je, êtes-vous pour ou contre le conflit israélo-palestinien ?

— Contre ! répondent-ils en chœur.

— Alors, si vous êtes contre, comment couvririez-vous les événements si on vous envoyait en reportage là-bas ? Je veux un reportage sur les danseuses nues, point à la ligne !

Ils s'exécuteront, bien sûr, et m'attribueront par la suite une faible note d'appréciation, après m'avoir encensé à la fin de mon stage à Dakar. On ne le dira jamais assez : nul n'est prophète en son pays...

• • •

Les destinations que je visitai entre mes 20 ans et le milieu de ma vie ne sont pas toutes évoquées dans cette première partie ; j'en garde un peu pour la suite. Il m'importe de coucher sur papier ces notions et souvenirs que je conserve en ma mémoire parce qu'il ne suffit pas d'avoir vu ; il faut ensuite transmettre.

À cette étape de ma tortueuse route, donc, je fais une pause dans le récit de ma vie. Ma quarantaine est bien entamée. Après un stage en France et un autre à New York, un trimestre d'enseignement au Sénégal, de brèves incursions dans la vie politique et nombre de reportages effectués un peu partout à travers le monde, ma carrière est établie — en 1984, sur les ondes de CJMS, je me retrouve à la barre du *Journal du midi*, que j'animerai jusqu'en août 2008. Je suis père d'un fils et j'ai à mon actif deux mariages… et nombre de conquêtes. Je sais désormais qui je suis. Mais mon parcours est loin de s'arrêter là. Plusieurs découvertes sont encore inscrites à mon agenda ; je consacrerai le reste de ma vie à les rayer une à une de ma liste de lieux à voir.

DEUXIÈME PARTIE :
Prendre le large

Dans cette deuxième partie, je vous offre à la fois le récit de voyages effectués depuis une trentaine d'années dans plusieurs pays différents et l'impression que m'ont laissée ces divers coins du monde. J'ai cru bon de regrouper les destinations selon le continent auquel elles appartiennent, de façon à brosser, le plus possible, un tableau complet de chacun de ces territoires que j'ai eu la chance de visiter au fil des ans.

Ainsi, si vous le permettez, laissez-moi vous emmener aux États-Unis, en Amérique du Sud, aux deux pôles, en Afrique, puis grimpons ensemble sur le toit du monde…

CHAPITRE III
Chez nous...
et chez nos voisins du sud

Le monde est tellement vaste qu'à force d'aller battre le pavé dans ses recoins les plus éloignés, il est facile d'oublier les merveilles qui se trouvent chez nous.

D'abord, tout Québécois qui se respecte doit visiter au moins une fois les Îles-de-la-Madeleine, avant de songer à bifurquer vers Plattsburgh, Ogunquit et Hollywood Beach. En y accostant, on comprend tout de suite pourquoi nos ancêtres normands et bretons se sont tant extasiés sur leur extraordinaire beauté ...

Il n'y a pas que du homard aux Îles. Il s'y trouve malheureusement encore, comme ailleurs au Québec, des individus qui s'opposent à la Charte de la langue française, cette « loi inique qui s'attaque aux droits sacrés de notre minorité anglaise »... Incroyable ! Vivre au sein du Québec profond et être toujours en marge de la société francophone... Voilà bien les deux solitudes.

En visitant ces îles lointaines balayées par de grands vents, je réalise que les unilingues anglophones s'y comportent encore comme s'ils en étaient les rois. Pourtant, pour la majorité des habitants des Îles-de-la-Madeleine, le français est la langue maternelle...

On compte 13 000 habitants aux Îles, dont 85 % sont d'origine acadienne.

Les Îles sont désormais une destination touristique très courue, qui attire près de 55 000 visiteurs des autres régions du Québec, rien qu'à l'occasion de leur Festival des châteaux de sable. Depuis quelques années, toutefois, on trouve beaucoup de détritus de toutes sortes le long des plages et dans le sable. Les archéologues du futur y découvriront plus d'objets à l'effigie de marques populaires que de silex… C'est triste. Et dire que les Îles-de-la-Madeleine ont inspiré des dizaines de romans depuis leur annexion par la Nouvelle-France !

Les provinces maritimes

À un moment ou un autre viendra à tout voyageur québécois l'envie de visiter l'autre partie de ce pays continental qu'a tant vanté Jean Chrétien. À mon tour, je me rends en Nouvelle-Écosse, sur la route des Acadiens. Il y pleut trop souvent, mais tout y est d'une propreté impeccable.

À Grand-Pré, je me remémore le Grand Dérangement de 1755. Quel destin que celui de ces Français de la première heure, chassés de leurs terres parce qu'ils étaient catholiques et francophones, ou peut-être, plus simplement, parce que les Anglais convoitaient leur territoire et désiraient s'en emparer à des fins bassement stratégiques…

Non loin de là, dans l'ancienne Acadie, il y a Port-Royal, où Pierre Dugua de Mons et Samuel de Champlain essayèrent sans succès d'établir une « habitation »… Grâce aux efforts du gouvernement fédéral, on a pu préserver ici un grand nombre de sites historiques, dont la célèbre forteresse de Louisbourg, la plus grande reconstruction de ville fortifiée française du XVIIIe siècle en Amérique du Nord, située sur l'île du Cap-Breton qui fait aussi partie de la Nouvelle-Écosse. Je ne peux m'empêcher de penser que chez moi, au Québec, on rase tout ce qui évoque la Nouvelle-France. On remplace tout cela par des plaques que personne ne lit. Il faut s'être promené dans les rues étroites de Louisbourg et avoir croisé les figurants en costumes d'époque pour réaliser jusqu'à quel point nous sommes «à côté de la plaque»...

• • •

De l'île du Cap-Breton, je traverse à Terre-Neuve, une île encore très britannique qui n'a rallié le Canada qu'en 1949. Là aussi, le temps est généralement gris, mais les maisons peintes en rouge, en bleu, en jaune ou en vert égayent quelque peu le paysage.

La station TSF de Marconi, installée dans la tour Cabot de Signal Hill, est toujours là. Guglielmo Marconi y capta en 1901 le premier signal transatlantique sans fil. Ce site planté sur la falaise est d'une grande majesté, et l'intérieur de la station, fort bien préservé, témoigne des efforts que le célèbre chercheur y déploya dans le but de capter ces ondes radio qui finirent par prendre tant de place dans vos vies et dans la mienne...

Le fort de Saint-Jean, pour sa part, fut arraché aux Anglais par les Français en 1762, c'est-à-dire après la Conquête. En Nouvelle-France, personne n'en fut informé. Il faut dire que la mère patrie ne se souciait plus guère de nous à cette époque. Elle voulait seulement avoir accès aux bancs de poissons, tandis que nous, colons francophones, n'étions à ses yeux qu'une bande de poissons non comestibles.

Parlant de descendants de Français, évoquons la péninsule de Port-au-Port, où certaines boîtes aux lettres portent toujours des noms français. Toutefois, les missives qui y sont déposées sont à peu près toutes en anglais...
À Bonavista, on rend hommage, cette fois, à un Italien. C'est cette terre qui, la première, aurait été aperçue en 1497 par Giovanni Caboto... Mais savait-il réellement où il était? Alors, pourquoi lui attribuer la découverte du Canada?
C'est en juin qu'il convient de visiter Terre-Neuve. Il n'est alors pas rare de voir passer devant sa porte d'immenses cathédrales de glace en provenance de la côte du Labrador ou de la Terre de Baffin. Elles sont parfois si gigantesques qu'elles ne fondent pas avant d'avoir atteint New York...

La France chez nous

Quand je pose le pied pour la première fois à Saint-Pierre-et-Miquelon, archipel français outre-mer, j'ai d'abord l'impression d'être toujours en sol canadien. Bien sûr, la nature est très parente à celle de toutes les régions canadiennes, et les maisons ancestrales qui piquent la campagne ont de quoi rappeler ces antiques habitations que l'on retrouve dans bien des villages du Québec. Cependant, la présence d'un bateau de guerre français et de chalutiers bleu, blanc, rouge qui mouillent en permanence dans son port, sans compter les gendarmes accoutrés comme ceux de Paris, me dépaysent à coup sûr. On y paie ses consommations en euros et on y mange du ris de veau et des paupiettes, comme en France. Comme dans tous les bleds français, il y a une église, un cimetière, un musée de la marine où l'on nous rappelle que la population se rangea du côté du général de Gaulle durant la guerre, ce qui enragea alors littéralement Franklin Delano Roosevelt… Derrière le Musée de l'Arche s'élève, comme dans toutes les communes de France, le monument aux morts, qui évoque les disparus des deux Guerres mondiales. Saint-Pierre-et-Miquelon attire bon nombre de touristes québécois. Voilà une destination idéale pour quiconque n'a pas les moyens de se rendre en France !

• • •

Maintenant que nous avons survolé quelques-unes des belles régions situées tout près de chez nous — c'est bien sûr négliger le Saguenay, la Gaspésie, l'Estrie, l'Abitibi… mais vous savez déjà la splendeur de ces royaumes ! —, passons maintenant la frontière et rendons-nous chez ce puissant voisin qui se trouve juste au sud, pays d'abondance, d'excès et de contradictions, s'il en est un…

New York

À une heure d'avion de Montréal se trouve cette mégalopole qui fascine tellement les Européens. New York, au fil de son histoire, a eu droit à ses hauts et à ses bas. Au milieu du siècle dernier, tant de misérables virent dans la statue de la Liberté, au lendemain de la Grande Guerre, le symbole de l'espoir en une vie meilleure. Pourtant, il y a à peine quelques décennies, New York était littéralement au bord de la faillite, et les crapules de toutes sortes y imposaient leurs lois. On recommandait vivement aux touristes de se promener en groupes et de rentrer à leur hôtel avant huit heures le soir. C'est le *crooner* Frank Sinatra qui, à sa façon, est venu à la rescousse de sa ville en popularisant la chanson *New York, New York*.

Le maire Rudolph Giuliani, en fonction de 1994 à 2001, a pour sa part nettoyé la ville, et les traîne-savates qui nuisaient tant à sa réputation en ont été chassés. New York est aujourd'hui beaucoup plus propre que Montréal. On a doublé les effectifs policiers qui assurent la sécurité des citoyens et on a donné à ces agents des consignes claires : quand on a affaire à un malfrat, on sort la matraque et on l'informe de ses droits. À Montréal, il suffit qu'un policier hausse un peu le ton pour que « l'affaire » soit portée devant tous les comités de déontologie imaginables. Résultat ? Nos gredins à nous n'hésitent même plus à cracher au visage des policiers. Mais laissons cela…

La Grosse Pomme est désormais une des plus importantes capitales culturelles en Occident. Elle a supplanté plusieurs grandes villes européennes. Ses musées, ses galeries d'art, ses cafés et ses bibliothèques attirent chaque année des millions de visiteurs.

New York, en somme, est une ville pleine de contradictions. Le génie y côtoie la bêtise et la médiocrité, les pauvres et les riches cohabitent dans une relative harmonie. Mais ce qui est certain, c'est que la « ville qui ne dort jamais » est extraordinairement dynamique.

Voyage dans le temps

Il suffit de faire un détour vers Lancaster, en Pennsylvanie, pour se heurter à un univers où on a reculé l'horloge. Pourtant, dans le ciel bleu, des avions bien de notre temps dessinent des traînées blanches…

Je suis chez les amish, ces Hollandais d'origine venus s'établir en Amérique pour y créer une communauté à l'abri du temps. Ils appartiennent aux anabaptistes. La première règle de ces vertueux personnages : « Tu ne t'adapteras point à ce monde qui t'entoure. »

Ces gens refusent d'intégrer à leurs activités quotidiennes toute forme de modernité. Ils s'éloignent même des miroirs, sauf lorsqu'ils conduisent leurs troupeaux au bord d'un lac... calme comme un miroir. La campagne, piquetée de douces collines et sillonnée par quelques cours d'eau, est magnifique comme une carte postale. Ses habitants, en survêtement foncé sous une chaleur étouffante, vont et viennent aux commandes de leur calèche.

Ignorent-ils qu'ils sont menacés ? En effet, si hermétique que soit leur communauté, les sirènes de la société de consommation, avec le rock and roll pour trame sonore, sont en train de faire craqueler la jeunesse amish, de plus en plus tentée par l'appel du capitalisme. Devront-ils, pour se protéger, partir s'installer dans la jungle indonésienne que leurs ancêtres surent conquérir ?

• • •

À un bond de là, me voici à Miami où, l'été, le taux d'humidité atteint les 100 %. L'astronaute et président d'Eastern Airlines, Frank Borman, m'invite à y réaliser un reportage. Il désire me montrer ses premiers airbus en sol américain, qu'il qualifie de « *best machines in the world* », ce qui n'est pas sans agacer Boeing et Douglas. Homme d'une profonde gentillesse, il me raccompagnera à mon hôtel et fera même un détour afin que je puisse contempler la résidence de l'ex-président Nixon.

Borman a été, en 1968, le premier astronaute à aller en orbite lunaire. Il m'est impossible de ne pas être fasciné par son discours sur l'immensité de l'espace et par sa façon de relater son expérience dans la cour arrière de notre galaxie. Au retour de cette odyssée, sa foi s'est accrue, et n'eût été de son dernier défi chez l'avionneur à bout de souffle, Eastern, il serait devenu un marginal ; il ne digérait plus cette société de consommation que constituent — et entretiennent — les Américains.

• • •

Disney World, un site où l'on ne cesse de festoyer, célèbre, lors de mon escale, le futur. Les Américains ne manquent jamais une occasion de présenter des événements à grand déploiement — ni d'y injecter des dizaines de milliers de dollars, faisant de simples défilés de rue des chefs-d'œuvre. « The Tapestry of Nations » est un défilé de marionnettes qui, grâce au vent, montrent leurs couleurs, suscitant ainsi l'émerveillement. Imaginez-vous ces monuments hauts de dix mètres présentant, en une série d'illustrations, l'histoire de notre planète bleue, de ses débuts jusqu'à nos jours. Comme on aime nous en mettre plein la vue, chez nos voisins du sud !

C'est durant ce même séjour que Gaétan Besner, un Verdunois de ma connaissance qui vit en Floride, me convainc de réaliser mon *Journal du midi* depuis Hollywood Beach, où sont entassés la plupart des Québécois, afin de démasquer les assistés sociaux (communément appelés « BS ») qui passent une partie de l'hiver à se faire dorer au soleil, aux frais des contribuables. Je mors à l'hameçon, et CKAC m'autorise à diffuser mon émission directement du Beach Theater, situé sur le *boardwalk* près de la plage, où sont présentés nombre de concerts sous les étoiles.

Au moment de l'enregistrement, je fais face à une foule de 1 000 à 1 200 Québécois. Oui, ce sont ceux-là qui sont l'objet de toutes sortes de moqueries de la part de la presse floridienne. Ils ont beau être bruyants, ils ne sont pourtant pas plus obèses que les Yankees en vacances... Par contre, le mini-maillot de bain, si prisé dans la région, ne convient pas tellement à certains d'entre eux.

Mon émission porte sur le repérage de ces « BS au soleil ». On rigole, on s'engueule. Tout à coup, Max Gros-Louis, le chef huron, se présente au micro pour me rappeler des propos que j'ai tenus à l'égard de ses amis anglo-mohawks durant la crise amérindienne de 1990. La foule de colonisés me hue. Je lui rappelle qu'il a une drôle de façon de manifester sa solidarité à l'égard de ces mêmes Iroquois-Mohawks qui ont tout fait pour décimer les Hurons-Wendat. Il est bouche bée, et la foule m'est soudain favorable... Comme quoi il ne faut pas craindre l'adversité !

Ensuite défilent au micro une quinzaine de « BS » qui exhibent fièrement leur chèque, que des proches du Québec leur ont fait parvenir. Ah ! Le beau voyage formateur ! J'appelle la ministre responsable de l'assistance sociale, Mme Jeanne Blackburn, pour savoir quelles sont ses vues sur cette réalité. Elle me parle de l'importance des loisirs dans la vie de ces gens-là ! Une semaine plus tard, elle est congédiée du Conseil des ministres. Guy Chevrette me confiera que j'y ai été pour quelque chose...

• • •

De l'« État du troisième âge », filons vers la Louisiane, cet ancien territoire français fondé par nos ancêtres, mais qui est surtout associé au jazz. La ville de Lafayette est considérée comme la grande protectrice de la culture cajun, une déformation du mot *cadien* signifiant « acadien ».

La Louisiane, c'est aussi le fleuve Mississippi qui a donné tant de fil à retordre à Cavelier de La Salle, tué par ses propres soldats. Quant aux bayous marécageux, ils constituent, avec leurs cyprès et saules, la jungle la plus spectaculaire! C'est là que s'entraîna l'armée américaine dans les années 1960, au milieu des alligators et des serpents, avant de se rendre au Vietnam.

Dès mon premier voyage en Louisiane, au début des années 1980, je suis fasciné par ces paysages étonnants et la culture qui survit en ces lieux qui m'interpellent. Il me prend alors l'envie d'aller faire de la radio là-bas. Je communique donc avec le gouvernement du Québec, qui a une politique de coopération culturelle avec cet État. Près de 30 ans plus tard, j'attends toujours la réponse…

Chose étonnante, si Zachary Richard arbore toujours la parlure des descendants des Acadiens exilés, je suis toutefois étonné de constater que pas un Américain local ne semble connaître le chanteur. Ses disques ne tournent-ils qu'au Québec?

Dans le désert

En chemin pour le Grand Canyon, je m'arrête à Tucson, en Arizona, le deuxième coin de pays le plus sec au monde, tout juste après le désert d'Atacama, au Chili. Voilà bien la destination idéale pour quiconque souffre de rhumatismes! J'y rencontre le lutteur Maurice « Mad Dog » Vachon, alors retraité. Il s'ennuie de Montréal, me dit-il, mais notre climat trop humide l'a obligé à s'exiler là-bas.

C'est dans le désert de l'Arizona que l'on retrouve le célèbre cimetière d'avions militaires; des centaines de carcasses d'avions de tous types, datant de 1960 à nos jours, y sont entassées. Il faut voir les vétérans de la Seconde Guerre ou de celle du Vietnam, en pèlerinage, s'attarder autour de ces 8 000 avions entreposés là, au sec, comme dans un centre d'accueil spécialement aménagé pour eux. À 50 millions de dollars l'unité pour ces F-15, F-16, Phantom du Vietnam et bien d'autres, ça fait beaucoup d'argent qui dort !

Un arrêt dans le Vieux Tucson me fait revivre les légendes du Far West. Ce site est demeuré intact; il a été utilisé pour le tournage de près de 800 films ! Les John Wayne, Ronald Reagan, Kirk Douglas, Burt Lancaster et Audrey Hepburn l'ont ennobli de leurs performances, sans compter Clint Eastwood, une autre légende, que j'ai même la surprise d'apercevoir durant mon séjour. La vedette se repose dans un motorisé Prévost *made in Québec*…

Sur la route du Grand Canyon et de Monument Valley, le château de Montezuma (du nom d'un chef aztèque) vaut un arrêt. Incrustée dans le roc des falaises, cette habitation, comptant une vingtaine de pièces distinctes, s'y accroche depuis près de 1 000 ans; les Indiens Sinagua l'ont occupée pendant près de 400 ans. Bien que le public ne puisse plus, depuis 1951, accéder au site, la seule vue de cette imposante construction, qui représente tout l'art de ce peuple qui s'employa ingénieusement, en l'érigeant, à survivre dans un désert sans pitié, est une expérience inoubliable. Personne ne sait vraiment pourquoi les Sinagua, ces indigènes chasseurs-cueilleurs, sont partis il y a six siècles, ni où ils sont allés.

Après avoir visité le Grand Canyon, où j'ai le privilège de croiser le président Bill Clinton venu consacrer un nouveau territoire à protéger, ma route me mène à Monument Valley. Même si on a vu, à maintes reprises, ces panoramas dans une multitude de magazines, on tient à se rendre dans ce pays géré par les Navajos. Une image vaut mille mots, dit-on, mais elle ne remplacera jamais le sentiment que l'on éprouve lorsqu'on se rend en personne dans un lieu si magnifique. Je n'ai malheureusement pas pu y rencontrer le cow-boy Marlboro… Se terre-t-il quelque part dans la lande desséchée de l'Arizona? Son exil serait-il dû aux nouvelles lois restrictives à l'égard des fumeurs?

Si l'immensité du Grand Canyon ne cesse d'impressionner, à Bryce Canyon dans l'Utah, cette fois, une merveille du monde nous met en contact avec la splendeur infinie de la création. Ces canyons d'un rouge vif tacheté de vert et de minces strates de neige sont un trésor caché à découvrir absolument.

Je m'offre ensuite un arrêt à Las Vegas. Cette ville eldorado plantée en plein milieu du désert du Nevada, avec ses attractions et, surtout, ses casinos, vous dévorera en un temps record si vous n'y gardez pas la tête froide malgré le climat torride! Chacun a une chance d'en revenir millionnaire… ou complètement lessivé. Quant aux milliardaires, ils risquent même d'en sortir millionnaires! Il n'y a pas d'aubaines à Las Vegas, sauf peut-être pour le plein d'essence…

De grands moments au Texas

Laissez-moi terminer ce survol en vous racontant l'un de mes séjours au Texas, pays des géants. Je m'y suis rendu à quelques reprises depuis le début des années 1980 et, à Dallas particulièrement, il est difficile de résister à la tentation d'y revivre les événements qui marquèrent à tout jamais l'imaginaire américain. Dans les bars texans, il n'est pas rare de voir des gaillards portant revolver à la taille, et affublés d'un chapeau et de bottes de cow-boy. En ville, de jeunes hommes d'affaires cachent une arme à l'intérieur de leur veston. «Ici, comme presque tout le monde est armé, personne n'ose vous agresser», de me confier l'un d'entre eux. C'est un point de vue!

Là-bas, même les «petites» femmes mesurent six pieds. Combien de fois me fais-je apostropher par un «*Hi, shorty!*»... mais dès que résonne mon *French accent* — grâce auquel, apparemment, je deviens fort séduisant —, je grandis soudainement. Voilà qui remplace aisément la riboflavine qui a visiblement manqué à mon alimentation durant mes années de croissance... À la radio, où le country et le western supplantent le rock and roll, les *anchormen* se montrent alarmistes au chapitre des nouvelles. Un de mes précédents voyages au Texas s'est déroulé en 1980, au lendemain du passage de l'ouragan Allen qui avait tout balayé sur son chemin. La radio, exploitant sans vergogne les émotions de ses auditeurs, ne parlait que d'Allen. Et pour tenir son auditoire en haleine, le *speaker* disait, avant chaque pause publicitaire: «*Stay tuned, we will have another hurricane after these messages.*» Cette radio était bien la précurseure de l'alarmiste réseau CNN.

Après Fort Alamo, où s'éteignit le légendaire Davy Crockett, je me paye une halte près de San Antonio, cette Venise du Texas. Puis, j'emprunte, en direction de Dallas, une route parsemée de pompes à pétrole et de troupeaux conduits par des cow-boys.

En chemin, je prends toutefois le temps de visiter le ranch de «J.R.», l'acteur Larry Hagman de la fameuse série télévisée *Dallas*.

Dallas, c'est d'abord le carrefour des rues Elm et North Houston, où se trouve la fameuse librairie d'où partit, le 22 novembre 1963, l'un des coups de feu destinés au président Kennedy. Tout est là : le fusil, les boîtes; dehors, la clôture blanche, le viaduc et le chemin menant au Parkland Hospital. Un peu plus loin, je retrouve la maison de Lee Harvey Oswald, l'assassin présumé. Elle est restée telle quelle; rien n'a changé depuis les années 1960. Je sors de l'auto pour prendre une photo. Les propriétaires actuels de la demeure m'engueulent; ils en ont ras le bol des touristes. Mais pourquoi ont-ils acheté cette maison maudite? Ils doivent eux-mêmes se poser régulièrement la question...

Je file ensuite au cinéma Texas, où Oswald fut arrêté. Là non plus, rien n'a changé, sauf le film à l'affiche. C'est étrange; malgré la honte qui s'est abattue sur cette ville, on préserve la mémoire des événements. Ce n'est pas toujours ainsi que ça se passe aux États-Unis. On n'a qu'à se souvenir de la manière dont les médias, à la suite des événements du 11 septembre 2001, ont pratiquement oblitéré l'existence des tours du World Trade Center... Puis, je m'arrête au poste de police municipal. Je contemple sa façade, pareille aux photos de 1963, quand je m'aperçois que la porte du garage est ouverte. Comme il n'y a personne en vue, je me permets de descendre au sous-sol. Dans les couloirs, je vois les cellules. Après avoir vu ce décor tant de fois à la télé, c'est une émotion bien spéciale qui s'empare de moi. Je revois Jack Ruby, Oswald et toute l'agitation qui y régnait, ce dimanche matin du 24 novembre 1963, quand Oswald fut abattu froidement sans jamais avoir été jugé pour le crime dont on l'accusait... J'ai l'impression d'entendre les cris d'horreur. Quelle sensation! Nous ne saurons jamais la vérité. Un drame shakespearien s'est joué là, dans cette ville qui a eu honte pendant longtemps, mais dont le temps, ce merveilleux remède, a cicatrisé les plaies. Oui, on a exorcisé les démons de cette ville toujours aussi prospère.

• • •

Nul doute, les 50 États qui forment les États-Unis sont autant de différentes contrées, avec leurs charmes historiques, culturels et touristiques. Les États-Unis, c'est aussi une gigantesque formation militaire qui aime à rappeler à quiconque que ses soldats sont les gendarmes de la planète, les Romains des temps modernes. C'est à la fois le décor léché de Los Angeles, les starlettes maigrichonnes... et des millions d'obèses. Un univers de contrastes, de contradictions, un «portrait de famille» éclectique qui vaut le détour.

Négliger de visiter cet empire, ce serait passer à côté de l'un des univers les plus importants de la terre. Ne nous laissons pas tromper par la proximité; toujours remettre à plus tard une exploration de ses recoins fascinants serait une déplorable erreur.

Un détour par les îles

Au large des États-Unis et de l'Amérique centrale se situent plusieurs îles exceptionnelles, dont celle de Cuba, un endroit fort intéressant lorsqu'on ne se limite pas à s'écraser sur une plage et à faire le lézard pendant une semaine. Cette île possède tout un passé. C'est là que le navigateur Christophe Colomb, au service d'Isabelle et Ferdinand d'Espagne, accosta, après ses arrêts à San Salvador et aux Bahamas. Il était certain qu'il arrivait dans les parages de la Chine, puisqu'il trouva à Cuba des épices et du coton, pendant que les Amérindiens lui faisaient croire qu'à l'intérieur des terres, il y avait des montagnes d'or. Quelle bande de fourbes! Mais Colomb, devant un accueil plutôt rébarbatif, joua sa part de mauvais tours aux autochtones. Le découvreur italien, sachant qu'une éclipse voilerait le soleil dans les heures à venir, fit croire à ceux-ci que s'ils ne se calmaient pas, il ferait disparaître le soleil... ce qui se produisit en effet! Devant la puissance occulte de l'explorateur, tout ce beau monde se mit à trembler, tandis que Colomb faisait mine de ramener la clarté. Il leur soutira ainsi la promesse d'une collaboration. On se demande si ce n'est pas en s'inspirant de cette anecdote qu'Hergé relata une histoire semblable dans *Tintin*.

La Havane, capitale cubaine, possède l'un des plus beaux patrimoines coloniaux, héritage de l'Espagne, qui, depuis 1982, est protégé par l'UNESCO. Même chose pour la ville de Trinidad — depuis 1988 celle-là —, qui se trouve à l'autre extrémité de l'île et qui, géographiquement parlant, est en forme de caïman.

Sur le parvis de la cathédrale de La Havane, un groupe de femmes, parées de leurs plus beaux costumes traditionnels et de bijoux clinquants, tuent le temps en fumant des cigares. Et pas n'importe lesquels! Rien de moins que des Cohiba, le populaire cigare d'un pied de long auquel Fidel Castro fit autrefois si bonne presse. Le dictateur a cessé depuis longtemps cette mauvaise habitude, mais plusieurs femmes trouvent encore cet usage bien agréable, notamment à la sortie de la messe...

Ce qu'il y a d'intéressant pour nous, Québécois, c'est de voir sur le mur latéral de cette cathédrale une plaque apposée pour le maire Camilien Houde, venu en 1936 y perpétuer le souvenir de ce grand homme mort à La Havane : Pierre Le Moyne d'Iberville.

La mémoire de José Marti, ce grand héros national, est très présente dans le pays. Et pour cause : il fut celui qui avertit, dans sa prévoyance, qu'un géant émergerait non loin de ses côtes. Après la Conquête espagnole s'étendit une longue période d'aliénation à l'égard de Washington, au point où l'île fut alors convertie en l'un des plus grands bordels au monde. Voilà ce qui attirait les touristes et, évidemment, la pègre... À ce propos, on peut visiter la villa d'Al Capone, sise sur la plage de Varadero.

Trois ou quatre millions de visiteurs s'amènent dans l'île chaque année, pas seulement pour acheter des cigares Cohiba, mais pour jouir d'une des plus belles plages : Varadero. Ainsi, « Ti-Jos connaissant » rentrera à Montréal pour exhiber son savoir sur le pays tout entier, oubliant de couper son bracelet de plastique. Je ne crois pas que la majorité de ces visiteurs se rendent à Santa Clara, où se trouvent les restes d'Ernesto « Che » Guevara...

Les curieux peuvent s'offrir, pour 100 dollars, une visite à la porte du fort de Guantanamo, occupé par l'armée américaine qui y paie un loyer de 5 000 dollars par année. En réalité, on ne voit pas grand-chose. Cette base est blindée au maximum, non pas à cause des « méchants » Cubains qui la surveillent, mais plutôt à cause de la présence en ces murs électrifiés de prisonniers membres d'Al-Qaeda.

Cuba, tout comme la Martinique et la Guadeloupe, ne cesse de nous vanter la qualité de son rhum. Bien sûr, nous sommes sur la route du rhum, mais que l'on séjourne à la Jamaïque, à la Barbade ou en République dominicaine, on nous parle toujours du meilleur rhum au monde. En un mot, le rhum est toujours le meilleur, selon la personne avec qui on le boit. Une chanson de Georges Moustaki va comme suit : « Donne du rhum à ton homme, du miel et du tabac, donne du rhum à ton homme et tu verras comme il t'aimera. » Mais les hommes ne sont pas tous des capitaines Haddock ou des capitaines Bonhomme. Bizarre, tout de même. Que l'homme soit heureux ou malheureux, il se noie quand même dans le rhum... Allez donc comprendre !

• • •

Les Bermudes, territoire d'outre-mer autonome du Royaume-Uni, sont une autre destination que j'ai souvent visitée. L'archipel compte 123 petites îles. Celle de Grande Bermude, l'une des principales, est particulièrement cossue. Nous sommes ici en Angleterre, et ça paraît.

En cours de route, le pilote d'Air Canada m'invite à passer dans la cabine. Il est fier de son airbus flambant neuf. Il m'explique que l'appareil est doté d'un équipement électronique sophistiqué grâce auquel il peut surpasser la compétence humaine. Pour illustrer son propos, il demande au pilote automatique de se charger de l'atterrissage. J'avoue que ça m'inquiète un peu. Au fur et à mesure que l'avion descend, la piste grossit à vue d'œil. L'avion est suspendu à quelques mètres du sol quand la voix du robot, métallique et un peu nasillarde, lance un « *Now !* » retentissant avant de poser l'appareil en douceur. Une expérience inoubliable.

À mon arrivée aux Bermudes, je loue une moto-cyclette et me familiarise avec cette conduite à gauche qui agace tous les Occidentaux. Les Anglais ne font décidément rien comme tout le monde! Et ils ne font pas que rouler à gauche; ils mesurent en pouces, en pieds et en verges, vendent l'essence au gallon et annoncent les distances en milles...

Il n'y a que des riches qui s'établissent aux Bermudes, aux alentours des terrains de cricket. La famille royale s'y arrête régulièrement. C'est une île fréquentée par les bien nantis de ce monde, mais libre de toute espèce de prétention. Au fil d'une balade, devant la porte de l'Assemblée législative, je croise un gentil monsieur cravaté qui me propose une visite guidée de la bâtisse. Je monte donc à son bureau. L'édifice est magnifique; nombre de souvenirs d'Angleterre qui semblent dater de l'ère victorienne ornent ses pièces. L'homme m'offre du thé et des biscuits. Il s'intéresse au sort du Québec, avec ou sans le Canada. Au bout de quelques minutes, il se présente: les deux bras m'en tombent. Figurez-vous que cet homme, c'est le premier ministre en personne! C'est extraordinaire de voir des gens comme lui, encadrés par la culture rigoureuse de l'Angleterre, être si conviviaux et décontractés.

Malgré ses habitants accueillants et la beauté de ses paysages, la vie coûte cher aux Bermudes, et c'est presque un euphémisme que de le dire. On peut s'attendre à payer le gros prix pour des contenants de lait importés de Londres.

Mais il y a mieux et plus à faire dans les îles que se faire dorer la couenne au soleil en enfilant des cocktails exotiques ou de promener avec peine sa bedaine de boutique en boutique — cette lenteur proviendrait-elle en fait d'une peur inavouée de perdre ce confortable tour de taille?...

Au fil de mes pérégrinations, je constate que la plupart de ces îles, en effet, ne sont plus que de simples destinations touristiques pour nombre de gens. On y vient pour boire du rhum, se faire bronzer au soleil, pratiquer des sports aquatiques, faire du surf ou draguer. Pourtant, on oublie facilement qu'elles ont longtemps représenté un enjeu économique majeur pour les puissances coloniales européennes. Les Français, les Portugais, les Anglais et les Espagnols se disputaient leur canne à sucre, leur rhum et leurs fruits.

Lorsqu'on est le moindrement attentif, on s'aperçoit très vite que la plupart des îles sont ceinturées de forts et de forteresses, érigés jadis pour protéger les richesses de ces pays contre les assauts des premiers pirates, au début du XVIe siècle. Si vous fréquentez les lieux où il est possible de faire de la plongée sous-marine, vous pourrez fouiller les entrailles des galions coulés le long des côtes, qui évoquent l'époque de la piraterie et des guerres coloniales. Dire que c'est le pape Alexandre VI qui, en 1493, sans le vouloir, précipita les îles et les mers lointaines dans l'ère de la piraterie en cédant l'Amérique latine à l'Espagne et au Portugal... Et voilà qu'après la conquête du Mexique et du Pérou, des galions espagnols chargés d'or assurèrent un va-et-vient constant entre leur pays d'origine et le Nouveau Monde, les enrichissant comme jamais auparavant.

Ce trafic ultralucratif finit par exciter la convoitise des autres Européens, qui lancèrent leurs pirates à l'assaut des caravelles espagnoles. C'est ici que le pirate français Jean Fleury s'empara de trois galions en provenance du pays aztèque. Les Français devinrent rapidement les champions de la piraterie internationale.

Avec le temps, les Espagnols construisirent des forts dans lesquels ils se cloîtrèrent. Ils bâtirent une ville coffre-fort à Carthagène, puis d'autres à Veracruz, à La Havane et à la Barbade. Ces fortifications ne furent cependant pas d'une grande utilité puisqu'en 1527, un autre pirate français, le Dieppois Jean Ambot, arraisonna à lui seul neuf galions chargés d'or dans la mer des Caraïbes... Pour endiguer ce fléau, l'Espagne mit sur pied une flotte de bateaux accompagnateurs chargés de protéger leurs caravelles et leurs galions. C'était du jamais vu. Quant au pirate Jean Fleury, il fut arrêté et pendu la même année sur l'ordre du roi Charles 1er. Par la suite, les corsaires hollandais, américains et anglais traquèrent les bastions espagnols jusque dans leurs derniers retranchements. Il subsiste des vestiges de tout cela au large de Cuba, des Bahamas, des îles Caïman, du Mexique et de la Colombie, entre autres. Des trésors qu'il est facile de manquer quand on ne fait que s'écraser sur la plage...

Dans les Antilles

Peut-être l'ignorez-vous, mais la France céda, par traité, le Canada à l'Angleterre en 1763, en échange de la Guadeloupe et de la Martinique[12]. Versailles préférait le rhum, le sucre, les épices et les fruits exotiques. Elle laissa donc aux Anglais ce qui avait été la Nouvelle-France. Voltaire disait volontiers que la terre de Caïn du Canada n'avait aucune valeur et qu'il ne voyait pas l'utilité de se battre pour quelques arpents de neige. Un dicton dit: «Il n'est jamais trop tard pour comprendre», mais dans ce cas-ci, je crois bien qu'il est effectivement un peu tard...

---

12. Ainsi que St-Pierre-et-Miquelon, le comptoir de Pondichéry en Inde et le poste de traite des esclaves de l'île de Gorée, au Sénégal.

En réalité, ce sont les marchands de Toulouse et de Bordeaux qui eurent la part belle. Le rhum et le sucre étaient bien plus lucratifs que les fourrures canadiennes, dont la mode s'essoufflait. Les Français d'aujourd'hui ne prendraient sans doute pas la même décision. La Guadeloupe et la Martinique ne sont guère rentables, et Paris ne les conserve que pour maintenir la présence française dans le secteur. Autre temps, autres mœurs, n'est-ce pas?

Avant l'arrivée des Européens et des esclaves noirs, les îles des Antilles étaient habitées par de redoutables guerriers amérindiens. Giovanni da Verrazano, explorateur à la solde de la France, y fut bouilli vif et mangé sous les yeux des membres de son propre équipage. Je ne sais pas si François 1er, un italophile s'il en fut un, s'excusa jamais d'avoir entraîné da Verrazano dans l'aventure qui allait lui coûter la vie. Il aurait peut-être dû…

Les historiens associent régulièrement la Martinique à la belle Marie-Josèphe Tascher de la Pagerie — qui allait devenir Joséphine, impératrice de France — qui y naquit en 1763. Quelques-uns des bâtiments qu'elle fréquenta furent miraculeusement conservés. Les Martiniquais se souviennent cependant que Napoléon y rétablit l'esclavage en 1802, 13 ans à peine après son abolition par le comte de Rochambeau en 1789.

Cependant, à part ces quelques vestiges, il ne reste plus grand-chose de la gloire coloniale française passée. Seules la Martinique, la Guadeloupe, la Guyane, Saint-Pierre-et-Miquelon, Saint-Barthélemy et une partie de l'île Saint-Martin rappellent encore au monde que la France fut jadis une puissance «nord-américaine».

•••

La Jamaïque, une île superbe, est malheureusement aux prises avec un problème endémique de délinquance.

Kingston, la capitale, est une destination touristique plus ou moins sûre pour le voyageur désireux de se détendre sur une plage tout en portant sans crainte sa montre Rolex. Les voleurs à la tire y sont nombreux et extrêmement efficaces, si j'ose dire. Je ne saurais trop vous conseiller de vous éloigner de la capitale. En périphérie, on trouve des endroits aussi enchanteurs et beaucoup plus sécuritaires... à moins de se mettre sottement les pieds dans les plats. Tout voyageur fera, à un moment ou un autre, ses mauvais pas...

À ce propos, laissez-moi vous raconter une anecdote survenue au cours d'un de mes voyages en compagnie de mon confrère Yves Dubuc. Nous nous trouvons alors à Ocho Rios, un site paradisiaque situé tout au nord de l'île. Mon compagnon et moi décidons de louer une motocyclette et arrivons ensemble à notre hôtel, où logent nombre de Québécois en vacances avec leur épouse. À la fin de la semaine, ils regretteront profondément de ne pas être venus en célibataires, tellement les Jamaïcaines, d'une grande beauté et d'une grande gentillesse, multiplieront les attentions à notre égard !

À la faveur d'une balade, Dubuc et moi tombons sur un sentier en pente ascendante qui semble mener à un sommet quelconque. À l'entrée du sentier, un écriteau attire notre attention : « NO WHITE MEN HERE », dit la pancarte. Si les auteurs de ce joli poème pensent nous effrayer, ils se trompent ! Yves et moi, téméraires, nous engageons d'emblée dans le sentier. Bien que nous soyons sur nos gardes, nous ne sommes pas convaincus de courir un réel danger.

Au sommet, nous sommes accueillis par deux malabars, coiffés, par cette chaleur, d'un bonnet de laine à la Bob Marley. Armés de machettes et les yeux dissimulés derrière des lunettes fumées munies de miroirs réfléchissants, ils nous barrent carrément la route.

— *What do you want, White men?*

Rien qu'à leur ton, je comprends qu'ils ne rigolent pas. Dans ce genre de situation, il faut penser vite. En un éclair, je me souviens que je porte une casquette à l'effigie d'un bateau de guerre armé d'ogives nucléaires, le *M.W. Pratt*, qui mouille justement dans le coin. Un officier du bateau nous a remis ces casquettes la veille, quand je me suis servi de ma carte de presse pour être admis à bord. J'explique donc aux deux voyous que la marine nous a mandatés pour organiser une orgie sur le navire. Je leur raconte que nous sommes venus chercher 25 filles et que nous verserons 25 dollars à chacune d'elles. Sur ce montant, je promets d'ajouter 10 dollars pour eux deux!

Les deux malfrats se détendent aussitôt et nous escortent jusque dans leur bled. Plusieurs filles de petite vertu s'y promènent les seins nus. Elles sont loin de ressembler à Whitney Houston, mais disons que, sans être jolies, elles sont passables…

L'affaire est conclue. Nous convenons que, vers huit heures le soir, un bataillon de 25 prostituées se présentera au pied de la passerelle du *M.W. Pratt*… avec la facture.

De retour à l'hôtel, fanfarons, nous racontons notre aventure au barman, qui nous informe que nous avons pris un grand risque : un touriste blanc a été abattu dans ce bled le mois précédent… Comme le bar de l'hôtel donne sur la route que les jeunes femmes auront obligatoirement à emprunter si elles désirent se rendre à bord, c'est là que nous nous installons dans l'attente du dénouement de notre petite affaire. À l'heure dite, les 25 filles de joie, vêtues — ou dévêtues, si vous préférez — de façon à mettre leurs charmes bien en évidence, défilent sous nos yeux. Les deux voyous avec qui nous avons négocié l'opération ferment la marche.

Yves et moi nous tordons de rire rien qu'à imaginer la tête que feront les officiers de la marine quand ils comprendront qu'ils sont victimes d'un canular. À notre grande surprise, toutefois, les matelots américains accueillent les jeunes femmes avec tous les égards dus à leur position. Je ne saurai jamais exactement comment tout ce beau monde finira par s'arranger, ni même si les jeunes femmes seront payées à la hauteur de leurs compétences, mais l'aventure a, pour Yves et moi, un heureux dénouement.

Je suis soulagé que ça se termine bien. Après tout, nous n'avons imaginé tout cela que pour nous sortir du pétrin dans lequel, en touristes imprudents, nous nous sommes bêtement mis les pieds…

• • •

Comme je l'ai déjà mentionné, les îles, hélas, sont trop souvent un lieu de farniente, de rhum et de fête pour les Québécois qui s'y rendent. Si on se donne la peine, cependant — et si on évite les ennuis! —, il est possible de saisir toute la richesse historique de ces lieux. Tout voyageur se doit d'être aiguillonné à l'enseigne de l'histoire, de découvrir autre chose que les plages et les hôtels, d'explorer la raison d'être et la façon de vivre des civilisations dont il visite le territoire.

...hez les Berbères, dits les « hommes bleus ». *Chutes d'Erfoud, Maroc.*

...à où la France a perdu l'Indochine. *Diên Biên Phu, Vietnam.*

Chez les Chocos, l'enfant n'est pas roi! *Panamá*.

es punks polis… comme tous les Londoniens. *Angleterre.*

n m'a refusé l'entrée de la mosquée! *Mali.*

Serpent frais prêt à consommer. *Dans la vieille Chine rurale, au large de Macao.*

...nez les Mursis de Jinka. *Éthiopie*.

...ésert du Hoggar. *Algérie*.

En route pour le *Groenland*.

Marché au mariage. *Ouarzazate, Maroc.*

Chez les Danis. *Papouasie.*

Un homme de la tribu Massaï. *Kenya*.

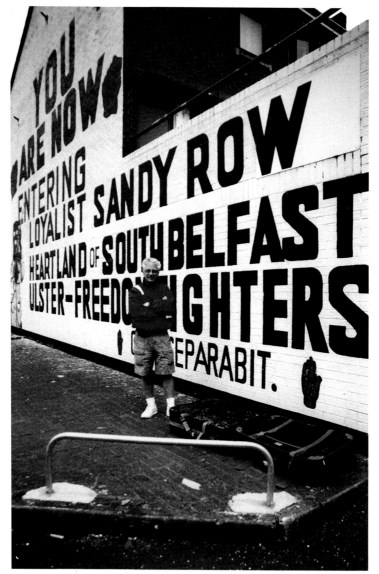

Une paix fragile ponctuée d'attentats. *Belfast, Irlande du Nord*.

De futurs guerriers. *Tanzanie.*

e col bleue : «Ici notre semaine est de 6 jours». *Saigon, Vietnam*.

ır code vestimentaire n'a rien à voir avec le nôtre ! *Tanzanie*.

La beauté n'a pas d'âge ni de visage. *Denpasar, Bali, l'île des dieux.*

Casque bleu entre deux feux. *Bosnie-Herzégovine.*

Besame mucho. *La Havane, Cuba*.

D'où venez-vous, gitans ? *Budapest, Hongrie*.

Chaleur ou pas, le noir est de mise. *Iran*.

Merci pour la visite, M. Mussolini. *Sabratha, Lybie*.

cœur du berceau de l'humanité. *Éthiopie.*

bout du monde. *Île de Livingston, Antarctique.*

L'amour, toujours l'amour. *Vienne, Autriche*.

Le meilleur steak est celui des Gauchos! *Argentine*.

Dans le triangle d'or au nord de la *Thaïlande*.

Nous sommes les maîtres du monde. » *États-Unis*.

ontre l'automobile, mais pour le costume Mao. *Pékin, Chine*.

Au *Yémen*, même l'homme porte la robe.

Gitan de la vallée de Puszta. *Hongrie*.

« Je vous ai à l'œil. » *Karnak, Égypte*.

CHAPITRE IV
Chez les latinos

L'Amérique centrale et l'Amérique du Sud ont toujours piqué ma curiosité. Dans les salles de nouvelles où j'ai travaillé, elles sont considérées, depuis des décennies, comme une espèce de laboratoire du changement politique. Che Guevara, mort en Bolivie, Juan Perón en Argentine, les *contras* au Nicaragua, Allende au Chili, de même que la guerre civile au Guatemala ont tour à tour alimenté mon imagination. Tous ces noms qui faisaient l'actualité me donnaient envie d'aller voir ces pays. Je n'ai jamais été du genre à me contenter de regarder bouger le monde à la télévision. Mes premiers voyages en Amérique du Sud se déroulent en 1972-73 et, depuis, je ne cesserai d'y retourner afin d'explorer plus avant le continent. En 1997, 25 ans plus tard, j'effectue une grande tournée de 30 jours en Amérique du Sud pour constater que dans le cas d'un grand bout de terre comme celui-là, il est impossible de même s'imaginer en avoir fait le tour...

Périple vers le sud

La première fois que je me rends au Guatemala, c'est en 1980. Les « escadrons de la mort » agissent alors à leur guise. Au cours de cette même année,

la violence atteindra son paroxysme lorsqu'on verra
— imaginez! — la police mettre le feu à l'ambassade
d'Espagne. Les diplomates ont osé accueillir des
contestataires du régime du général Garcia, et c'est
ainsi qu'ils sont punis pour ce geste charitable... Voilà
une des raisons, j'imagine, pour lesquelles l'ambassade
du Canada déconseille généralement aux touristes de
visiter le Guatemala — c'était le cas en 1980, et ce l'est
toujours aujourd'hui.

À mes yeux, néanmoins, le Guatemala, que l'on
aborde à partir de la frontière sud du Mexique, est un
des plus beaux pays de l'Amérique centrale. Peut-être
sa splendeur tient-elle au fait que les autochtones sont
restés attachés à leur glorieux et douloureux passé
malgré la multitude d'épreuves qu'ils ont subies au
fil des temps depuis qu'un certain Pedro de Alvarado,
arrivé en 1524, tenta de les réduire en esclavage. Il faut
les voir aujourd'hui, ces fiers Mayas, dans leurs habits
traditionnels!

Avant d'arriver à Chichicastenango, ville du
département du Quiché située au sud du pays et
point culminant d'un séjour au Guatemala, mon
guide, armé d'une carabine au cas où «les pirates de la
route» nous intercepteraient, me propose une halte de
deux jours à Tikal, au nord, l'un des principaux sites
archéologiques mayas. Tikal, qui veut dire en maya
«lieu de Dieu et centre des échos», devait être le siège
du gouvernement de ces flamboyants autochtones.
C'était en tout cas l'un des centres culturels les
plus importants. Apparemment, ils étaient plus de
100 000 à vivre là, à l'ombre de ces pyramides, où les
archéologues ne cessent aujourd'hui de gratter pour
découvrir les secrets de leur histoire. Rien n'égale en
majesté les ruines qu'on peut y admirer. Au sommet

de ces monuments, j'entends une bande de singes qui crient ! On dirait qu'ils m'avisent de respecter le noble passé dont témoignent ces imposantes pyramides.

À Chichicastenango, au sommet des montagnes, les Mayas continuent de vénérer le jaguar — symbole de la force et du courage — et le soleil tout en priant Jésus-Christ. Leurs prières s'adressent tout autant à leurs dieux de la pluie et du tonnerre qu'à celui du soleil. Le long d'un mur, je vois ces fidèles Mayas, entourés de cierges, qui prient et murmurent. Une fois leur rituel accompli, ils rejoignent le milieu de la place. D'autres fidèles se mettent alors à implorer le Christ. Une façon comme une autre de ménager la chèvre et le chou. Devant la porte principale de l'église Saint-Thomas, un édifice datant de 1540 où ces croyances fort diverses se côtoient aujourd'hui, des femmes costumées aux couleurs locales encensent les alentours et nous suggèrent d'entrer par les portes de côté. Le Vatican permet aux Guatémaltèques cet « écart de conduite » et les autorise à se dévouer à leurs dieux traditionnels en même temps qu'au Christ, parce que cette indulgence représente le seul moyen de les attirer à l'église.

Ainsi, ces autochtones n'ont pas non plus qu'une seule culture. Leurs traditions ancestrales cohabitent avec le passé colonial qu'au fil de l'histoire on leur a enfoncé de force dans la gorge. Leurs églises au style d'inspiration baroque sont meublées à l'espagnole, héritage des jésuites. Il suffit de voir Antigua, l'ancienne capitale, pour s'en convaincre.

On dit du Guatemala que c'est le pays qui compte le plus de centenaires au monde. Si c'est vrai, j'imagine que l'air des montagnes et l'alimentation plus que frugale de ses habitants en sont la cause.

Pour avoir émis cette hypothèse dans *Le Devoir* après mon premier voyage de 1980, j'ai eu droit à une volée de bois vert de la part d'Amnistie internationale, qui me reprochait de faire la promotion du régime frugal des Guatémaltèques et de ne pas insister suffisamment sur les violences politiques dont ils sont victimes. Bien sûr, au lac Atitlán et à Tikal, au milieu des pyramides mayas, on est bien loin de l'agitation qui règne à Guatemala City. Au cours d'un autre séjour, j'aurai l'occasion de pénétrer dans une prison, et cette visite me fera réfléchir sur les conditions de détention qui y ont cours : les gardiens bastonnent ces prisonniers qui ont commis l'erreur de dénoncer la corruption des politiciens guatémaltèques... La violence colle à la peau de ce pays depuis le début des années 1960.

Quoi qu'il en soit, je répète que le Guatemala est un des plus beaux pays d'Amérique centrale. Soit dit en passant, y louer une voiture — et la conduire ! — est un véritable acte de bravoure... ou d'inconscience. Les Guatémaltèques conduisent comme de vrais fous. Ils passent d'un côté à l'autre de la route sans prendre la peine de mettre leur clignotant. Le nombre d'accidents de la route liés à la consommation d'alcool y est impressionnant. D'une certaine façon, le Guatemala, qui avait jadis la réputation d'être la mecque des pickpockets, est en train de devenir le paradis des chauffards.

• • •

Un peu plus au sud, se trouve le Panamá. J'ai longtemps rêvé de découvrir le pays de Lesseps pour une raison simple : je savais qu'il s'agissait de l'un des rares endroits d'Amérique centrale où l'on trouve encore des tribus primitives qui sont parvenues à préserver leur mode de vie et leurs coutumes — nommément, les Kunas et les Chocos.

Ce minuscule pays de trois millions d'habitants faisait autrefois partie de la Colombie, après sa séparation de l'Espagne en 1821. Au lendemain de la déclaration d'indépendance du Panamá, en 1903, le président américain Theodore Roosevelt, bien connu pour sa politique du « gros bâton », provoqua son éclatement en le détachant de la Colombie pour cause de non-collaboration. Il faut le faire, non ? Depuis lors, les dollars américains sont monnaie courante dans le nouvel État satellisé. Ceux qui se demandent pourquoi les Panaméens ne frappent pas leur propre monnaie ont leur réponse... Cette même année 1903, les Américains obtinrent la souveraineté sur le canal de Panamá en vertu d'un accord valide pour 100 ans, signé la même année. Le canal revint tout de même sous juridiction panaméenne le 31 décembre 1999, 22 ans après la signature du traité Torrijos-Carter qui prévoyait le transfert progressif du canal et de ses installations aux autorités panaméennes.

Aujourd'hui, plus de 13 000 bateaux transitent annuellement par le canal de Panamá, et 9 000 travailleurs s'y affairent jour et nuit. Mais le canal ne répond plus aux besoins du commerce international. La taille des bateaux a augmenté, et plusieurs porte-avions et pétroliers ne peuvent désormais plus l'emprunter. Les Panaméens songent sérieusement à l'élargir, mais les coûts astronomiques de l'opération retardent sa mise en œuvre.

Je commence ma visite par une escale dans les îles enchanteresses de Contadora, là où le dictateur Manuel Noriega se réfugiait avec les siens pour passer des vacances orgiaques. En 1978, c'est ce lieu splendide qui accueillit le shah d'Iran ; après sa fuite de Téhéran, il y obtint asile grâce à Noriega (toutefois, ce dernier fit rapidement grimper son loyer pour l'inciter à quitter au plus vite).

Panamá est une ville agréable à visiter. Son quartier français, où l'on perçoit nettement les traces du passage du diplomate et entrepreneur Ferdinand de Lesseps, est à voir ! Les quartiers pauvres voisinent les riches, dans un environnement peuplé d'édifices ultramodernes construits avec l'argent sale généré par le trafic de la drogue, qui arrive de Colombie et transite par le Panamá, en route vers la Floride. Le cartel de Medellín, apparu dans les années 1970 et dirigé une décennie plus tard par le mythique Pablo Escobar (1949-1993), le trafiquant de cocaïne le plus recherché au monde, savait récompenser ceux qui l'aidaient à faire circuler la poudre blanche qui fait tant de ravages en Occident. Facile, quand on sait qu'Escobar aurait, tout au long sa carrière, amassé plus de quatre milliards de dollars américains...

Dans la capitale, on peut aussi voir la résidence du célèbre boxeur Roberto Duran et le monument érigé à la mémoire de Lesseps. Mon guide me fait également visiter la maison de Noriega. Le dictateur fut accusé de trafic de drogue et d'escroquerie, puis d'avoir transmis des informations hautement confidentielles à Cuba, d'avoir facilité le transfert de technologies sensibles à des pays du bloc de l'Est et d'avoir vendu des armes aux guérilléros procommunistes d'Amérique latine. Il fut condamné en 1992 à 40 ans de prison et enfermé à Miami, où il vit toujours, mais on parle de le libérer sous peu. Voilà des décennies qui passent vite...

Mais c'est à l'extérieur de Panamá que j'éprouve les plus vives sensations. Il me tarde d'aller à la rencontre des tribus primitives qui y vivent. Dans les années 1990, j'effectue deux séjours chez les Kunas et chez les Chocos, le premier en compagnie de Reynald Brière, directeur des programmes de CKAC, qui se joint à moi pour cette expédition.

Escales chez les tribus primitives

Les Kunas habitent au large de la côte atlantique, dans l'archipel des San Blas. Ils sont une vingtaine de milliers en tout, et le gouvernement du Panamá leur a accordé un statut particulier qui leur permet d'administrer eux-mêmes leur royaume, qui compte 378 îles. Le grand cacique a établi ses quartiers dans l'une d'elles, et c'est évidemment là que Reynald Brière et moi choisissons de nous rendre. Pendant deux jours, nous nous adonnerons au farniente, de coutume là-bas, écoutant les orages et profitant de ce voyage pour ajuster nos montres au mode de vie très lent qui caractérise cette peuplade.

Dès notre arrivée, nous pénétrons dans la case du grand chef. Celui-ci ordonne à un groupe de femmes, aux narines ornées de gros anneaux censés les protéger contre les mauvais esprits, de nous montrer la case rectangulaire et les hamacs dans lesquels nous passerons la nuit. Ce sera une nuit fort orageuse… Des éclairs, du tonnerre, l'équivalent d'un spectacle son et lumière. Grandiose et inoubliable.

Le lendemain matin, un groupe de jeunes filles vêtues de leurs habits traditionnels — elles ont cessé de se promener nues peu après l'arrivée des missionnaires — nous emmènent en pirogue. J'ai l'impression d'être un proche parent de Tintin et de suivre sa trace au pays de *L'oreille cassée*. Les jeunes filles nous entraînent d'une île à l'autre. Nous débarquons sur quelques-unes d'entre elles et observons les villageois occupés à retaper sans se presser leurs habitations et à réparer tant bien que mal les dommages causés par le violent orage de la nuit précédente. Leurs outils sont archaïques. Pas de radio, pas de télévision, pas de téléphone dans ces villages primitifs. Les indigènes s'arrangent avec les moyens du bord. Ils gagnent leur vie en cultivant le manioc, le riz et les bananes, et en les exportant.

Le soir venu, c'est une bouillabaisse particulièrement odorante qui nous attend. Pendant le repas, Brière, saisi d'une inspiration soudaine, demande au chef du village d'être le témoin de la signature d'un contrat qui renouvellera mon embauche à CKAC et me liera à la station pour les quatre prochaines années. Il est hors de question que je signe sans négocier, sous prétexte que nous nous trouvons dans un lieu sauvage, entourés d'indigènes ! Et puis, cette occasion de faire monter les enchères est trop belle... Je refuse de signer et, plus notre discussion avance, plus le ton monte. C'est alors que le grand chef se dresse, se saisit de son couteau et somme Brière de me fiche la paix avec son contrat. Les Kunas, qui se sont souvent fait rouler, sont allergiques aux traités et aux contrats qui, au fil de l'histoire, finirent invariablement par leur nuire...

Reynald finira par s'incliner, mais reviendra cependant à la charge dans la capitale, à Panamá, où il réussira à m'amadouer... À l'hôtel Panamá, un trio de jazz joue, créant une atmosphère où la détente est à l'honneur. Je signe finalement le contrat et je dois admettre que je n'ai pas eu à le regretter. Reynald est un grand *radioman*, et il m'a beaucoup manqué quand nos routes se sont séparées.

Quand nous rentrons à Montréal deux jours plus tard, je sens que je suis resté sur mon appétit. J'y retourne donc l'année suivante et me rends cette fois chez les Chocos.

À mon arrivée chez eux, au terme d'une expédition d'une heure et demie à travers la plus dense des forêts équatoriales, j'ai l'impression de rêver. Les Chocos sont, de l'avis de la plupart des anthropologues, les plus primitifs des Indiens d'Amérique centrale. Ils habitent assez près de la capitale, mais vivent comme si le progrès ne les avait jamais effleurés. Un peu comme si, au Québec, les Amérindiens de Saint-Michel-des-Saints avaient conservé leur mode de vie traditionnel.

Les Chocos arborent des colliers constitués de dents d'animaux. Quand je débarque de ma pirogue, je constate avec étonnement qu'ils sont pratiquement nus comme des vers et qu'ils pêchent à l'arc. Ils sont une trentaine à m'attendre sur le bord de la rivière. Il faut spécifier que ces autochtones n'accueillent pas n'importe qui. Ils choisissent leurs visiteurs et ils ne les autorisent à séjourner chez eux que pour un maximum de six heures. Les femmes exhibent leur généreuse poitrine et les enfants s'amusent à pêcher avec les adultes. C'est d'ailleurs ce qui me frappe le plus à mon arrivée : les enfants. Ils m'apparaissent mieux éduqués et plus disciplinés que plusieurs de nos petits monstres nord-américains.

Il n'y a presque pas d'hommes parmi ce comité d'accueil. Je partage cette observation avec mon guide qui parle leur langue. Il me raconte que les hommes sont partis à la chasse et qu'ils ne reviendront que plus tard.

On m'offre du poisson et des légumes apprêtés à la manière locale. En regardant s'affairer les Chocos, je prends encore une fois conscience du danger qui pèse sur ces civilisations oubliées par le modernisme. Mon séjour chez eux me fera grande impression. Il sera le théâtre d'une prise de conscience. C'est à ce moment que je me fais la réflexion que, pour avoir la chance de rencontrer les dernières tribus non encore contaminées par le progrès, il faut faire vite. Dans 50 ans, ces derniers survivants de la révolution industrielle auront été avalés. Les grandes compagnies forestières viendront couper leurs arbres, les vendeurs de café et de fruits exotiques débarqueront chez eux avec leurs dollars et leurs gros sabots. On leur donnera des casquettes de baseball, des iPod et du Coca-Cola, et ils renonceront à leur mode de vie ancestral. Ils seront corrompus, comme tant d'autres l'ont été avant eux, et prendront les mirages de la civilisation pour des signes des temps. C'est ce cancer qu'on appelle «l'acculturation», et il n'épargne personne.

• • •

Le temps d'une dernière photo chez les Chocos — une jeune fille de 18 ans en train d'allaiter son bébé à côté d'un chien endormi — et je remonte dans ma pirogue pour me rendre au Costa Rica. Je le visiterai trois fois au cours de ma vie. Il s'agit d'un pays tropical, en partie forestier et montagneux au centre, là où se concentre la plus grande partie de sa population. C'est cette combinaison d'éléments, je crois bien, qui explique que le climat y soit plus supportable que dans les pays environnants.

C'est notamment le cas à San José, la capitale. On dit du Costa Rica qu'il est une sorte de Suisse de l'Amérique centrale. C'est peut-être vrai en ce qui concerne ses panoramas et la neutralité de ses dirigeants politiques, mais pour le reste, on repassera. Il y a un peu trop d'effluves de marijuana dans l'air pour mon goût, ce qui attire naturellement plusieurs touristes québécois... Ce pays a quand même eu la sagesse de convertir 25 % de son territoire en parcs nationaux afin de protéger ses coyotes, jaguars, tamirs et oiseaux.

Malgré son apparente neutralité politique, le Costa Rica sert de refuge à nombre de Cubains anticastristes peu enclins à émigrer en Floride, où ils sont assimilés à des membres actifs de la pègre. En réalité, le Costa Rica est une véritable passoire, un paradis pour les trafiquants de drogue. Parlez-en à Pablo Escobar, à Manuel Noriega et à la CIA... Au Québec, de nombreux pacifistes à la noix vantent bien fort le Costa Rica parce qu'il n'a pas d'armée. En fait, celle-ci fut supprimée en 1949 par José Figueres Ferrer, à la suite d'une guerre civile d'une durée de 44 jours qui fit plus de 2 000 morts, guerre provoquée par la non-reconnaissance de la victoire électorale d'Otilo Ulate Blanco. Depuis lors, le Costa Rica est l'un des rares pays démocratiques au monde à fonctionner sans armée, mais cela ne signifie pas que son histoire soit vierge de toute violence...

Ceux qui sont plus près de la nature que des considérations sociopolitiques retiendront que cette verte terre à la nature luxuriante — on dirait un jardin de fleurs tropicales — est d'une grande richesse pour les ornithologues amateurs. N'oubliez pas votre appareil photo !

Dans le feu de l'action
au Nicaragua

Un arrêt au Nicaragua permet au voyageur de contempler les nombreux volcans qui agitent cet autre pays de l'Amérique centrale. Mais en plus de ces phénomènes, œuvres de dame Nature, la situation politique, elle aussi, est volcanique ! Au moment de mon premier voyage au pays, au milieu des années 1980, le dictateur Somoza, qui vivait dans son bunker, vient juste de fuir vers Miami, avant d'obtenir l'asile au Paraguay. La capitale, Managua, sens dessus dessous, sombre et grise, est à l'heure d'un concert de sirènes de police. Je me demande ce que je fais là. Daniel Ortega, ami personnel de Fidel Castro et d'Hugo Chavez — un communard qui enchante Cuba —, vient de prendre le pouvoir.

Les quelques rares touristes et moi-même sommes pris en charge par des agents touristiques complètement désemparés et mis à l'abri des pétarades qui éclatent partout dans la ville. On nous installe dans la somptueuse résidence que Somoza a abandonnée là, puisque la plupart des hôtels sont occupés par des militaires. L'immense manoir est magnifique. Il y a encore des chevaux dans les écuries et les meubles sont d'une opulence à couper le souffle. Les femmes de chambre sont les anciennes domestiques du dictateur, converties au service du nouveau pouvoir. Les cravates dernier cri de Somoza se trouvent encore dans ses tiroirs… C'est incroyable ! Je vis dans un autre monde pendant que la population attend la fin de l'orage.

À quoi pouvons-nous nous occuper ? Nous avons peu de distractions. On nous suggère une visite des volcans encore en action. Comme je l'ai mentionné, j'ai toujours aimé me rendre dans les lieux où se joue l'actualité. Cependant, je dois admettre que, parfois, courir après l'action nous empêche d'apprécier pleinement les charmes de certaines destinations…

Après seulement une semaine d'équitation sur de magnifiques plages noires brûlées par la lave, je plie bagages déjà, pour me rendre vers le «nombril du monde», l'Équateur.

Dans la jungle amazonienne

C'est un ami voyageur qui, le premier, me persuade d'y aller faire un tour. Il me vante l'air qu'on y respire, sa verdure et l'authenticité de ses hameaux. Il n'a pas de mal à me convaincre; je prends aussitôt un billet d'avion pour Quito, la capitale. Mais ce qui m'attire par-dessus tout dans ce pays, ce sont les tribus que j'aurai l'occasion de rencontrer dans la jungle qui l'entoure. Je ne me lasse jamais d'observer ces peuplades primitives et d'échanger, autant que possible, avec elles.

À bord de l'avion de la Eastern Airlines dans lequel nous frôlons les montagnes de si près que j'en ai une trouille bleue, un Équatorien me confie que les pilotes exigent une prime pour y poser leur avion tellement les manœuvres sont difficiles. La piste est trop courte et entourée d'une multitude de maisons… ou plutôt de mansardes.

Mais nous atterrissons sans problème et je débarque enfin de l'engin. À partir de là, mes pieds foulent le continent sud. J'ai appris très jeune que l'Équateur est situé au milieu du globe, sur la ligne qui sépare l'hémisphère sud de l'hémisphère nord. Les paramètres de cette ligne furent établis au XVIIIᵉ siècle, à la suite d'une mission scientifique qui avait pour but de mesurer les degrés du méridien à l'équateur.

Cette expédition était conduite par Louis Godin, un astronome français, Charles-Marie de la Condamine et Pierre Bouguer, qui furent envoyés par Louis XV en 1736. Le monument qu'ils y érigèrent est d'ailleurs toujours là.

Mon séjour commence par une visite du palais présidentiel et des musées. Puis, je demande à un jeune chauffeur de taxi de me faire voir la campagne équatorienne.

Les montagnes et les volcans qui ceinturent les superbes pâturages de l'Équateur ont buriné les visages des villageois qui y cultivent le chou, la carotte et la pomme de terre, cette dernière si appréciée par l'Europe au moment de la découverte de l'Amérique. Il flotte dans l'air des marchés des odeurs de café, de cacao et de bananes, et, un peu partout, des hommes en costume traditionnel tissent des tapis, un métier que je croyais, là-bas, réservé aux femmes. En arrière-plan, le volcan Chimborazo, symbole des hauteurs qui se retrouvent sur le drapeau national.

Mais il n'y a pas que la capitale et la campagne en Équateur. Le pays jouxte la forêt amazonienne, et les hauts plateaux y sont extrêmement humides. Accompagné d'un guide, je m'y enfonce avec témérité.

Aux abords d'une rivière nommée Coca, on retrouve les Colorados, des indigènes dont vous avez peut-être entendu parler. Je ne rate pas l'occasion d'aller les rencontrer en pleine jungle. Je les trouve au terme d'une interminable marche dans un milieu hostile. Bizarre ! Ils portent sur la tête des pelures de banane trempées dans des solutions résineuses et teintées de couleurs qui distinguent les membres d'une tribu de ceux d'une autre. Après avoir parlementé avec le chef, sa femme aux seins nus et ses six enfants, voilà que mon guide me plaque en me promettant de revenir le lendemain… Il n'y a que trois huttes de paille, appelées «paillotes», dans la clairière environnante. Je me sens complètement abandonné…

Heureusement, le chef m'invite à le rejoindre près du feu qu'il entretient à demeure. Il baragouine un peu d'espagnol; moi aussi. Nous communiquons avec difficulté. Après avoir partagé quelques rires avec les enfants qui parlent, eux aussi, un peu d'espagnol, le pique-nique s'achève. Comme dessert, une banane et hop! le tour est joué, car le jour tombe vite dans cette jungle étouffante. Durant le goûter, j'ai aperçu du coin de l'œil un gros pot contenant un serpent. Avant de m'installer sous ma paillote pour dormir, je note que le serpent n'est plus dans le pot. Où est-il passé? S'est-il échappé? Le chef, comprenant la source de mes interrogations, me fait comprendre par des signes que nous l'avons mangé! Et, croyez-moi, c'est aussi bon que du crabe. Je n'y aurais jamais goûté si j'avais su…

Avant de m'installer pour dormir, je vois les Indiens lancer des appels grâce à de grandes flûtes. Dans son espagnol approximatif, le chef m'explique que ces communautés ont chacune leur territoire nourricier et que, avec ces flûtes, ils échangent en fait des signaux de départ. Les indigènes qui m'ont accueilli doivent quitter cet endroit le lendemain matin parce que, dans cette région de la jungle, les ressources sont insuffisantes.

Seul dans ma hutte, je suis bientôt saisi d'angoisse. Qu'est-ce que je suis venu faire ici, au milieu de nulle part, seul avec moi-même? Quel idiot je fais, d'être venu m'isoler ainsi loin des miens! S'il fallait que je tombe malade, comment mes proches pourraient-ils en être informés? Et puis, si mon guide ne revenait pas? Je ne suivrai quand même pas ces nomades jusqu'à leur prochain bivouac! Le lendemain matin, des craquements venus de la forêt me tirent du sommeil. Sortant la tête, j'aperçois — avec quel soulagement! — mon guide qui s'amène, tel que promis. Mon Dieu, que je craignais de ne plus le revoir et de me retrouver abandonné en cet endroit! Où ce bougre est-il allé dormir? Chez des amis, dit-il... Je le soupçonne d'avoir une maîtresse indienne là-haut, dans un autre bled, sans doute, où il connaît du monde. Mais c'est sans importance; malgré la richesse de cette expérience chez les Colorados, c'est avec joie que je reprends le chemin de la civilisation.

Après une marche d'un ou deux kilomètres dans la jungle, nous retrouvons la voiture que nous avions laissée là la veille. Sur le chemin du retour vers Quito, mon accompagnateur me présente de belles *chicas*, question de me faire oublier mon angoisse de la nuit précédente. Nous nous arrêtons au milieu d'une agglomération inca, un village bruyant perché au sommet des montagnes, où les Indiens sont vêtus de ponchos de laine et de chapeaux de feutre aux couleurs voyantes. À leur cou, des pendentifs argentés. Ils m'examinent comme si j'étais un extraterrestre. Faut croire que la visite est rare dans ce coin de pays!

Dans les rues, des haut-parleurs crachent des chansons tristes et belles à la fois. Les histoires de cœur brisé, apparemment, reviennent constamment avec tous ces *corazon*, *mi amor* ou *desperado*. Pendant que je m'y promène, je jette un coup d'œil à l'intérieur de ces maisons rudimentaires, où il y a toujours une affiche de Jésus. «*Jesus es Poder!*» scandent ces placards. Le Christ est aussi présent que Che Guevara...

Sur notre longue route, voilà que mon guide et moi sommes soudain ralentis par des Indiens armés, postés à l'entrée d'un hameau devant un barrage fait de troncs d'arbres renversés. Tiens, tiens, on a déjà vu ça au Québec… Ces pauvres gens en ont contre leur gouvernement et se laissent berner par les promesses de multinationales qui veulent construire un pipeline en Équateur. Bien sûr, ces compagnies promettent d'améliorer la qualité de vie des habitants de leur village, qui se trouve à proximité, mais cela ne vient pas très vite. J'ai beau ressembler à leurs *gringos*, mon guide fait comprendre à ces hommes que je suis un Français d'Amérique. C'est ce qui convainc ces Indiens de me laisser passer. Enfin, nous pouvons retourner dans la capitale, où l'air promet d'être beaucoup plus respirable. Après avoir eu si chaud dans la jungle, Quito m'apparaît comme une belle récompense !

En Colombie

À quelque temps de là, je me rends à Bogota, la fraîche capitale de la Colombie, juchée à 2 640 mètres d'altitude. Pour être honnête, je ne la croyais pas si différente des autres villes latines de ce continent. En cette année 1992, on est loin des FARC (Forces armées révolutionnaires de Colombie) et d'Ingrid Bétancourt. À l'ère de Pablo Escobar, la Colombie ploie plutôt sous le poids d'une violence endémique.

Contrairement à ce que j'appréhendais, cependant, Bogota est traversée par de larges avenues fleuries avec, en arrière-plan, la montagne andine. Sur ses versants, les plus téméraires des Colombiens pêchent au pied des cascades, quand ils ne se baignent pas carrément dedans. Tout cela… en plein centre-ville ! Ils sont plus de sept millions à habiter cette cité qui, depuis des années, traîne sa douteuse réputation comme une maladie honteuse. Cinquante mille voitures de taxi et 20 000 autobus polluent l'air ambiant, sans oublier les relents de fumée de marijuana et de haschisch qui s'élèvent des centaines de tripots improvisés.

À vrai dire, je ne resterai que 24 heures à Bogota. Le gouvernement du Canada déconseille d'ailleurs de la visiter. À cette époque, Pablo Escobar et ses hommes de main en mènent si large que les policiers ne se donnent même plus la peine de les arrêter. Les trafiquants de drogue y sont plus riches que le gouvernement[13].

On s'en doute, le climat politique est malsain. La population est coincée entre les « armées de la pègre » et les « communistes révolutionnaires », spécialistes des enlèvements. À l'hôtel, on me prévient d'emblée du danger que l'on court à monter dans les voitures des bons samaritains qui vadrouillent dans les rues du centre-ville. Il arrive parfois qu'on vous amène là où vous ne voulez pas aller.

Ainsi, je prends place dans une navette que m'a recommandée un hôtelier de l'Intercontinental, et le véhicule me transporte d'un site touristique à l'autre. Je visite le Musée de l'or, qui possède la plus vaste collection au monde d'objets précolombiens en or, puis un certain nombre d'églises de style colonial baroque, omniprésent, dont le peintre Botero s'est inspiré dans ses toiles.

Je retiens de mon très court séjour là-bas que les Colombiens sont les meilleurs cireurs de souliers au monde et que le téléphérique qui passe au-dessus de la ville offre un panorama à nul autre comparable…

---

13. Ils seraient d'ailleurs allés jusqu'à proposer de rembourser la totalité de la dette du pays, pourvu qu'on les laisse tranquilles…

Mais je dois m'empresser de sortir de la capitale. Je décide donc de me rendre dans le sud du pays, à Carthagène des Indes, une cité fortifiée qui fut un temps le centre névralgique du grand Empire espagnol. Les galions arrivaient à Carthagène le ventre vide et en repartaient chargés d'or, de bijoux et de tout ce qui avait la moindre valeur marchande. À la longue, ce trafic attira l'attention des navigateurs étrangers, à qui le pape avait interdit de naviguer sur les sept mers. Plusieurs d'entre eux se firent pirates. Les plus redoutables étaient les corsaires français, dont le premier s'appelait Jean Fleury — j'en ai parlé à la fin du chapitre précédent.

C'est encore une fois en compagnie de mon confrère Yves Dubuc — était-il une si « mauvaise influence » pour que je vive sans cesse avec lui des tribulations périlleuses?! — que je visite Carthagène. Nous commençons par photographier des maisons coloniales et nous nous enhardissons peu à peu, allant jusqu'à photographier les soldats. Nous rigolons bien. J'imagine que nous devons avoir l'air des Dupond et Dupont.

Mais omettre de prendre ces soldats au sérieux, c'est une grave erreur.

Les militaires se ruent sur nous et nous conduisent prestement au poste de garde. Je souffle à Yves qu'à mon avis, le mieux est encore de continuer à jouer les naïfs, mais rien n'y fait. Les soldats nous crient après dans une langue que nous ne comprenons pas, et nous leur répondons en français. Un véritable dialogue de sourds.

Résultat? On nous détient pendant une bonne heure, contre notre gré évidemment. Bientôt entre un officier haut gradé qui nous contraint à brûler devant lui la pellicule de nos appareils, après quoi il promet de nous libérer. La raison : les militaires croient que nous pouvons être à la solde de trafiquants de drogues qui tentent de savoir quels sont les lieux à éviter pour expédier la poudre blanche vers le Québec...

Nous nous exécutons donc sans discuter, vous pensez bien. Et nous quittons le pays dès que cela nous est possible, sans photos, mais avec une sage leçon en poche...

•••

C'est en titubant à cause de l'altitude que je descends ensuite à La Paz, capitale administrative de la Bolivie ; située à 3 600 mètres au-dessus du niveau de la mer, cette ville si étourdissante est en fait la capitale la plus élevée du monde. À cause de la pression de l'air, l'eau y bout à 80 degrés Celsius !

La Bolivie est le pays qui détient le record des coups d'État et qui s'est fait une gloire d'avoir abattu Che Guevara. Pendant les quelques jours où je séjourne là-bas, en 1997, je n'assiste qu'à des manifestations. On proteste contre la hausse des prix. Des femmes indiennes portant le chapeau melon haranguent les citadins.

En face de mon hôtel se trouvent les bureaux du *ministerio de Justicia*. À l'heure du dîner, j'ai le loisir d'admirer les employées qui, sur les pelouses, font la pause et goûtent à la détente. Je fais ainsi connaissance avec une jeune femme qui s'avère être la secrétaire du ministre de la Justice de Bolivie. Elle décide aussitôt de s'improviser guide, prend congé de son ministre et me fait voir le lac Titicaca, le plus grand lac d'Amérique du Sud — et le lac navigable le plus haut du monde.

Il est situé en partie en Bolivie et en partie au Pérou, sis à plus de 3 100 mètres d'altitude; on y manque parfois d'oxygène.

Je demande ensuite à la jeune femme de m'amener dans ce bled de montagnes où Che Guevara a été abattu.

— Qui est Guevara? me demande-t-elle.

Pourtant, en 1997, les Boliviens effectuent des recherches pour retrouver les restes de Che Guevara, afin de les renvoyer à Cuba. Drôle de paradoxe; aujourd'hui, la Bolivie offre aux visiteurs un circuit touristique suivant la piste qu'emprunta le révolutionnaire argentin. Il faut croire que la renommée du Che n'est pas aussi répandue qu'on pourrait le croire parmi les populations locales...

Je résous donc de filer chez le voisin. Au départ de l'avion, je n'en reviens pas de voir, même à moitié plein, combien il met du temps à prendre son envolée. Cela explique pourquoi la piste est plus longue qu'ailleurs: la rareté d'oxygène oblige les moteurs de l'appareil à forcer davantage.

• • •

Vous connaissez sans doute l'expression: «Ce n'est pas le Pérou.» Eh bien, ce voisin que je m'apprête à visiter, c'est lui. Je veux voir la cité perdue de Machu Picchu, cette œuvre maîtresse de l'architecture inca, oubliée pendant des siècles.

Machu Picchu, qui fut jadis une puissante cité, demeura introuvable pendant plus de 400 ans. C'est un Américain, Hiram Bingham, historien et professeur à l'université Yale, qui la découvrit le 24 juillet 1911. Les experts soutiennent qu'elle fut construite sous le règne de l'Inca Pachacutec, un roi extrêmement autoritaire qui força ses ouvriers à réaliser l'exploit de bâtir, à l'aide d'outils rudimentaires, des maisons capables de résister aux intempéries et aux ravages du temps, tout cela à 2 400 mètres d'altitude.

La cité servit de refuge à l'aristocratie inca la plus sélecte. Après une occupation d'au moins trois générations, elle fut abandonnée. Les hypothèses expliquant sa disparition de la mémoire historique mentionnent que Machu Picchu était un lieu inconnu par les castes inférieures, et que les routes qui y menaient étaient interdites aux individus qui ne faisaient pas partie du cercle restreint du roi inca.

Aujourd'hui, les guides touristiques et les historiens ont beau raconter aux touristes comment et par qui la ville fut construite, il se trouve encore des illuminés pour prétendre qu'elle est l'œuvre d'extra-terrestres…

De là, nous prenons la direction de Puno, une petite agglomération baignée par le lac Titicaca. Le nom « Titicaca », qui fait rire les esprits simples, signifie « roc du puma ». Une autre interprétation soutient que ce lac tire son nom d'un massif et signifie « la montagne (*caca*) de plomb (*titi*) ».

Les Indiens lagunos, les « hommes du lac », qui habitent des huttes de roseaux, nous attendent pour nous conduire chez les Uros. Ceux-ci vivent sur des îles artificielles amarrées au fond de l'eau. Ils pêchent à partir d'embarcations tressées de joncs ; à cause de la moisissure qui s'y incruste rapidement, ils doivent les retaper tous les six mois.

Dans les années 1990, le Québec a collaboré à l'ensemencement de milliers de truites dans les eaux froides du lac Titicaca. Chaque matin, ces « hommes du lac» vont échanger avec les Uros des fruits et des légumes contre des poissons.

À bord d'un avion, nous survolons ensuite la plaine de Nazca. Du haut des airs, je peux admirer les fameuses figures géométriques incrustées dans le sol depuis plus de 1 500 ans. Ces formes, que l'on appelle «géoglyphes», sont le fait de la civilisation des Nazcas, qui vécurent là — avant les Incas — entre l'an 300 avant Jésus-Christ et l'an 800 de notre ère. Néanmoins, tout comme pour Machu Picchu, il se trouve encore certains pour penser qu'une intervention céleste en fut l'instigatrice !

En continuant vers le nord, j'arrive en Amazonie. Après avoir vu et revu à la télévision les documentaires du commandant Cousteau, j'ai enfin l'occasion d'aller voir de près ce grand fleuve mythique.

Je débarque à Iquitos, la capitale du Loreto, département de l'Amazonie péruvienne. Cette ville attire, depuis de nombreuses années, plusieurs indésirables qui s'y cachent pour semer les gros policiers qui sont à leurs trousses. Il s'agit en effet d'une agglomération perdue dont seules les cartes géographiques mentionnent l'existence. J'ai longtemps rêvé de m'y rendre ; je tiens à vérifier si la jungle amazonienne et le grand fleuve qui la sillonne tiendront leurs promesses.

Iquitos connut son heure de gloire au début du XXᵉ siècle, au temps où les Péruviens y exploitaient l'hévéa (arbre à caoutchouc). Mais ce type de culture nécessite une main-d'œuvre abondante devant s'acharner dans des conditions difficiles et dangereuses ; par ailleurs, nombre d'indigènes du Loreto furent décimés par le travail forcé ou encore par les épidémies qu'y apportèrent les travailleurs immigrants. L'industrie du caoutchouc s'effondra au milieu des années 1910.

Près de 400 000 personnes vivent aujourd'hui dans cette zone humide et boueuse qui attire également un grand nombre de touristes venus du monde entier. On cible en particulier le développement du tourisme chamanique. Les visiteurs en mal de sensations fortes viennent y prendre de l'*ayahuasca*, une boisson extraite d'une plante aux vertus hallucinogènes que consomment les indigènes. Quelles que soient vos raisons, toutefois, si vous choisissez cette destination, n'oubliez pas d'apporter votre chasse-moustiques...

J'entreprends donc mon périple là-bas, la tête remplie d'images glanées çà et là dans des documentaires fascinants sur le sujet. Après quatre jours de navigation, cependant, je dois me rendre à l'évidence : le paysage est monotone et les indigènes qu'on y trouve ont été gravement contaminés par le modernisme. À mes yeux, rien n'est plus déprimant qu'apercevoir une casquette de baseball sur la tête d'une autochtone d'Amazonie...

Il faut naviguer en pirogue sur toutes sortes de petites rivières pour finalement tomber sur des indigènes au mode de vie un tant soit peu authentique. Un bon matin, après une longue excursion au creux de la jungle chantante, mon guide et moi débarquons au milieu de la tribu des Boras. Le panorama, ici, est totalement différent. Enfin, l'Amazonie se décide à m'épater. La variété de la faune y est fascinante, bien que cette diversité recèle évidemment toutes sortes d'animaux, dont certains ne sont pas des plus attirants.

Ainsi, je ne vous apprends rien en vous disant qu'en Amazonie vivent plusieurs espèces de serpents. Après la cérémonie d'accueil que nous offrent les Boras, l'un d'eux s'approche d'un gros panier natté et en sort un boa et un anaconda, deux des plus puissants reptiles de cet univers. Il n'en faut pas plus pour nous voir écourter le séjour...

• • •

Plus au sud, à Santiago du Chili, j'ai le loisir de me promener sans être menacé par les trop nombreuses automobiles qui y circulent. Plusieurs rues de la capitale sont en effet exclusivement piétonnières, et personne ne s'en plaint, même s'il faut garer sa voiture loin du centre. Au fil d'une balade, j'éprouve soudain une grande tristesse à la vue du palais de La Moneda, où le président socialiste Salvador Allende vécut les derniers moments de sa vie. La Moneda fut partiellement détruite lors des bombardements du coup d'État du 11 septembre 1973, dirigé par Augusto Pinochet. C'est dans ces murs qu'Allende, selon la version officielle, se donna alors la mort. Officieusement, on dit qu'il a été assassiné par Pinochet.

Lors de mon premier voyage à Santiago en 1972, au tout début de la trentaine, j'ai lancé un « Viva Allende » au milieu d'une foule, à l'aéroport. Mon geste avait alors jeté tout un froid. J'ai bien dû réaliser qu'Allende était à cette époque moins populaire que je le croyais... Fidel Castro venait pourtant de passer en ces lieux, à peine quelques jours plus tôt... « Et alors ? » disaient les nostalgiques.

Quelques années plus tard, bien après le suicide — ou l'assassinat — d'Allende, je visite le Chili de

Pinochet. Les Chiliens qui me racontent que la police du dictateur a assassiné une épouse, un frère, une sœur ou un ami sont innombrables.

Pour oublier les aléas de la politique, nombre de Chiliens trouvent refuge à Valparaíso, sur les bords du Pacifique. La cité portuaire, appelée « Vallée du Paradis », est un des lieux les plus pittoresques de la région centrale du Pan. C'est une ville intellectuelle qui compte quatre universités ; c'est là qu'est publié le journal hispanophone le plus ancien du monde, *El Mercurio de Valparaíso*, dont la création remonte à 1827. Valparaíso compte également près d'une trentaine de points de services bancaires. Comment expliquer qu'il s'y trouve autant de banques ? C'est que le port de Valdivia a transformé Valparaíso en un lieu dynamique d'échange d'argent. Il faut voir le nombre de bateaux y battant pavillon. Dans les rues, on entend toutes les langues du monde dans la bouche des marins en escale dans ce pays tout en longueur et tout en minceur, véritable cerbère de la cordillère des Andes.

Il suffit d'y aller une fois pour comprendre pourquoi Pablo Neruda l'a si souvent chanté.

• • •

Je traverse ensuite en Argentine. Cette contrée est-elle celle des Gauchos et du tango ? C'est à moitié vrai. À l'origine, les gitans dansaient le tango pour séduire leur belle. Importée à Paris, la danse, que d'aucuns considèrent comme trop lascive pour être exécutée dans la bonne société, finit par devenir fort populaire dans le quartier des prostituées du port de Buenos Aires. Elle acquit alors ses lettres de noblesse. Nul n'est prophète en son pays, n'est-ce pas ?

leur profond désir soit d'être emmenées vers un pays du Nord, même si le soleil n'y est pas aussi ardent... Pourtant, leur pays, rempli de promesses, est si riche !

• • •

Toujours sur le chemin du retour, un peu plus au nord, me revoilà en France sans même traverser d'océan grâce à la Guyane française ! Ce pays est à la fois une région administrative et un département français d'outre-mer (D.O.M.) dont la préfecture est Cayenne. La Guadeloupe et la Martinique, situées dans les Antilles, ainsi que la Guyane constituent les départements français d'Amérique (D.F.A.)

Le niveau de vie des Guyanais est de loin supérieur à celui de leurs voisins. Territoire difficile à peupler, on y a « importé », au lendemain de la guerre d'Indochine, des Vietnamiens et des Cambodgiens. Ensemble, ils ont aidé la population locale à développer une industrie horticole de premier plan. La pêche est florissante, et le sous-sol regorge d'or, de titane et de bauxite. Et ce sol fort attrayant attire non seulement des touristes, mais également des chercheurs d'or qui agacent à ce point l'administration française que l'armée se charge de surveiller ses frontières, tout près du Surinam et du Brésil.

Un soir, dans un restaurant de Cayenne, je discute calmement avec un voisin de table. Je lui confie que si j'étais recherché par la police, c'est ici que je me réfugierais, sachant que personne ne penserait à m'y trouver. Qu'elle n'est pas ma surprise d'entendre alors :

— Proulx ? Qu'est-ce que tu fais icitte ?

Ce sont quatre techniciens montréalais qui œuvrent au Centre national d'études spatiales — créé sous l'impulsion du général de Gaulle en 1961 — installé à Kourou, au nord, d'où sont envoyées dans l'espace les fusées Ariane. Nous vivons vraiment dans un monde sans distance, me dis-je, réalisant du même coup que dans ce coin de pays, modernité et technologie côtoient jungle et tribalisme.

En face de Kourou, dans les îles du Salut, ces trois îles qu'Henri Charrière immortalisa dans son roman autobiographique *Papillon*, il y a les bagnes. Dans ces prisons furent soumis aux travaux forcés plus de 70 000 détenus entre 1763 et 1946, année de leur fermeture. L'île Royale accueillait l'administration ainsi que l'hôpital, l'île Saint-Joseph servait pour les « fortes têtes », et on plaçait sur l'île du Diable les espions et les déportés politiques ou de droit commun. Les conditions de détention y étaient fort pénibles. Tout est resté en état sur ce site : l'église, l'hôpital, la tour Dreyfus, les cimetières qui confirment combien devait être difficile l'existence de ces bagnards sur la terre la plus humide au monde.

Sur place, je constate à quel point l'évasion d'Henri Charrière dut être hasardeuse. J'ai eu la chance d'interviewer cet ancien bagnard à Télé-Québec, quelques années avant sa mort, survenue en 1973. Les ventes de son livre avaient fait de lui un homme riche avant qu'il soit emporté par un cancer…

Durant mon séjour en Guyane, je saisis encore une fois l'occasion de me rendre chez les aborigènes qui occupent le territoire, les Camopi. Cette Amazonie française, c'est tout une aventure pour l'homme, au sein de la jungle humide et dangereuse qui est, en réalité, un « enfer vert ». Toutefois, les quelques jours que je passe chez les Camopi me permettent d'apprécier avec justesse la valeur de leur environnement.

Près de Saint-Laurent du Maroni, capitale de l'ouest de la Guyane française, des indigènes en pirogue nous enseignent les vertus des plantes médicinales, au sujet desquelles ils possèdent une quantité infinie de connaissances. Cette terre, la plus humide au monde, est également une gigantesque armoire à pharmacie.

...

Un peu plus au nord, abordons le Venezuela, qui constituera la dernière escale de notre grande tournée d'Amérique du Sud. Il s'agit aujourd'hui d'une autre riche contrée, mais avant l'accession au pouvoir d'Hugo Chavez en 1999, la population vénézuélienne profitait peu des retombées économiques liées à l'exploitation du pétrole qui sourd de ses terres. Les choses se sont améliorées au cours des dernières années. Le litre d'essence est une aubaine !

La capitale, Caracas, est incroyablement polluée. Par contre, la vie n'y est pas chère. Au milieu de la circulation, des autobus multicolores au rétroviseur desquels est suspendue une statuette de la Sainte Vierge contemplant le chauffeur, sans doute mal payé, qui est au volant. Heureusement pour ces gens, le prix de l'essence ne fluctue pas selon l'humeur des sociétés pétrolières.

En feuilletant le journal de Caracas, je réalise qu'on y fait la promotion d'écoles où l'on enseigne aux futurs voleurs les techniques de pointe. Les professeurs doivent être particulièrement doués ; au cours de mon séjour, dans la file d'attente d'un restaurant, un pickpocket réussit à détourner mon attention suffisamment longtemps pour découper mon sac de voyage et me dérober une lentille photographique.

L'homme qui se tient derrière moi, tout en se faisant bousculer par un couple, se fait aussi dépouiller. Ces jeunes brigands sont-ils diplômés de l'école en question ou bien ces vols à la tire constituent-ils l'examen final, approuvé par le ministère de l'Éducation ?...

À l'hôtel où j'ai pris une chambre, à Caracas, on me suggère de me rendre dans le delta de l'Orénoque, le pays des Yanomamis. Ceux-ci sont semblables aux autres indigènes que j'ai observés au fil de mes expéditions, à ce détail près qu'ils ont pour habitude de mâcher une variété particulière de feuilles sécrétant un liquide qui leur coupe l'appétit.

Je visite quelques-unes de leurs *shabonos*, ces immenses maisons capables d'accueillir une centaine de locataires. J'aurais aimé y séjourner quelques jours, mais les autorités indigènes, si elles permettent aux étrangers de visiter leur coin de terre, s'opposent formellement à toute espèce de contact. Et c'est tant mieux, au fond. J'applaudis ces peuplades qui choisissent de préserver leur mode de vie ancestral. Et puis, que gagneraient-elles à laisser ce qu'on appelle la « civilisation » les contaminer, sinon quelques casquettes de baseball et des cannettes de boissons gazeuses ? Entre vous et moi, elles ne manquent pas grand-chose.

Dans la plupart de ces communautés, d'ailleurs, malgré la distance qui les sépare l'une de l'autre, il ressort bien souvent un ardent désir de protéger leur identité. Belle leçon pour la tribu québécoise, qui préfère célébrer sa fête nationale en un site où elle fut humiliée, les plaines d'Abraham, plutôt que de se rappeler la gloire de la Nouvelle-France et de célébrer son héritage !

Après avoir bourlingué du nord au sud et du sud au nord, je fais la somme de ce que j'ai rapporté de ces voyages chez nos voisins latins. Bien sûr, chacun des pays qui constituent ce continent porte en lui son bagage d'histoire, des trésors dans le cas du Pérou, des vestiges d'époques fort sombres dans le cas des îles de Guyane, par exemple. Cependant, il me faut bien admettre que la plupart de ces nations, exception faite des tribus qui y habitent, sont à peu près du même âge que la nôtre, quand on y pense. Par conséquent, elles n'en ont pas autant à raconter que celles du continent que nous allons découvrir au chapitre VI, celui que l'on appelle le berceau de l'humanité.

Mais avant de quitter les Amériques, prenons le temps d'explorer ses deux extrémités : l'Arctique et l'Antarctique. Un petit coup de fraîcheur ne nous fera pas de mal !

CHAPITRE V
Expédition
aux extrémités du globe

Au cours de mes périples le long de l'axe nord-sud, j'ai maintes fois l'occasion de constater que la vie nous réserve parfois de grandes surprises. En 1997, à la fin de cette grande tournée de 30 jours en Amérique latine — mentionnée au début du chapitre précédent —, je me retrouve seul dans le hall d'un hôtel de Buenos Aires. C'est la veille de Noël. Je suis fatigué, je me sens quelque peu loin de chez moi. Il me tarde de faire escale dans « mes » affaires. Je ronge un peu mon frein quand la voix d'un Québécois me tire de ma torpeur.

Figurez-vous que cet homme s'adresse à un groupe d'Américains qui s'apprêtent à entreprendre une expédition en Antarctique. Dans la salle des pas perdus, je regarde ces touristes emmitouflés dans de lourds vêtements d'hiver en plein été argentin. L'un d'entre eux me file un dépliant de la compagnie Marine Expedition, qui organise des voyages tant au pôle Nord qu'au pôle Sud. Il serait superflu d'ajouter que ma lassitude s'évapore en un rien de temps et qu'il me prend aussitôt l'envie d'attraper mon anorak...

Tout au nord

Le 4 août 1998, en compagnie de mon ami Normand Guérette, je m'embarque sur l'*Akademik Ioffe*, un ancien navire de guerre soviétique. Avant même de donner le premier coup de barre, le capitaine du bateau, Valery Beluga — non, mais il l'avait, le nom... — nous avertit qu'en cas de turbulences et selon les caprices de la nature, il est possible que nous devions rebrousser chemin.

Deux jours plus tard, nous arrivons sur l'île de la terre de Baffin et faisons escale à Pangnirtung, la deuxième ville en importance sur le territoire du Nunavut. Cette agglomération, dont le nom signifie « le lieu du caribou mâle » en inuktitut, est en fait un centre d'échange et d'artisanat géré par la Compagnie de la baie d'Hudson depuis 1921.

Nous nous engageons ensuite dans l'étroit passage du fjord Maktak, puis débarquons à Broughton[14]. L'île est composée de roches précambriennes. Ce bled perdu est habité depuis près de 4 000 ans. On prétend que les chasseurs et pêcheurs qui y vivent aujourd'hui sont les descendants du peuple pré-Dorset, venu d'Alaska vers 1500 avant notre ère, qui se serait installé à Broughton avec ses chiens, ses traîneaux rudimentaires et ses kayaks.

C'est là que mon compagnon de voyage, grand amateur d'art esquimau, a la mauvaise idée de commander une statuette à un Inuit qui affiche une mine patibulaire. À vrai dire, il est soûl comme une bourrique... et se met à invectiver Guérette et à hurler toutes sortes d'insanités contre les méchants Blancs, surtout les Blancs francophones, qui malmènent les

---

14. Cette île s'appelle Qikiqtarjuaq depuis novembre 1998.

Indiens de Montréal. C'est probablement sa façon à lui de promouvoir l'art autochtone...

Nous regagnons prestement notre bord. Notre bateau doit changer de cap, incapable de briser les glaces épaisses qui, déjà au mois d'août, prennent forme... Au loin, nous apercevons les restes rouillés et abandonnés de la ligne Dew. Au diable l'environnement...

En regardant la ceinture de glaciers qui nous entoure, je m'imagine à la place des passagers du *Titanic* et je ressens un peu de cette angoisse qui dut être la leur quand leur bateau, pourtant réputé insubmersible, entra en collision avec un grand glacier... Le frottement des glaces m'agace au plus haut point.

J'en suis là de mes réflexions quand, à la hauteur de la baie d'Isabella, une tempête nous tombe dessus. Confinés à nos cabines, Guérette et moi sommes ballottés comme si nous étions délestés de notre propre poids. J'entends la mer se déchaîner à l'extérieur ; l'*Akademik* est secoué comme une chaloupe au milieu de l'océan agité. Ai-je besoin d'ajouter que je ne parviens pas à fermer l'œil de toute cette nuit inexistante ?

Le ciel finit néanmoins par se dégager. Après le petit-déjeuner, nous prenons place dans nos Zodiacs, ces petites embarcations imaginées par Cousteau, et partons à la rencontre des ours polaires. Nous tombons rapidement sur un de ces mastodontes, occupé à dévorer un phoque de 350 kilos qu'il vient de tuer d'un seul coup de patte. L'ours polaire est capable de détecter l'odeur d'une proie à une distance de plus de 40 kilomètres. Il peut nager durant des heures pour l'atteindre, ce qui fait de lui le roi incontesté du pôle Nord.

Ne pouvant aller plus haut vers le nord, le commandant nous propose de nous rendre en eaux plus calmes du côté de la baie de Disko, au Groenland. Contrairement aux populations qui bordent la côte de Baffin, les habitants de la plus grande île du monde paraissent accueillants. On les sent plus heureux. Leurs maisons sont grandes et propres. On leur a même fabriqué des igloos en aluminium, dotés de tout le confort moderne. Comment l'Europe réussit-elle à inculquer civisme et éducation, me demandé-je en contemplant ce hameau, alors qu'au Québec, nous ne parvenons toujours pas à faire la paix avec les communautés des Premières Nations?

Un peu plus tard, nous faisons escale à Ilulissat, un petit village de pêcheurs. Mon ami Guérette en profite pour acheter, au coût de 800 dollars, une autre statuette, qu'il finira par oublier derrière lui sur le banc de la gare maritime. L'année suivante, Guérette assistera à une exposition d'art inuit dans le Vieux-Montréal et réalisera que cette statuette, qu'il a achetée et perdue dans le Nord, coûte beaucoup moins cher chez nous que là-bas…

À cette étape du voyage, toutefois, nous commençons à sentir la fatigue. Des milliards de moustiques nous dévorent tout rond. Je commence à avoir hâte de rentrer à Montréal. Ce n'est que deux ans plus tard que ma route me mènera à l'autre extrémité du globe.

Et de l'autre côté…

Ah! L'Antarctique. En me voyant chercher sous le globe terrestre la ville argentine d'Ushuaia, où je dois entreprendre mon périple vers le pôle Sud, mon petit-fils Napoléon s'est bien inquiété.

— Tu vas avoir la tête à l'envers, grand-papi ! m'a-t-il dit, concerné, pendant que je préparais mon voyage ou que je me préparais... à perdre le nord. Littéralement.

Perdre le nord... S'il est une expression qu'on peut interpréter de toutes sortes de façons, c'est bien celle-là. Mais pour moi, c'est dans cette ville d'Argentine où je m'embarque sur un bateau russe, le *Lyuboy Orvola*, en route vers l'Antarctique en compagnie d'un groupe de braves, que le nord disparaît de mon horizon.

Chemin faisant, nous croisons la Terre de Feu, cet amas d'îlots et d'îles plus ou moins déserts, séparés par le détroit de Magellan. Je me demande comment des gens peuvent vivre dans un environnement pareil. Je n'ai pourtant encore rien vu.

Avant d'atteindre le royaume des glaces, il nous faut franchir le redoutable passage de Drake, long de 1 000 kilomètres, là où les océans Atlantique et Pacifique se rencontrent, ou plutôt s'affrontent. Ils entrent en collision perpétuellement, comme deux taureaux qui se jettent l'un sur l'autre. Toute une épreuve ! Deux jours de brasse-camarade. Nous passons une partie de la traversée à plat ventre, enfermés dans nos cabines. Le *Lyuboy Orvola* est secoué comme une coquille de noix. Je ne peux m'empêcher de penser aux marins intrépides qui traversèrent autrefois ce passage, au péril de leur vie. C'est ici que le poème *Oceano Nox* de Victor Hugo prend tout son sens :

«Oh ! Combien de marins, combien de capitaines
Qui sont partis joyeux pour des courses lointaines
Dans ce morne horizon se sont évanouis !
Combien ont disparu, dure et triste fortune !
Dans une mer sans fond, par une nuit sans lune !
Sous l'aveugle océan à jamais enfouis ! »

Des vagues de 10 à 15 mètres s'écrasent sur le pont. Le bateau craque de partout. À mon petit-fils qui lira un jour ce livre, je dis sans ambages que ce jour-là, sur cette mer déchaînée, je ne suis pas bien gros dans mes culottes...

Puis, sans transition, tout à coup, c'est le calme plat. Voici que le décor change du tout au tout. Le capitaine nous invite à grimper sur le pont. Le paysage est grandiose, majestueux et... terrifiant, pour tout vous dire. J'ai l'impression que cette nature nous parle. Elle nous souhaite la bienvenue, mais nous prévient tout de même : « Gare à vous si vous tombez en panne... » Le *Lyuboy Orvola* se faufile entre les banquises sur lesquelles quelques manchots nous saluent. Puis, nous frôlons la paroi d'une gigantesque falaise de lave noire. Au-dessus du sommet escarpé, des oiseaux planent comme s'ils étaient les éclaireurs d'une armée qui nous attend au détour...

En ce 21 décembre, c'est le solstice d'hiver à Montréal, mais ici, c'est le premier jour de l'été austral. Il y a pourtant de la neige partout. Depuis le pont du bateau, j'aperçois des épaulards à la recherche d'un gigot d'otarie ou de manchot Adélie. Ils sont aujourd'hui moins nombreux que jamais. Leur malheur a commencé quand ces explorateurs dits « civilisés » débarquèrent sur leurs banquises...

Viennent ensuite les rorquals communs, que les Saguenéens connaissent bien. La moitié des phoques, que l'homme n'a pas encore réussi à chasser de leur habitat, vivent ici. Dieu merci, il y a encore assez de nourriture pour tout le monde. En observant un manchot qui fait son cinéma sur une banquise, je repense à l'empereur qui inspira au cinéaste français

Luc Jacquet un documentaire extraordinaire : *La marche de l'empereur.* Il s'agit du plus beau, du plus grand et du plus costaud parmi tous ceux-là. À bord du bateau, des liens se tissent entre les membres du groupe. Vous vous demandez peut-être qui sont ces voyageurs intrépides, prêts à affronter les éléments les plus hostiles pour satisfaire leur passion... Disons qu'il n'y a pas beaucoup de « madames à collier » à bord. En revanche, il y a ici tout plein de « logues » : anthropologues, spéléologues, ornithologues, géologues, etc. À force d'isolement, une certaine promiscuité s'installe entre nous. Quand nous descendons du bateau, nous nous sentons comme en récréation. À bord d'un Zodiac, nous abordons des berges enneigées. Au sommet des collines de couleurs pastel est perchée une station scientifique qu'occupent deux Britanniques. À l'intérieur, il y a aussi un bureau de poste. Je décide de m'envoyer une carte portant un timbre du continent perdu. À notre retour sur le Zodiac, les faibles rayons solaires frappent un paysage aux couleurs indescriptibles. Il y a du rose, du mauve et du blanc. Devant un tel tableau, il est impératif de s'arrêter pour rendre hommage à la création.

En comparant mon voyage en Arctique, relaté plus haut, avec celui-ci, je réalise que le pôle Sud est cent fois plus inquiétant. Il est moins habité, tout y est aride, mais l'air y est plus pur, ce qui ne signifie toutefois pas que la pollution et le réchauffement climatique n'y font pas de ravages.

Français, Américains, Russes, Anglais, Norvégiens et Japonais, pour ne nommer que ceux-là, administrent chacun leur base subantarctique. On croise régulièrement, sur notre chemin, des bateaux ravitailleurs. Certaines de ces puissances coloniales entretinrent même autrefois des stations baleinières. Les eaux bouillantes de l'île volcanique de la Déception attiraient jadis un grand nombre de touristes, que les 200 000 manchots à jugulaire du coin avaient l'air d'accueillir avec plaisir. Les pauvres! Ils ne savaient pas encore ce qui les attendait. Ils ne seraient pas longs à découvrir que les cannettes de boisson gazeuse se digèrent mal...

Heureusement pour eux, l'éruption d'un volcan encore actif mit un terme aux activités de la station balnéaire de l'île en 1970. Les Britanniques et les Chiliens, qui s'y disputaient le territoire, laissèrent derrière eux des carcasses de bâtiments, toujours là aujourd'hui, qui ressemblent à des bunkers. Ah, ce que la vie devait être difficile!

Nous nous arrêtons près de ces cabanes abandonnées, et quelques-uns d'entre nous décident de se baigner sur la plage noircie. D'autres nous observent en claquant des dents, emmitouflés dans leur parka. Une jeune étudiante qui fait partie du groupe décide de se mettre en bikini et d'ainsi nager dans l'Antarctique. Elle n'en mourra pas; l'eau est bien réchauffée par ce volcan de l'île de la Déception.

Après la baignade, j'arpente l'un des bunkers. Je tombe sur des boîtes de conserve et autres effets oubliés là par les derniers occupants. Ici, une boîte de gruau Quaker, là, une paire de bottines, dehors, des bidons d'essence à moitié enterrés dans le sol carbonisé. Bref, un ensemble de vieux murs et d'objets gisent dans la solitude. Les gaillards qui osèrent défier cet univers n'ont fait aucun effort pour rapporter leurs détritus.

De loin, j'aperçois une croix noircie qui doit indiquer la tombe de quelqu'un. Je me faufile entre les manchots, qui commèrent entre eux tout en s'écartant à peine pour me laisser passer. Repose là George Vince, qui perdit la vie au fond d'un ravin par un jour de tempête. Quelle ironie! Une tombe au milieu de nulle part portant une inscription que seuls ces bipèdes peuvent examiner…

Quelques jours passent; 23, 24, 25 décembre. C'est Noël. Il fait encore plus froid que d'habitude. De notre navire, nous apercevons d'impressionnantes cathédrales de glace bleuâtre qui se déplacent doucement et qui s'en iront fondre, au bout de leur périple, au large de Buenos Aires, en Argentine. Éblouis par ce spectacle, nous échangeons des vœux. L'équipage russe nous sert un banquet sur le pont arrière. Au beau milieu de cette immensité de glace, nous pique-niquons tranquillement quand, soudainement, la voix de Céline Dion se fait entendre. L'écho des hautes montagnes de glace répercute sa chanson, ce qui donne bien la mesure de son succès planétaire. Sans avoir à la connaître personnellement, je suis fier d'elle.

Le lendemain, nous franchissons le détroit de Le Maire. Jacob Le Maire était ce scientifique qui, avec Willem Schouten, découvrit en 1916 ce passage réputé pour être un des détroits les plus sécuritaires.

Puis, nous voilà au milieu d'un groupe de manchots macaronis, aussi appelés «gorfous». Leurs têtes échevelées sont typiques. Là-bas, sur l'île de Livingston, une horde de phoques géants. Ils ont mauvais caractère et passent pour être des hôtes exécrables. Ce sont des éléphants de mer. Les plus gros peuvent peser près de quatre tonnes et mesurer plus de six mètres. Quelques-uns d'entre eux me toisent comme si j'étais un nouveau coq dans leur basse-cour. Le guide qui nous accompagne confirme que ce sont des chefs et qu'ils surveillent leur harem. Dire qu'à une certaine époque, les éléphants de mer étaient menacés d'extinction. Les chasseurs et les braconniers faillirent bien les exterminer. Au début du XXᵉ siècle, il n'en restait qu'une centaine de spécimens sur la terre ! Il a fallu des lois sévères pour arrêter le massacre, mais la protection de cette espèce a été efficace : ils sont aujourd'hui presque aussi nombreux (autour de 100 000 représentants) qu'avant l'arrivée des méchants humains qui se comportent comme si la terre leur appartenait, comme si les animaux n'étaient rien d'autre que des quartiers de viande en attente d'être mangés.

Quand je vous dis que c'est maintenant qu'il faut voir le monde… Cette odyssée unique m'a permis de réfléchir sur la nature humaine et sur la place qu'occupe notre race sur cette planète qu'on malmène un peu trop.

CHAPITRE VI

L'Afrique : mes pas...
derrière ceux de Napoléon

Depuis ma première incursion en Afrique avec ma compagne Marie-Claire, avec qui j'ai passé, on s'en souviendra, un Noël aventureux en Tunisie, en Algérie et au Maroc en 1969, et depuis le Sommet francophone de Niamey au Niger cette même année, l'Afrique n'a jamais cessé de me fasciner. Elle est le sol qui berça l'humanité, rappelons-le ; c'est sur cette terre brûlante que naquirent nos ancêtres à tous.

Retour en Algérie...

Plusieurs séjours ultérieurs me feront voir l'Algérie sous un jour différent de celui qu'elle m'a brièvement montré quand j'y suis passé avec ma belle Acadienne. La « nouvelle » Algérie se veut désormais méfiante. Avant même mon départ, le consul algérien à Montréal m'a téléphoné pour savoir si j'étais bien le Gilles Proulx qui n'a pas la langue dans sa poche et qui sévissait sur les ondes de CKAC le midi.

Une fois arrivé au pays, j'ai à traverser six contrôles avant d'atteindre le carrousel... pour constater que mes bagages se sont volatilisés. Une télécopie envoyée de Montréal a dû prévenir Alger que je suis bel et bien la grande gueule de la radio. On me demande alors cinq ou six fois si j'ai sur moi une enregistreuse, croyant que je m'apprête à interviewer des adversaires politiques du dirigeant en poste. Puisque les autorités ne parviennent pas à trouver de micro dans mes bagages, je peux récupérer ma valise... mais seulement huit jours plus tard, à Bamako, au Mali, où je poursuivrai ce séjour. Toute cette nervosité, bien sûr, est due au fait qu'Alger vit sous tension. Ainsi donc, le pays, encore et toujours aux prises avec des insurgés intégristes qui voient les Occidentaux comme des suppôts de Satan, n'est pas des plus sécuritaires ; à mon arrivée dans la capitale, le gouvernement assigne à ma surveillance des policiers de la présidence, qui sont chargés de nous suivre, mon groupe et moi, pas à pas d'Alger à Tipaza, puis de Tipaza à Cherchell...

Cette fois, c'est réellement une autre Algérie que je visite, un pays néanmoins magnifique où sont préservés de nombreux vestiges de l'époque coloniale. Je marche dans le quartier de Bab El-Oued, qu'a chanté Brigitte Bardot, dans les lieux mêmes où les pieds-noirs du temps fabriquaient leurs bombes. Là-haut, la Casbah, forteresse aux murs délabrés, fief des adversaires de l'armée française, que l'ambassade canadienne recommande malheureusement aux touristes d'éviter. Mais qu'à cela ne tienne. La tentation est trop forte. Les rues étroites et tortueuses de ce quartier, selon ce qu'on en dit, donnent l'impression de se retrouver dans une Alger d'un autre temps... Je tiens absolument à voir les couloirs et les labyrinthes dans lesquels se cachaient, dans les années 1950, les membres du Front de libération nationale (FLN) quand les paras du colonel Bigeard effectuaient leurs descentes, mitraillettes au poing. Une fois parvenu au sommet de la Casbah, je suis soudain habité par un étrange sentiment. Jamais je ne me suis senti aussi «zieuté». Ces femmes aux regards mystérieux, vêtues comme des corneilles, me rendent inconfortable.

Mon groupe et moi grimpons ensuite jusqu'au promontoire de Notre-Dame d'Afrique, la cathédrale construite par les Français au XIXᵉ siècle. Une vue imprenable! En bas, le cimetière où sont enterrés les Français qui occupèrent, colonisèrent et développèrent l'Algérie durant plus de 130 ans... Il y a bien longtemps que plus personne ne pleure sur leurs tombes. Parmi ceux-là, des victimes des tueurs de l'Organisation armée secrète (OAS) ou du FLN, assassinées d'une balle dans la nuque ou d'une rafale de mitraillette. Sur les tombes, je lis les noms de policiers, d'instituteurs, de médecins; toutes d'innocentes victimes...

Sur le terrain, deux grandes cultures se rencontrent: la franco-européenne et la musulmane. Pour l'étranger que je suis, il n'est pas facile de choisir un camp.

En bas, en plein cœur de l'ancien quartier européen, la tension baisse. Ces bâtiments coloniaux sont autant de témoins d'une époque révolue. En passant devant l'hôtel Saint-Georges, je repense à la page d'histoire qu'y écrivirent les généraux de Gaulle et Eisenhower. Une plaque dorée à la porte d'une chambre identifie celle du général américain. J'y croise des fantômes: celui d'Albert Camus, puis celui d'Enrico Macias, qui a chanté l'Algérie et qui la chante encore.

Le lendemain, nous filons sur Tipaza, là où Camus écrivit en 1939 un roman dans lequel il raconte sa noce. Cette ville est fort jolie. Des infrastructures datant de l'époque romaine y ont été conservées.

D'ailleurs, toute la côte algérienne est riche des vestiges que laissèrent derrière elles les civilisations romaine et phénicienne.

À Cherchell, la police locale vient au-devant de nous et nous offre sa protection. La semaine précédente, un couple d'Allemands a été enlevé par les intégristes, nous révèle un officier. Mais je ne reste pas longtemps dans la ville ; après avoir admiré les ruines de l'endroit, qui remontent à Octave, le vainqueur de Marc Antoine et de Cléopâtre, je me prépare à m'enfoncer dans le désert.

Un avion d'Air Algérie nous dépose tout près du Mali. Nous faisons escale à Tamanrasset, aussi appelée la Ville rouge, une oasis sans palmiers. C'est le pays des hommes bleus. Ces Touaregs, bâtis comme des armoires à glace, le visage brûlé et creusé par le vent, vivent encore comme vivaient leurs ancêtres il y a un millénaire. Ils sont 20 000, éparpillés dans un paysage lunaire grand comme la France. Ce peuple, emmitouflé dans ses vêtements indigo, évolue au cœur d'une véritable forteresse naturelle, sur un plateau ceint de pitons rouges, noirs et bruns qui atteignent parfois 300 mètres de hauteur.

Tout près, au marché aux dromadaires, j'assiste à l'échange de milliers de bêtes, dans une atmosphère qui évoque les immenses foires dans lesquelles sont liquidées chez nous les voitures d'occasion.

Le lendemain, aux petites heures, nous montons à bord d'un véhicule tout-terrain et prenons enfin la route du Hoggar, là où la France fit sauter en 1960 sa première bombe atomique. C'est le désert le plus spectaculaire que j'aie jamais vu et, croyez-moi, j'en ai admiré d'innombrables. Au cours de ma vie, je verrai le désert du Maroc et son chapelet de forts de la Légion étrangère, celui de la Tunisie avec ses oasis, sans oublier celui d'Égypte, chargé de références bibliques. Je verrai celui d'Israël et celui de la Namibie, qui passent pour receler les plus hautes dunes au monde. Je «caravanerai» également dans le désert de Mongolie... Mais aucun d'entre tous ceux-là n'égale celui du Hoggar, peut-être à cause de ses immenses pics basaltiques.

Tandis que nous évoluons sur cette splendide étendue, le sentiment qui m'anime est étrange. Je ressens à la fois fascination et angoisse...

Nous croisons de nouveau les Touaregs; une caravane de géants bleus qui se dirigent à dos de dromadaires vers le marché de Tamanrasset. Ces hommes moitié rustres, moitié poètes ne s'expriment ni en français ni en arabe. Leur langue, c'est le tamashek. La nuit venue, nous partageons un repas avec eux sous une grande tente noire, brûlée par le soleil. À l'intérieur, des tapis, des tambourins et quelques assiettes. Nous sommes en hiver; de 25 degrés qu'elle était il y a quelques heures, la température chute à cinq. Nous dînons autour du feu d'un boma de mouton et de légumes. Un barde, équipé d'un instrument de musique que je ne connais pas, se met à chanter. Ses ancêtres jouaient probablement de cet instrument, il y a des siècles. La complainte qu'il interprète est peut-être millénaire elle aussi. Sous le ciel d'hiver rempli d'étoiles, le temps n'existe plus. La beauté du décor me foudroie. Je me sens petit et fragile dans cet univers si vaste.

Le lendemain matin, notre guide nous emmène au royaume de l'Assekrem via une montée en lacets étroits qui nous donne des sueurs froides. Notre jeep est à bout de souffle. Un peu plus et il nous faudra rebrousser chemin. Arrivés au sommet, nous entreprenons une escalade à pied qui nous conduit à l'ermitage du père Charles de Foucauld, cet officier de l'armée française devenu ascète, que Rome béatifia il y a à peine quelques années. En décembre 1916, cet ethnologue fut lâchement assassiné par une bande d'insurgés, en guerre avec une autre tribu. L'ermitage est désormais habité par le père Édouard. Il y vit en spartiate depuis plus de 35 ans. Il se nourrit de prière, de méditation et des rapports qu'il entretient avec les Touaregs qui gravitent autour de l'Assekrem. Vues d'en haut, les caravanes des hommes bleus ont l'air de chapelets mouvants.

Après cet inoubliable séjour, je m'arrête dans un endroit oublié. Ghardaïa, une oasis située au centre de l'Algérie, est constituée d'un ensemble de cinq collines où les habitants vivent hors du temps depuis près de huit siècles. L'UNESCO a reconnu son caractère unique. Sa grande mosquée, qui ressemble à une forteresse, se distingue par son architecture soudanaise.

Tout près, une corvée organisée par l'armée attire mon attention. Plutôt que de flâner à la caserne et d'accumuler les calories, je vois ces militaires s'acharner à ériger, avec des arbres provenant d'Australie, une barrière allant de la frontière du Maroc jusqu'à la Tunisie, question de ralentir l'appétit du désert. Du côté tunisien, l'armée emploie même la force de ses soldats à la construction de routes. Enfin, des militaires qui donnent un vrai coup de main et n'ont pas peur d'une bonne suée !

Dans les rues étroites de la ville fortifiée de Beni Isguen, érigée au cœur de Ghardaïa, les femmes drapées de blanc n'exposent qu'un seul de leurs deux yeux aux regards des étrangers. Il est plus facile de photographier un lion à un mètre de sa gueule que n'importe laquelle de ces colombes blanches... C'est un autre monde. Les femmes marchent d'un côté, les hommes de l'autre. Aux arrêts d'autobus, les femmes ont même leurs propres quais d'embarquement. Dans cette oasis du Sahara, ces gens sont à l'abri de toute influence extérieure. Encore une fois, je me réjouis de constater qu'il reste encore des lieux dans ce monde qui n'ont pas renoncé à leurs valeurs traditionnelles.

... puis au Maroc

Mes suivants séjours chez Hassan II, s'ils sont mille fois plus fascinants, seront un peu moins aventureux que le premier. J'y retournerai à plusieurs reprises, toujours avec un réel plaisir. Durant ces voyages, cependant, je dormirai dans un palace à Marrakech, à l'entrée des monts Atlas, ainsi qu'au Mamounia, sur la place Jemaâ-el-Fna, là où Winston Churchill lui-même séjourna... Voilà qui contraste fortement avec les hôtels à cinquante sous et à un dollar où j'ai séjourné lors de mon escapade avec Marie-Claire en l'année de mes 30 ans!

Ce pays se trouve sans conteste en tête de liste des destinations que j'ai le plus choyées au fil de mon parcours. Les Marocains sont très chaleureux, et la notion d'hospitalité est inscrite dans leur religion. C'est un royaume à la fois pauvre et riche qui offre une grande satisfaction au photographe, à l'historien, au voyageur en général.

D'ailleurs, en 1988, alors que je participe à l'émission de Louise Deschâtelets, *Les carnets de Louise*, celle-ci me demande à brûle-pourpoint quel est à mon avis le plus beau pays du monde. Sans hésiter une seconde, je réponds:

— Pour moi, c'est le Maroc!

Le lendemain, le standard de la station CJMS est débordé d'appels. L'Office marocain du tourisme, la direction générale de Royal Air Maroc, la compagnie aérienne nationale, même l'ambassadeur du Maroc veulent me parler. Il n'y a pas à dire, ma déclaration d'amour n'est pas passée inaperçue!

Ainsi, je me rendrai au pays plusieurs fois à l'invitation du ministère du Tourisme marocain. Ces invitations me permettront de découvrir des endroits qui m'auraient en d'autres circonstances été inaccessibles. En contrepartie, le ministère compte chaque fois sur moi pour faire connaître le royaume aux Québécois. Je m'acquitterai toujours de mon mieux de ma partie du contrat, notamment en publiant de nombreux articles sur le sujet dans la section touristique du journal *Le Devoir*.

Parmi les lieux uniques à voir au Maroc, il y a la ville de Meknès, située dans le nord. Je couvre pour un reportage la Fantasia de Meknès, une fête qui a lieu chaque année, en septembre, durant laquelle des milliers de cavaliers multicolores prennent les rues d'assaut. Tous ces cavaliers fixent la foule, comme une armée prête à foncer. Au signal, ils se lancent dans une grande chevauchée, encouragés par les cris de youyous des milliers de femmes berbères. Cela donne une idée de ce à quoi pouvaient ressembler les attaques des troupes à cheval dans les temps anciens, et du genre de frayeur qu'elles devaient provoquer chez les populations qui en étaient la cible.

Cet événement, malheureusement peu connu des Occidentaux, est un des plus typiques et des plus exotiques auxquels j'ai eu la chance d'assister. On se retrouve plongé 500 ans en arrière, à l'époque des grandes razzias mauresques, au milieu de tentes multicolores. Tout autour, de la musique tradition-nelle baigne l'atmosphère. Pas de place pour le rock and roll ici!

Plus au sud se trouve Marrakech, où j'ai dû aller une bonne douzaine de fois, et pour cause. Le cœur de cette cité presque millénaire n'a pas été atteint par le progrès, ce qui fait tout son charme. Des dizaines d'ethnies se côtoient sur la grande place Jemaâ-el-Fna. On y retrouve encore des cireurs de souliers, des charmeurs de serpents, des avaleurs de feu, des musiciens. On a l'impression de se replonger en 1062, année de fondation de la ville.

Pour se mettre à l'abri de l'agitation de la grande place, il faut s'arrêter au jardin de la Ménara. L'endroit est apaisant. Il est facile d'oublier l'heure, en contemplant le pavillon saadien se mirer dans les eaux de l'immense bassin. On raconte que ce jardin fut jadis le lieu des rendez-vous galants des sultans…

Contrairement à l'Algérie et à la Lybie, le Maroc est un endroit de quêteurs de pourboires. Il faut savoir dire non. À Marrakech, un jeune homme me demande un pourboire après m'avoir annoncé la tenue d'un gala de boxe sur la grande place, et un autre me suit jusqu'à mon hôtel pour obtenir une pièce parce qu'il m'a frotté l'arrière de la nuque avec un serpent alors que j'étais occupé à prendre une photo… Quel culot!

Une autre ville splendide se trouve sur mon parcours : Ouarzazate, à la porte du désert. On y tente tant bien que mal de ralentir l'avancée du Sahara. Mais cette ville n'est pas connue que pour son combat contre le désert ; au fil des ans, elle est devenue une sorte de petit Hollywood marocain. Le réalisateur italien Bernardo Bertolucci y a tourné son film *Un thé au Sahara*. Des œuvres comme *Gladiateur, Alexandre le Grand* et *Astérix* y ont aussi été tournées. Au moment de mon passage, j'y rencontre même Gérard Depardieu, venu participer à un tournage.

C'est à Ouarzazate que j'ai le privilège d'assister à une manifestation comme je n'en avais jamais vu auparavant. Une foule immense s'est rassemblée à la casbah. Des hommes portant des djellabas blanches font face à des centaines de femmes, vêtues de couleurs vives, l'air fébrile. Il y a beaucoup de bruit, la musique est forte. En discutant avec des passants, j'apprends qu'il s'agit ni plus ni moins d'une forme assez particulière d'agence de rencontre. Les femmes présentes sont célibataires, veuves ou divorcées et se cherchent un époux. Elles dévoilent leurs yeux au regard lumineux, plein d'espoir, pour tenter d'attirer l'attention des hommes qui se trouvent en face.

Et que se passe-t-il quand un chanceux trouve une femme à son goût ? Il la prend par la main et l'emmène vers un des individus installés un peu en retrait, des fonctionnaires venus de la capitale pour officialiser les mariages sur-le-champ ! Difficile de trouver plus rapide comme rencontre.

Ce jour-là, certaines des femmes sont choisies, d'autres n'ont pas cette chance. Je manque moi-même, presque malgré moi, de trouver épouse lors de cette cérémonie ! Quand je braque mon appareil photo sur une ravissante jeune fille, qui ne doit pas avoir plus de quinze ans, la demoiselle, embarrassée, ne sait trop si elle doit se laisser photographier ; après tout, je suis un étranger, peut-être même un infidèle. Finalement, son père s'en mêle.

— Si tu veux la marier, très bien, mais ne lui fais pas perdre son temps ! m'enjoint-il sur un ton très autoritaire.

On me permet finalement de prendre ma photo en échange de vingt dirhams. C'est un prix ridicule à payer pour éviter de se mettre la corde au cou de façon aussi expéditive !

Après mon passage à Ouarzazate, je me rends à Erfoud, une ville située tout près de la frontière algérienne, dans le but d'assister au lever du soleil dans le désert, un spectacle toujours étonnant. Sur la route de terre qui ressemble à un tapis rouge, on rencontre de nombreux villages fortifiés.

Je serai gâté à Erfoud ; en plus de voir le soleil se lever, j'aperçois des mirages, de vrais mirages ! Je croyais que cela n'existait que dans *Les aventures de Tintin*, mais le phénomène est bien réel. Imaginez un peu. Vous êtes accablé par la chaleur et, soudain, vous voyez apparaître un îlot de fraîcheur, de verdure, une nappe d'eau, droit devant vous... Mais cela ne dure que quelques secondes. En s'approchant, on réalise qu'il n'y a rien, que du sable, et encore du sable.

Au nord, non loin de Meknès, j'admire l'Arc de triomphe du site spectaculaire de Volubilis, héritage très évocateur de la colonisation du pays par les Romains. C'est là que je comprends pourquoi les Marocains parlent tant de ces monuments qui ont tous une histoire à raconter.

Découvrir le Maroc, c'est comme regarder un grand film dont les scènes se succèdent d'une région à l'autre. Prenez la cité de Chefchaouen, dans le nord du pays. Cette ville fut construite pour les juifs et les musulmans qui fuyaient les persécutions des inquisiteurs en Espagne. Pendant très longtemps, elle fut interdite aux chrétiens. Dans cette cité énigmatique, le bleu et le blanc sont omniprésents. Comme les habitants croyaient que ces couleurs chassaient les mauvais esprits, ils en mettaient partout. L'effet est saisissant! En s'approchant du site, on voit au loin cette grande tache bleue et blanche, nichée à flanc de montagne. En me baladant dans les rues tortueuses de l'endroit, j'ai l'impression de faire un rêve... bleu.

• • •

Je vante donc les mérites du Maroc chaque fois que j'en ai l'occasion, tant dans les journaux que durant mes émissions de radio — je fais même tourner à plusieurs reprises de la musique berbère. Après nombre de voyages, le Maroc s'apprête à me faire un grand honneur.

Un jour de 1996, je reçois un coup de fil du directeur de la Chambre de commerce Canada-Maroc. Il m'invite à agir à titre de maître de cérémonie d'un gala réunissant toutes les personnes en vue de la communauté marocaine de Montréal. Le maire de Montréal, Pierre Bourque, la ministre de l'Immigration, Louise Harel et l'ambassadeur du royaume du Maroc au Canada figurent au nombre des invités.

À la fin de la soirée, on m'invite à aller m'asseoir. Lorsqu'on annonce à la foule que l'on souhaite rendre hommage au grand amoureux du Maroc que je suis, je m'attends à ce que l'on me remette un quelconque cadeau typique. Au lieu de cela, l'ambassadeur fait de moi un citoyen honoraire du Maroc, au nom de Sa Majesté le roi Hassan II!

Cette distinction me remplit de fierté, d'autant plus que le Maroc est réellement un royaume extraordinaire, la matérialisation, en quelque sorte, des mille et une nuits. Par la suite, les choses ne se dérouleront cependant pas aussi facilement que je l'aurais cru... Les politiciens sont tous pareils ! Deux ans après avoir été élevé au rang de citoyen honoraire du Maroc, je tente de prévenir les Marocains de mon arrivée, comme on m'a enjoint de le faire, mais l'abonné est absent.

— J'en parlerai au nouvel ambassadeur...

— Monsieur le directeur est en déplacement...

— Nous avons maintenant un nouveau responsable...

Un diplomate m'invite alors à m'initier au protocole royal ; il fera tout ce qui est en son pouvoir, dit-il, pour me faire rencontrer le roi Hassan II. Quelle occasion pour un type comme moi, parti des ruelles de Verdun !... Je m'attelle donc à la tâche. J'apprends quelles sont les phrases à dire et à ne pas dire. Comment m'habiller — en foncé, bien sûr —, comment m'asseoir, à quel moment utiliser Votre Majesté ou m'en abstenir, quand m'incliner...

J'ai toute une surprise lorsque j'apprends par les journaux que le diplomate en question vient d'être arrêté au Casino de Montréal pour tricherie et qu'on l'a flanqué en prison avant de le déporter dans son royaume...

Ça me déçoit, évidemment, mais je n'en ai pas moins conservé tout mon amour pour ce fabuleux royaume. À mon avis, il n'y a pas plus bel endroit au monde pour les amateurs de photographie. Tout y est ; des montagnes enneigées, le désert, la jungle, des villes impériales, l'héritage laissé par tous les peuples qui ont dominé les lieux, qu'ils fussent phéniciens, romains, français, espagnols, arabes... On a là un bouillon de culture inimaginable, et en français par-dessus le marché.

Oui, le Maroc est une terre de rêve, mais pour combien de temps encore? Déjà, quand on visite certaines villes du centre et du nord, on perçoit que les traditions s'estompent peu à peu. Les costumes traditionnels sont de moins en moins visibles. L'envahissement américain est partout, y compris au plan sonore. On entend de plus en plus de rock, et de moins en moins de musique traditionnelle. Chaque fois que je m'apprête à m'envoler vers le Maroc, je me demande si je vais reconnaître ce pays que j'aime tant ou bien si les ravages de l'américanisation auront atteint un point de non-retour...

• • •

Comme on l'a vu, je n'ai jamais perdu l'habitude de me rendre en des contrées qui font la une des journaux. Ainsi, la Lybie, qui a un potentiel touristique indéniable, m'attire évidemment. Cependant, la visiter ne sera pas aussi aisé que je me le suis imaginé... Il faut vraiment être tenace pour y parvenir. Je dois me rendre à quatre reprises à la délégation libyenne à Montréal et, chaque fois, je me bute à une bureaucratie susceptible de décourager n'importe quel voyageur. Et une fois à Tripoli, le douanier, probablement pour éviter d'être en reste, prend le temps de recopier chacun des textes collés dans mon passeport. Inutile de vous dire que l'opération s'avère longue et fastidieuse. Mon passeport est plutôt bien garni...

Pendant longtemps, la Lybie a été au ban de la communauté internationale en raison de ses liens un peu trop étroits avec les terroristes de ce monde.

Le pays cherche aujourd'hui à tourner la page et ouvre ses portes toutes grandes aux touristes. On croit pouvoir en accueillir 20 millions par année quand on aura réaménagé l'aéroport de Tripoli, la capitale, et les solliciteurs de contrats étrangers sont déjà aux portes.

Sur place, un homme d'affaires québécois me reconnaît, et nous discutons. Il travaille pour des investisseurs italiens. Selon lui, ce sont ces derniers qui, avec les Français et les Espagnols, se partagent la cagnotte dans ce pays qui a beaucoup de pétrodollars à offrir. De son côté, le Canada reste sur la touche. Selon mon interlocuteur, le blâme reviendrait à Jean Chrétien, qui refusa de recevoir le fils du président Kadhafi quand il vint exposer ses photographies à Montréal. Drapé dans sa Charte des droits galvaudée, monsieur Chrétien commit donc un impair qui nous coûte cher aujourd'hui.

Dans les faits, les autorités locales comptent sur les ingénieurs étrangers pour faire jaillir du sous-sol non pas de l'or noir, mais bien de l'or bleu. De l'eau. Ce pays sablonneux au climat brûlant a soif. L'eau, là-bas, vaut bien plus que le pétrole. Un litre d'essence, il n'y a pas encore si longtemps, y coûtait à peine 20 sous.

S'il y a une pléthore de destinations où l'on peut assouvir tous ses désirs ou presque sans que personne ne s'en offusque (le fameux *What happens in Vegas stays in Vegas* n'est qu'un exemple parmi tant d'autres), la Libye n'est toutefois pas du nombre. Le pays vit au régime sec. Aucun alcool. Les viandes impures sont également prohibées, et le mouton est l'aliment de choix. Même les hamburgers contiennent de la viande de mouton.

Autre absence de taille : la femme. Elle y est à peu près invisible. Même les emplois traditionnellement occupés par celle-ci en Occident, dans les restaurants, les hôtels, les banques par exemple, sont ici le fait des hommes. L'homme est présent au point d'en être irritant. Pourtant, les Libyennes ne sont pas limitées à leur rôle de femmes au foyer, puisqu'on se vante d'ouvrir les portes des 20 universités à des milliers de jeunes filles… Un pays sans alcool et sans femmes, voilà qui incitera plus d'un touriste à aller voir ailleurs !…

En chemin vers le centre-ville de Tripoli, je passe devant la caserne militaire où le président Kadhafi a ses quartiers. Il vit dans une grande tente berbère plantée dans la cour de l'établissement et passe une bonne partie de ses journées à disserter et à écrire, entouré de ses splendides amazones. Autour de son bivouac, on a laissé telles quelles les maisons qui furent pilonnées par l'aviation de Ronald Reagan en 1987, tuant ainsi un membre de sa famille. Le visage de Kadhafi est présent sur nombre de panneaux-réclames, les yeux toujours couverts par de larges lunettes fumées.

On ne se rend pas en Lybie pour visiter sa capitale. À part les quelques mosquées et sa place d'Algérie, héritage de la colonisation italienne, qui valent le détour, Tripoli ne compte pas beaucoup d'attraits touristiques. En fait, deux choses me marquent au fil de mon voyage. La première, c'est la vitesse folle à laquelle les automobilistes circulent dans les rues. Les accidents de la route font plus de 2 000 victimes par année. J'ai une peur bleue chaque fois que je dois traverser une rue ! Mais il faut croire qu'on s'habitue. Plusieurs fois durant mon séjour, je vois des habitants de l'endroit traverser une artère achalandée, le nez dans le journal du matin. C'est de la folie pure ! Ces gens ne se soucient même pas de toutes ces bagnoles, tant des vieilles que des plus récentes, toutes aussi sales et bosselées les unes que les autres, qui filent à vive allure tout autour d'eux !

Un deuxième élément attire mon attention : les tonnes d'immondices que l'on peut apercevoir le long des routes ou même sur les sites historiques. Voilà bien la preuve que, tout autoritaire que soit le régime libyen, il ne parvient à serrer la vis ni aux fous du volant ni à ceux qui n'ont que faire de cette nature si précieuse. Quiconque voudrait se lancer dans la récupération de bouteilles dans ce pays ferait vite fortune.

En m'éloignant de la capitale, je tombe sur les empreintes laissées par les nombreux envahisseurs qui, tour à tour, dominèrent ce territoire. À Leptis Magna subsistent beaucoup de vestiges de l'époque durant laquelle la ville fut surnommée la «Rome d'Afrique», vers l'an 500 de notre ère. Le visiteur qui connaît l'histoire peut facilement s'imaginer à quoi ressemblait la vie à cette période. Le théâtre de 15 000 sièges construit par les Romains, où se tinrent des combats d'animaux sauvages, est toujours intact et à ne pas manquer. À mon avis, ce site représente une leçon d'humilité pour nos ingénieurs modernes, incapables de construire des structures qui leur survivent !

On peut également admirer dans la ville de Sabratha un théâtre byzantin absolument colossal. C'est Benito Mussolini lui-même qui, dans son désir de recréer l'Empire romain, ordonna sa restauration en 1935. Le *Duce* ignorait alors que le régime romano-byzantin était semblable au sien… c'est-à-dire sur son déclin.

Tout près de là, une chanson émanant d'un café me fait tendre l'oreille : c'est encore Céline Dion, qui interprète *Les derniers seront les premiers* avec Jean-Jacques Goldman. C'est en parcourant le vaste monde que l'on peut mesurer l'ampleur de sa réussite!

À Cyrène cette fois, mon caméraman et ami Normand Guérette trouve original de filmer un cheval qui broute devant d'impressionnantes ruines grecques. Lui faisant dos, j'entends soudain un drôle de bruit, suivi d'un hurlement. Guérette s'est fait flanquer un bon coup de sabot au derrière! Apparemment, ce n'est pas qu'aux gens qu'il faut demander la permission de filmer!

• • •

Deux raisons incitent généralement les voyageurs à aller en Libye: l'archéologie et le mystérieux Sahara. Après avoir déambulé parmi des ruines et vu nombre de monuments anciens, je décide de prendre l'avion en direction de Sebha, la plus grande oasis. Elle fut libérée durant la Seconde Guerre mondiale par le général Leclerc des Forces de la France libre. Les Libyens furent si reconnaissants que cet homme chasse les Italiens d'un fort qui s'y trouvait qu'ils donnèrent à celui-ci le nom du général. La francophilie de ces gens fait chaud au cœur. D'ailleurs, je suis étonné de voir le nombre de Maghrébins parlant français et travaillant en ce pays.

Mon guide, qui s'appelle Abdallah Ben Amer, est un jeune érudit profondément amoureux de son pays. C'est lui qui m'initie à l'univers du désert.

En véhicule tout-terrain, nous traversons d'abord l'aride province du Fezzan. Elle nous présente les plus beaux paysages du Sahara, malheureusement parsemés d'objets en plastique et en caoutchouc. J'observe des peintures rupestres qui rappellent que le désert a déjà été vert et habité par une faune des plus variée, il y a de ça... 12 000 ans! Au fil de notre route, les montagnes de grès deviennent roses, puis rouges. Notre véhicule se met à grimper et à redescendre sur des bancs de sable qui changent de teinte à mesure que s'égrènent les heures. Quelle immensité stupéfiante! Après un long parcours, je me retrouve devant un paysage à faire rêver, parsemé de dunes aux fines courbes. Me voilà devant l'infini.

Mon guide me confie que c'est dans ce même désert, après un atterrissage forcé, qu'après deux jours de solitude, Saint-Exupéry fut secouru par les hommes bleus. Sa prose, en des moments comme celui-là, prend tout son sens...

Chose surprenante, à nos pieds s'étendent quantité de lacs. Eh oui, des lacs dans le désert. Peut-on croire que leurs eaux bleues, profondes et salées ne contiennent aucun poisson? Sur les rives, des Touaregs parlant français veulent nous vendre leur artisanat. Ils viennent du Mali, du Niger ou d'Algérie. Ces *costanos* sans frontière déambulent d'un pays à l'autre et sont souvent l'objet d'arrestations policières. C'est à se demander si certaines autorités politiques, dont celles du Niger, ne souhaitent pas les rayer de la carte... On les soupçonne même d'enlever et de vendre des enfants. Quelle perte pour la culture saharienne, s'il fallait que ce peuple disparaisse! Ces hommes rebelles ont fréquenté l'école de la dureté... Pour eux, se plaindre est une manifestation de faiblesse. Par exemple, lorsqu'ils perdent un être cher, la règle de la vie leur interdit de rappeler son souvenir. Plus question de parler du disparu!

Nous passons ensuite devant un village fantôme situé aux abords du lac Gabraoun. Abdallah me dit que les habitants de cette région, des Touaregs eux aussi, ont été relogés parce que l'oasis ne parvenait plus à les nourrir. J'ai bien du mal à croire cette version. Je pense plutôt que la présence massive de ces gens aurait pu nuire à d'éventuels projets de développement touristique. Gabraoun deviendra probablement un village sportif réservé aux non-autochtones, de riches Occidentaux, par exemple, qui pourront s'amuser autant qu'ils le voudront à glisser sur les bancs de sable...

Après quelques nuits à bivouaquer, je me fais la réflexion qu'il est compréhensible que les gens plus méditatifs aiment tant ce genre de milieu. On peut y entendre le silence et, dans la foulée, les étendues désertiques qui parlent et bougent. C'est la nuit, sous le ciel illuminé par des millions d'étoiles, qu'on peut découvrir que ces lieux sont agités par la présence de chacals et de renards, attirés par les restes de nourriture laissés par les humains de passage. Le froid nocturne finit invariablement par nous transpercer, mais l'expérience d'une nuit au beau milieu d'un désert compense cent fois cet inconfort.

C'est dans ce désert que j'assiste à l'une des scènes les plus mémorables qu'il m'ait été donné de voir, alors que nous campons tout près d'un lac aux eaux d'un bleu éclatant. Surgit soudain une caravane comptant une trentaine de dromadaires, menés par une dizaine d'hommes bleus. Je remarque qu'un des dromadaires semble avoir de la difficulté à suivre. Au milieu de ces bêtes dures et robustes, il avance péniblement en titubant. C'est alors que mon guide m'enjoint de prêter attention et me prévient que nous allons assister à un événement unique.

La caravane poursuit sa route, laissant la bête mal en point derrière. Personne, ni homme ni bête, ne l'assiste de quelque manière que ce soit. Au bout d'un moment, le dromadaire se met à gratter le sol d'un banc de sable. Une fois qu'il a creusé un trou satisfaisant, il y prend place. Une heure plus tard, il est en train de rendre l'âme, ensablé jusqu'au cou, les yeux hagards. Il s'est enterré lui-même de son vivant. Notre guide nous apprend que c'est un comportement typique des dromadaires ; ils s'enterrent eux-mêmes quand ils sentent la mort venir et qu'ils ont encore assez de force pour le faire. L'animal, ainsi, retourne à la terre.

C'est le genre de scène que l'on n'oublie jamais.

Au pays des pharaons

Mon premier voyage en Égypte a eu lieu à l'été de 1974 ; comme je l'ai mentionné dans la première partie de cet ouvrage, je m'y suis rendu avec Marie-Louise, ma seconde épouse. Dès notre arrivée à l'aéroport du Caire, nous avons été témoins d'un tableau peu banal. Un soldat américain se moquait de musulmans qui se prosternaient et exécutaient leurs rites religieux sous le regard indifférent des passants. Jamais je n'oublierai ce qui s'est alors passé. Un Arabe a sorti un couteau de sous ses vêtements et s'est rué sur le soldat pour lui planter son arme en plein dans les parties génitales, en signe de représailles. Les témoins de la scène en ont tiré une grande leçon : ne vous avisez surtout pas de ridiculiser les dévots musulmans À chacun de mes voyages suivants, je me souviendrai de cette anecdote…

L'Égypte fascine le monde depuis plus de 3 000 ans. Des incidents comme celui que je viens de vous raconter, elle en a vu d'autres. Malheureusement, elle est minée de l'intérieur par des bataillons d'intégristes qui la trouvent trop « occidentalisée » pour leur goût et rêvent d'un État ultraconservateur et religieux qui protégerait la population contre la décadence importée de Paris, de Londres et de Washington. Résultat ? Les touristes y pensent à deux fois avant de se rendre au pays de Cléopâtre, et ceux qui y perdent le plus, ce sont les Égyptiens eux-mêmes.

Ici, l'américanisation est pourtant loin de percer le mur de cette vieille civilisation. Il suffit d'entendre les incantations étourdissantes provenant des minarets, qui témoignent bien de la solidité de l'identité égyptienne. À la longue, elles finissent même par nous rendre mélancoliques.

C'est dans ce pays que l'on croise les Coptes, chrétiens monophysites, encore vêtus de noir, dont les ancêtres jetèrent les bases de cette conception du christianisme selon laquelle le Christ ne possède qu'une seule nature. C'est de là que se propagea cette doctrine qui rayonne aujourd'hui jusqu'en Éthiopie. Là, comme en Israël, l'armée encadre les visiteurs et assure leur sécurité.

Le Caire est une mégalopole dont l'air est irrespirable. La population y est si dense que des familles complètes vivent sur les toits des maisons. De la fenêtre de mon hôtel, je vois des Cairotes y installer des tentes rudimentaires dans lesquelles ils s'entassent. D'autres emménagent même dans des cimetières.

Au cœur du Caire, je me retrouve à l'intérieur des murs de la gigantesque forteresse de Saladin, ce Syrien venu au Caire établir son quartier général. C'est de là qu'il entreprit sa chasse aux croisés. Que d'histoire ! C'est là également que les soldats de Bonaparte logèrent après leur victoire sur les mamelouks, en 1798. Dans les cellules de la forteresse sont toujours enfermés quelques-uns des intégristes qui s'attaquèrent au président Anouar El-Sadate et l'assassinèrent en 1981.

Le temple d'Hatshepsout subsiste de nos jours, et son originalité architecturale témoigne du bon goût de cette reine détestée. Quand on pense qu'il fut construit 1 500 ans avant notre ère, il est difficile de concevoir qu'il soit encore si moderne.

Comme s'il ne faisait pas assez chaud aux abords du temple, je remonte le Nil jusqu'à la porte du Soudan. Des gens accompagnés de volailles, de moutons ou de chèvres montent à bord de notre rafiot. Deux hommes se présentent même avec une longue perche autour de laquelle s'enroule un python! Les touristes ont peur, mais on nous rassure : le serpent s'en va chez le fabricant de chaussures…

À notre arrivée, on me sort des rangs du groupe de touristes avec lequel je me déplace pour m'emmener dans un genre de hangar militaire où des officiers me questionnent de long en large. Ils veulent savoir qui je suis et d'où je viens. Je leur demande quel est le motif de cet interrogatoire. On me dit que ma chemise à l'effigie de l'ONU leur a mis la puce à l'oreille. On m'explique que le barrage Nasser est une cible des intégristes et que ma tenue pourrait constituer un subterfuge employé par les terroristes.

Il fait 50 degrés Celsius. On nous fournit des serviettes mouillées, ce qui nous évite de nous évanouir. Ce fut d'ailleurs le sort de l'épouse de Ramsès II le jour de l'inauguration du temple d'Abou Simbel.

Au milieu d'une population clairsemée, on identifie des faciès pas comme les autres. Il s'agit de descendants des Nubiens. Les femmes possèdent la grâce naturelle de s'exprimer avec leur regard ; ce sont leurs yeux qui nous parlent. Quelle mosaïque que cette Haute Égypte! Nous sommes à 250 kilomètres d'Assouan, en plein tropique du Cancer. À cet endroit, le grand pharaon Ramsès II fit ériger le petit temple d'Abou Simbel à sa gloire personnelle et à celle de la reine Néfertari. Ce monument, érigé à la porte de l'Afrique, évoque la grandeur de l'empire égyptien. Le grand pharaon est là, assis depuis nombre de millénaires à fixer le monde et à rappeler aux Nubiens que c'est par ici qu'on entre dans son royaume.

Il y a tant et tant à voir en Égypte... À Alexandrie, l'apparent bain de Cléopâtre, ainsi que la colonne de Pompée, celui qui débarrassa la Méditerranée des pirates qui y faisaient la pluie et le beau temps, empêchant ainsi le développement du commerce entre Rome et Alexandrie. À Aboukir, la ville engloutie, ce musée des mers d'où les plongeurs ont pu rapporter les trésors de l'*Orient*, le bateau de Bonaparte, coulé en 1798 par l'amiral Nelson. Et comme souvenir de la Seconde Guerre mondiale, à l'ouest d'Alexandrie, El-Alamein, lieu de la victoire des Alliés.

Oubliez tout ce qu'on vous a dit au sujet des terroristes. Visitez l'Égypte sans crainte. Pour l'histoire, pour les monuments, pour tous ces endroits extraordinaires qui contemplent le monde depuis des millénaires, le jeu en vaut largement la chandelle.

• • •

C'est avec mon collègue et ami Normand Guérette que je m'arrête un jour à Accra, la très agitée capitale du Ghana.

À l'aéroport, nous nous séparons un court instant. Quand je retrouve mon camarade, il est coincé entre deux bandes rivales qui se bagarrent pour transporter nos bagages. Le but du jeu, bien sûr, est d'arracher à

Normand le plus gros pourboire possible. Croyant désamorcer la crise, ce dernier finit par lancer un billet de dix dollars américains en direction d'une des bandes. Quelle mauvaise idée ! L'autre bande se met aussitôt à réclamer — à exiger, devrais-je dire — ses dix dollars à elle, et nous n'avons d'autre choix que d'obtempérer. Tout cela pour une histoire de bagages que l'on doit porter jusqu'à une voiture de taxi stationnée de l'autre côté de la rue... qui doit, elle, nous conduire à l'hôtel situé à quelques pas de là... Ce genre d'incident se produit souvent en voyage. Il nous en coûte finalement 20 dollars pour une course de quelque 30 secondes. Le lendemain, nous nous rabattons plutôt sur la navette de l'hôtel qui, elle, ne coûte que 1,50 dollars.

En transit pour une quinzaine d'heures, nous avons le temps de prendre le pouls d'Accra. En visitant le fort Cap Coast, nous constatons, comme les rares visiteurs qui s'y aventurent, que la rouille s'est installée partout. Ses canons anglais et les boulets qui traînent ne craignent plus l'ennemi, qu'il soit portugais ou hollandais, mais plutôt la corrosion... Puis, sous un immense baobab, on nous présente un marabout qui affirme avoir parlé à Dieu. Malheureusement, nous ne connaîtrons jamais la teneur de son échange !

Le Ghana est plein de paradoxes. Pauvre en nourriture et en travail, il est riche en or. Au musée d'Accra, nous découvrons la passionnante histoire de cette richesse, qui n'est qu'apparence en ce pays indigent. Bien sûr, les coffres remplis d'or sont bien verrouillés pour ceux qui crèvent de faim...

•••

Avoir le bonheur d'observer des animaux sauvages dans leur habitat naturel, c'est un privilège. Quand on a la chance de le faire vient bien vite un moment où on ne peut plus s'en passer. C'est ce que je m'apprête à découvrir... Ainsi, je me retrouve en Ouganda, l'ancien royaume d'Idi Amin Dada, ce dictateur sanguinaire qui y fit la loi entre 1971 et 1979. Le pays croule sous le poids de son endettement et des dépenses d'ordre militaire. Il faut dire que ses soldats ont la lourde responsabilité de protéger les 600 gorilles de montagne à dos argenté qui, à cause de l'abondante nourriture que l'on y trouve, se sont installés dans la forêt impénétrable de Bwindi.

L'Ouganda est une république de bananes qui nourrit mieux ses gorilles que sa population, mais ce n'est qu'un des nombreux paradoxes que doivent affronter la plupart des États africains en ce début de XXIe siècle. Du temps d'Amin Dada, qui pratiquait l'assassinat et les exécutions sommaires à très haute échelle («Un homme ne court jamais plus vite qu'une balle», disait-il), les crocodiles du Nil, qui sont parmi les plus gros du monde — on ne néglige pas, bien sûr, de les montrer aux touristes —, étaient gras comme des voleurs. Les soldats du tyran, toutefois, jetèrent tellement de cadavres dans le Nil que les pauvres bêtes n'y touchaient presque plus.

Le circuit routier de l'Ouganda est si abîmé qu'en comparaison, les routes du Québec ont l'air neuves. Toujours avec mon ami Guérette, je parcours en jeep les 600 kilomètres de ruban cahoteux qui séparent Kampala, la capitale, de ma destination finale, la grande forêt.

À la sortie de Kampala s'élèvent ces hangars d'Entebbe où l'aviation israélienne vint libérer les juifs séquestrés par Amin Dada à la suite du détournement d'un avion d'Air France en 1976. Ces bâtiments sont restés intacts. Nous nous arrêtons ensuite près du beau lac Victoria, dernière escale rafraîchissante avant l'aventure. Près de ma table, au restaurant, un jeune homme est accompagné de trois superbes femmes.

— En principe, j'ai droit à une quatrième épouse, me dit-il. Mais la croissance démographique commence à peser lourd, non seulement sur l'Ouganda, mais également sur mes revenus, me confie ce jeune homme d'affaires.

Puis, après une nuit sous la tente à écouter gronder l'orage, nous pénétrons enfin dans la forêt de Bwindi.

C'est loin d'être une sinécure. Le taux d'humidité culmine à 100 %. On ne s'y aventure pas sans gourdes d'eau, puisqu'il faut parfois marcher pendant huit ou neuf heures pour arriver au royaume des primates. Le sol, aussi accidenté que possible, est infesté de serpents tous plus venimeux les uns que les autres. Une fois sur place, nous disposerons d'à peine une heure pour prendre des photos. Les flashes sont interdits, et il est recommandé de garder le silence. Il suffit à un visiteur de souffrir d'un simple rhume ou d'un mal de tête pour qu'on lui interdise d'aborder les gorilles. Les groupes de plus de six personnes ne sont pas autorisés à les approcher non plus.

Le gorille au dos argenté passe la moitié de sa journée à manger. Le reste du temps, il prépare son lit pour la nuit. Il circule généralement dans une zone qui ne dépasse pas les 30 kilomètres. Avec les chimpanzés, ces primates passent pour être les animaux les plus intelligents de la création, tout juste après les dauphins.

Nous nous apprêtons à entrer dans la forêt quand notre guide s'avise soudainement du fait que nous ne sommes que cinq. Il nous demande alors d'accueillir parmi nous un journaliste italien qui, la veille, s'est tapé neuf heures de marche sans croiser un seul gorille. Nous acceptons, naturellement, mais réalisons en même temps que nous risquons de marcher durant neuf heures pour rien, nous aussi. Ça nous inquiète, bien sûr, mais la chance sera de notre côté.

Au bout d'une pénible heure de marche, nous tombons sur une famille de neuf gorilles. Les bébés se balancent sur les plus hautes branches pendant que le père, une bête de près de 300 kilos, et madame son épouse mangent tranquillement, bien installés sur le plancher des vaches.

Je le redis ici : rencontrer des animaux dans leur habitat naturel procure des sensations inoubliables, surtout quand on est le moindrement téméraire.

Fasciné, je contemple cet énorme mâle qui mâchouille des feuilles derrière un bosquet d'arbres quand il surprend soudain mon regard. Le voilà qui me fixe dans les yeux. Rarement, au cours de ma vie, ai-je reculé devant qui que ce soit... C'est donc tout naturellement que je commence par tenir tête au gorille. Je soutiens son regard aussi longtemps que je peux, mais, au bout d'un certain temps, je dois baisser les yeux. Son regard est tellement intense que j'ai l'impression d'être devant un individu qui, tout en mastiquant calmement, lit dans ma pensée. Le guide s'approche aussitôt de moi et m'explique que si jamais le gorille se met à se taper sur la poitrine, il faudra que je me couche par terre et que je fasse le mort.

Notre présence importune ces belles bêtes, c'est évident. Elles se mettent rapidement à grogner, à vociférer, à nous lancer leurs excréments, bref, à nous faire savoir que le spectacle est terminé et que nous avons intérêt à déguerpir au plus tôt. Le guide a dit vrai : mon gorille de 300 kilos se met alors à se taper sur la poitrine. Je me jette immédiatement sur le sol. Pendant ce temps, le journaliste italien qui s'est joint à notre groupe se tient un peu à l'écart. Il tourne le dos à la bête, occupé à photographier ses petits qui jouent un peu plus loin.

Et voilà que notre gorille s'avance vers lui. Le guide lui chuchote aussitôt de ne plus bouger et de regarder par terre. Il est trop tard pour s'étendre au sol.

Aussi incroyable que ça puisse paraître, la puissante bête s'approche de lui, lui marche sur les pieds et tourne les talons. Notre homme, la veille, s'est engagé dans une éprouvante expédition pour voir des gorilles et est rentré bredouille. Cette fois, il fait connaissance avec un chef de famille...

Quels que soient nos frissons, c'est une sensation indescriptible que d'avoir sous les yeux des spécimens aussi intelligents. Leurs puissantes mains leur offrent d'incroyables possibilités de mouvement, et ils se parlent entre eux. Leur langage, ce sont des cris, des signaux.

Avant que l'armée ougandaise ne prenne en charge la protection de cette faune, les braconniers s'en donnaient à cœur joie. Armés de carabines, ils faisaient des ravages. Il n'était pas rare de voir, dans un marché du Rwanda, à 20 kilomètres de cette forêt, les mains de ces pauvres bêtes transformées en cendriers que l'on vendait aux touristes. Plusieurs spécialistes croient pour leur part que la seule façon de les protéger adéquatement, c'est de les envoyer au zoo, mais les gorilles de montagne ont le sens de la famille, et il leur

le tour des hyènes, puis des vautours. En moins d'une heure, la carcasse est si propre qu'on jurerait qu'elle a été récurée.

Les bêtes tuent pour se nourrir. Les hommes tuent parce qu'ils se prennent pour des êtres supérieurs. C'est à pleurer.

Le lendemain, nous suivons tranquillement un troupeau d'éléphants dans la réserve nationale massaï. Les bêtes se dirigent vers un point d'eau pour prendre leur bain du matin. À un moment, un gros pachyderme se tourne vers nous et se met à fixer notre jeep en battant des oreilles pour chasser les moustiques. Il mesure quatre mètres de hauteur, c'est-à-dire environ quatorze pieds. Quand un éléphant vous regarde fixement en se faisant aller la trompe de gauche à droite, il y a intérêt à déguerpir ! Je saisis alors mon appareil photo et demande au chauffeur de la jeep de laisser l'éléphant s'approcher autant que possible... Il s'en est fallu d'une seconde ou deux pour que l'énorme bête ne piétine notre véhicule.

J'imagine que les éléphants doivent en avoir ras le bol de ces touristes qui leur pompent l'air... Ironiquement, ils doivent un peu leur survie au tourisme, en même temps que la proximité des humains est en train de les dénaturer. On n'en est pas à un paradoxe près.

Plus loin, nous nous arrêtons au lac Nakuru, réputé pour sa faune aquatique. Pélicans et flamants roses sont des millions à jacasser à la face des touristes. Il faut avoir été témoin d'une telle scène au moins une fois pour réaliser tout ce qu'on risque de perdre en continuant d'agir en prédateurs inconscients. Je me demande même si ces beaux oiseaux ne déblatèrent pas, en réalité, sur ces humains qui polluent les lieux en jetant leurs saloperies de déchets sur les bordures du lac...

Au cours de ces safaris, on autorise rarement les touristes à descendre des véhicules. C'est trop dangereux. On vous permettra de le faire aux abords des cours d'eau dans lesquels pataugent les hippopotames, et encore ; qui dit cours d'eau dit reptiles. Ne soyez donc pas surpris si votre guide vous recommande de faire du bruit en marchant. Ces machins noirs qui ressemblent à du bois mort dans les arbres, ce sont des mambas au venin extrêmement toxique. Contrairement à la majorité des espèces de serpents, les mambas n'ont généralement pas tendance à fuir devant un agresseur... On risque la mort à s'y frotter. Il est donc recommandé de prendre ses précautions, puisqu'en cas de morsure, vous disposerez d'environ une dizaine de secondes pour rédiger votre testament...

• • •

Pour débarquer en Tanzanie à partir du Kenya, il suffit de s'y faire déposer par la jeep kenyane, après quelques minutes sur un petit sentier. La frontière entre ces deux pays, c'est une ligne de pierres blanches, piquée de temps à autre d'un petit écriteau.

La steppe est fort belle. Devant nous, des éléphants qui broutent ; derrière eux, je vois, émerveillé, le profil du mont Kilimandjaro, si souvent chanté. Quelques gardes-frontière nous accueillent et appliquent le petit tampon sur nos passeports.

Ainsi, les nomades, les animaux sauvages et... les braconniers passent facilement d'un pays à l'autre. Ceux qui ont vu le film relatant la vie de Dian Fossey[15], qui a

---

15. *Gorilles dans la brume*, réalisé par Michael Apted (1988), d'après le livre de Dian Fossey, *Gorillas in the Mist*, Houghton Mifflin Company, 1983.

littéralement sauvé les gorilles du Rwanda de l'extinction pure et simple, savent de quoi je parle. Les agents fauniques ont un mal de chien à contrer les plans des braconniers, qui bien souvent se déguisent en Massaï pour passer plus facilement la frontière, mais ils y travaillent. Il y a au moins cela de rassurant.

Outre les Massaïs qui sont autorisés à piller le « garde-manger », il y a encore les Bantous, à la fois guerriers et pasteurs. Les Massaïs, très dépendants de l'élevage du bétail, se servent parfois dans leur propre cheptel plutôt que d'avoir recours à la chasse. Ces gens se nourrissent surtout de laitages et de sang. Ils prélèvent le sang des jeunes bovins sans les tuer, en les saignant d'une flèche tirée dans la jugulaire. Puis, ils ferment la plaie à mains nues avec des herbages. Un bol de sang mélangé à du lait constitue l'aliment de base. La viande est consommée plus rarement et ne doit jamais être mêlée à du lait ; elle est réservée à certaines cérémonies ou occasions particulières. Ce peuple de tradition guerrière est bien souvent victime de vols d'animaux, perpétrés par des tribus rivales. Mais dans ce pays, la vengeance est permise...

La Tanzanie d'aujourd'hui doit son fragile équilibre budgétaire à l'afflux d'amateurs de safari-photo. Les Tanzaniens, comme la plupart des Africains, font beaucoup d'enfants, et le pays peine à nourrir tout son monde. Sans les touristes, il éclaterait certainement.

Nous établissons donc notre campement au sommet du cratère du Ngorongoro, dans le nord du pays. Tôt le matin, en sortant du bivouac, j'aperçois un jeune berger qui émerge doucement du brouillard. On dirait une scène tirée d'un tableau très ancien... J'imagine que c'est un jeune Massaï. Je songe alors qu'il y a des chances pour que ce jeune homme devienne pasteur ou éleveur. Il ne sera certainement pas guerrier, en tout cas.

Cette apparition a piqué ma curiosité. Je m'approche de l'œil du cratère, et ce que je vois me coupe littéralement le souffle. Il y a là, en bas dans un fortin, une colonie de Massaïs, qui cohabitent avec la faune en toute harmonie. Ces hommes drapés de rouge vivent comme leurs ancêtres d'il y a 500 ou même 1 000 ans. Au fond de leur cratère, ils sont à l'abri des grands prédateurs qui rôdent la nuit.

Avec les Zoulous d'Afrique du Sud, les Massaïs constituent les dernières véritables tribus du continent noir. Leur allure de guerriers est tempérée par un sens de l'esthétique à nul autre pareil. Ils ne sont pas faciles à aborder. Notre guide intervient alors pour leur demander humblement la permission d'entrer dans leur domaine.

En nous apercevant, les Massaïs se mettent immédiatement à l'heure de la fête, eux qui savent rarement quelle heure il est... Je ne sais pas si leur horloge est réglée sur celle des touristes, mais ils procèdent sur-le-champ, devant nous, à l'initiation des jeunes guerriers ... c'est-à-dire qu'ils les circoncisent en vue de leur entrée dans le monde des adultes. Ces jeunes pourront alors entreprendre leur vie sexuelle et épouseront une jolie fille du coin, ou encore plusieurs... Il y a plus de femmes que d'hommes au pays des Massaïs.

Plus tard, ces jeunes hommes au visage badigeonné de blanc endosseront leur bure rouge et deviendront éleveurs comme leurs pères, mais ils conserveront leur statut de guerrier, au cas où... N'est-ce pas Voltaire qui disait : « Si tu n'es pas révolutionnaire à vingt ans, tu seras pâtissier à quarante... » ?

Au bout de tout ce périple, je parviens enfin à la limite du continent, en Afrique du Sud. Me voilà au pays de Nelson Mandela, qui est un exemple de persévérance et de réussite. Cinquante pour cent de la population sud-africaine gagne moins d'un dollar américain par jour. L'apartheid pratiqué par les Afrikaners et autres colons blancs a laissé des traces, mais les choses sont appelées à changer. La Constitution de l'Afrique du Sud libérée par Mandela ne date que du 9 mai 1996, après tout.

Ce jeune État africain est aujourd'hui la première puissance économique du continent, et des infrastructures modernes sont maintenant accessibles sur tout le territoire. La majorité noire a succédé à la minorité blanche en 1994. Les Métis et les Asiatiques complètent la population.

Nelson Mandela a longtemps croupi en prison avant de libérer ses compatriotes. Au cours de mon séjour là-bas, je visite la cellule dans laquelle il fut enfermé durant plus de 27 ans, à dormir sur un matelas de ciment et à se doucher à l'eau froide, tant et si bien qu'encore de nos jours, il en a conservé l'habitude... À sa place, la plupart d'entre nous auraient été brisés moralement.

Pas lui. Malgré sa phobie de la pendaison — ce serait pour cette raison qu'il ne porte qu'exceptionnellement la cravate —, il en est ressorti plus fort. Comme le disent les Anglais : « *What doesn't kill you makes you stronger.* » Mandela a permis aux Noirs de prendre leur place.

Le guide blanc qui m'accompagne à Johannesburg me fait remarquer que « la vengeance est douce au cœur de l'Africain ». Ce sont désormais les Blancs qui font la queue à la porte des grands établissements gouvernementaux. Par contre, un grave problème de délinquance commence à infecter cette métropole. Des dizaines de milliers d'habitants qui vivaient en montagne se sont installés en ville, squattant à peu près tous les édifices inoccupés, ce qui contribue à congestionner la ville. À un point tel, d'ailleurs, que la plupart des grands bâtiments sont désormais placardés. Même le Hyatt Regency a été abandonné. La ville est si peu sûre que de nombreux commerçants l'ont désertée pour s'installer en banlieue.

Juste à côté se trouve Soweto, ce bidonville qui est perpétuellement en attente d'eau et d'électricité. En me promenant dans ses rues qui transpirent la misère, j'aperçois au bout de l'une d'elles un commerce de fleurs. Et ce fleuriste qui attendrit ses clients n'est nul autre que Dingaan Thobela, ancien champion du monde de boxe venu à Montréal en décembre 2000 pour perdre son titre aux mains de Dave Hilton. Tout ce qu'il a retenu de notre ville, c'est qu'il y fait froid…

Plus au sud se trouvent les quartiers chics que la nouvelle bourgeoisie noire a investis depuis la libération. J'y vois des villas immaculées, perchées au sommet des montagnes, des gratte-ciel futuristes, des villages tribaux, des vignobles et des terres agricoles d'une richesse à enviable.

Au sud du pays, on retrouve le cap de Bonne-Espérance, initialement baptisé cap des Tempêtes en raison des conditions climatiques qu'y rencontra le Portugais Bartolomeu Dias, qui le découvrit en 1488. Il fut renommé cap de Bonne-Espérance une décennie plus tard par Vasco de Gama, un autre Portugais, qui le contourna en espérant que son voyage ouvrirait à la couronne portugaise la route des épices. Toutefois, ses espoirs furent vite anéantis par les Hollandais, mieux organisés et déjà experts en matière de commerce et de navigation intrépide. Pourtant, on ne compte plus les bateaux qui ont renoncé à traverser d'un océan à l'autre tant l'épreuve effraya leur capitaine...

J'ai longtemps rêvé de voir ce cap où les océans Atlantique et Indien se rencontrent. Au final, il s'est avéré moins impressionnant que je l'avais imaginé. Je le croyais très haut, comme celui de Gibraltar, mais ce n'est pas le cas. Il ne s'agit en fait que d'une pointe dans la mer, semblable à bien d'autres dans les environs.

Au nord-est s'étend le célèbre parc national Kruger dans la région du Transvaal, où on m'emmène à la rencontre des Ndébélés. Cette tribu vit dans des huttes rudimentaires, mais décorées avec beaucoup d'art. Construits avec de la bouse de vache et des briques de boue, leurs murs présentent de grandes peintures murales composées de formes géométriques. Les femmes qui m'accueillent sont vêtues de manteaux aux couleurs vives. Elles portent aussi des parures très lourdes constituées d'anneaux de cuivre perlés autour du cou et de la taille; le nombre d'anneaux correspond à la réputation de la santé sexuelle de leur époux. Quand une femme ndébélé s'avère infertile, le mari peut exiger des parents de son épouse qu'on lui rembourse le prix de son mariage.

Un peu plus loin, je m'arrête à Lesedi, au pied des monts Magaliesburg. Il fait tellement chaud ce jour-là que le chef insiste pour me faire boire un jus qui goûte vaguement l'orange. Il m'informe alors que ce liquide augmente les capacités sexuelles... Il s'apprête à m'en offrir un deuxième verre quand il commet l'erreur de me révéler qu'il s'agit de jus de mamba, fabriqué à partir du venin de ce serpent considéré comme l'un des plus dangereux d'Afrique. Ai-je besoin d'ajouter que je décide de passer mon tour ?!

Que de diversité dans ce pays ! Mon guide m'emmène cette fois dans un magnifique complexe où tout est impeccablement blanc, maisons et individus. Le 14 juillet, ces Afrikaners festoient avec les rarissimes Français qui vivent là. Tout est bleu, blanc et rouge, et le bal musette invite ce beau monde à chanter et à danser. Il n'y a vraiment plus de frontières. Là encore, la présence de Napoléon se fait sentir. C'est en effet d'un majestueux manoir du cap qu'il faisait venir son vin à l'île Sainte-Hélène ; je n'ai de hâte que de fouler le sol de cette île qui accueillit la dépouille de l'Empereur.

Dernière escale avant Sainte-Hélène

C'est toutefois en Namibie que je m'arrête d'abord, cette contrée que le peuple estime être le plus vieux désert du monde ; il s'agit en fait de la première région d'Afrique à s'être désertifiée sur ce continent. Les habitants vont même jusqu'à dire que les dunes parfois rouges de leurs déserts, qui peuvent atteindre 300 mètres de hauteur, sont les plus hautes du globe. Les Libyens vous diront cependant la même chose...

La Namibie est située au bout de la terre, tout près de l'Afrique du Sud en fait. Il est vrai qu'il est périlleux de circuler entre les immenses falaises de sable qui jalonnent le désert. Il suffirait qu'un fort vent se lève pour qu'on soit enseveli sous des avalanches de sable. Le vent y a aussi façonné d'inimaginables sculptures, ce qui donne toute sa particularité à cette étendue désertique.

Je me retrouve d'abord dans une colonie allemande où on parle encore la langue de Goethe, en plus de l'afrikaans. Toutefois, l'anglais est la seule langue officielle de Namibie. Ça ne vous fait pas penser au Québec, où le français est la seule langue officielle pourvu qu'on parle toutes les autres ? À l'époque où les Allemands occupaient ce qu'ils appelaient la « colonie maudite » (1884-1920), celle-ci était peuplée en majorité d'individus plus ou moins recommandables dont la plupart avaient été chassés de leurs terres natales à la suite de scandales. En arrivant en Namibie, ils se faisaient construire de somptueux manoirs à vil prix grâce à une main-d'œuvre sous-payée. Ce n'était pas, à proprement parler, de l'esclavage, mais c'était limite. Ce sont ces ouvriers, en tout cas, qui construisirent Windhoek, la capitale étonnamment moderne du pays, qu'aucun de nos étudiants québécois ne connaît, cela va de soi... De nos jours, les Namibiens comptent énormément sur le pétrole qu'on vient de découvrir dans leur sous-sol pour améliorer leur qualité de vie.

À bord du *Rhapsody*, le bateau qui m'emmène à Walvis Bay, le long de la côte namibienne, je saisis toute l'étendue du danger que nous courons de nous abîmer sur les centaines d'épaves qui jonchent le fond de la mer. On appelle ce cimetière marin la côte des Squelettes, ou Skeleton Coast. Les Namibiens en parlent comme d'une attraction touristique. Nous naviguons à travers les bateaux de pêche jusqu'à ce qu'un gros coup de vent nous déporte vers le large. Le capitaine doit manœuvrer ferme pour contourner les carcasses de navires.

Sur la côte se dressent nombre de luxueuses maisons avec piscine, adossées aux bancs de sable.

Les piscines font d'ailleurs la joie de ces Africains, puisque la mer est trop glacée pour s'y baigner. Je me rends enfin près du Kaokoland, au nord de la Namibie, où vivent les Himbas. Je traverse rapidement un village en forme de cercle. Au centre, un parc où se trouvent des vaches sacrées. Le statut de ces animaux n'est donc pas exclusif à l'Inde ! Les femmes himbas, fort belles, enveloppent leur corps non de vêtements, mais d'une épaisse couche de graisse et de poudre ocre, censée les protéger des mouches et du soleil, tandis que leurs bras et leurs chevilles sont ornés de bracelets argentés. Sur la côte, des villages fantômes qui rappellent non pas la ruée vers l'or, mais vers les diamants.

Le *Raphsody* reprend bientôt le large et met finalement le cap sur l'une des îles perdues du globe terrestre : Sainte-Hélène, immortalisée par Napoléon.

Les derniers pas de l'Empereur

Après quatre jours de navigation, depuis le pont du navire, j'aperçois soudain un rocher noir. Il s'agit de l'île Sainte-Hélène, telle qu'elle apparut à Napoléon, le 17 octobre 1815, depuis le *Northumberland*. Il venait à peine de « frapper son Waterloo » face aux Anglais, aux Prussiens et aux Autrichiens, qui s'étaient mis à trois armées pour lui faire sa fête. Au lendemain de cette célèbre bataille, les Anglais n'eurent plus qu'une idée en tête : se débarrasser de lui en le déportant au bout du monde, dans l'espoir qu'il ne revienne jamais.

Et le bout du monde en question, ce fut Sainte-Hélène, petite île de 122 kilomètres carrés, fichée quelque part entre l'Afrique et le Brésil. En l'apercevant sur la ligne d'horizon, un membre de l'entourage de l'Empereur déchu s'écria que c'était « le diable lui-même qui avait ch… cette île noire ».

Ce fut le duc de Wellington qui choisit, pour la déportation de Napoléon, ce qu'il estimait être une forteresse naturelle absolument imprenable, découverte par le Portugais João da Nova Castella le 21 mai 1502, jour de la fête de sainte Hélène, mère de l'empereur romain Constantin. L'île fut donc baptisée de son nom. Les Anglais, par l'intermédiaire de la Compagnie des Indes orientales, s'en emparèrent en 1657. Au fil du temps, ils en firent une prison réservée aux esclaves et une auberge pour les navigateurs en route vers le Cap.

Ce fut bizarrement l'emprisonnement de Napoléon qui fit la renommée de l'île… et ce fut un autre Français, Ferdinand de Lesseps, qui contribua à lui faire de l'ombre en creusant le canal de Suez et en détournant par le fait même la navigation vers le Moyen-Orient.

Deux cents ans plus tard, rien n'a changé… ou si peu. Je suis, après Ben Weider, président et fondateur de la Société napoléonienne, le deuxième Québécois à avoir foulé le sol de cette île.

Avant de descendre du bateau qui me conduit à Sainte-Hélène, j'ai l'occasion d'avoir un vigoureux échange avec le « pape » des historiens napoléoniens, Jean Tulard. Il se montre des plus surpris de voir qu'un Québécois, ami du richissime Ben Weider, se trouve à bord. Comme vous le savez peut-être, Weider est de ceux qui croient que Napoléon fut empoisonné à l'arsenic. Cette thèse gagne des adeptes d'année en année. Mais lorsque je la mentionne à Tulard, celui-ci n'est pas long à la balayer du revers de la main…

Comme en 1815, il n'y a toujours pas de quai. Nous abordons l'île en chaloupe. Il n'y a pas non plus d'aéroport. On parle cependant d'en construire un en 2010 ; il ne reste qu'à espérer que le gouvernement de l'île ne s'inspirera pas du cafouillage des promoteurs de l'autoroute 30, chez nous... Jamestown, la capitale, seule agglomération de l'île, est formée d'une unique rue et est incrustée entre deux énormes rochers. Elle abrite une population de 4 900 habitants.

À part quelques matelots qui y accostent de temps à autre, il n'y a pas de touristes. Tout y est resté en l'état : Longwood, Hutt's Gate, les Briars, la vallée de la Tombe, et Plantation House, le manoir du gouverneur Hudson Lowe.

J'éprouve une vive émotion en escaladant, dans les pas de Napoléon, les marches qu'il gravit sur le chemin de Longwood. À part le bitume qui a recouvert la terre, rien n'a changé. Au sommet de Deadwood est perchée la célèbre résidence beige et verte que les soldats, chargés de surveiller le captif, dessinèrent si souvent. Imaginez : ils étaient 5 000 pour ce faire ! À l'intérieur, une drôle de sensation s'empare de nous... un peu comme si Marchand, un des serviteurs de Napoléon, le comte Las Cases, son ancien chambellan, Montholon et Gourgaud, ses aides de camp, s'y chamaillaient encore. Il me semble entendre Napoléon hurler son désespoir en jouant au billard avec les rares élus qu'il recevait chez lui. J'aperçois le petit lit de camp qu'il avait ramené d'Austerlitz, son masque mortuaire, deux bustes de Joséphine et de Marie-Louise, les trous dans les persiennes à travers lesquelles il scrutait les alentours...

À l'époque de la déportation de l'Empereur, Longwood n'était rien d'autre qu'un ensemble de baraquements militaires rattachés aux écuries. La vie y était extrêmement difficile. Les pluies incessantes, le mistral et l'ennui plongèrent rapidement le célèbre locataire dans une profonde dépression. C'est le docteur Antommarchi, alors au service des Anglais, qui l'incita à sortir de sa réclusion. Il s'initia alors à l'élevage des abeilles, planta des arbres et se mit à jardiner. Les jardins qu'il cultiva subsistent toujours. Il n'avait pas connu un tel bonheur depuis le printemps 1815.

Avant d'être cantonné à Longwood, Napoléon logea un temps à la villa des Briars de William Balcombe, qui est aujourd'hui la résidence du consul de France. Il y tomba sous le charme de l'espiègle Betzy Balcombe, qui le visitait occasionnellement à Longwood. Quand les Balcombe durent quitter l'île pour Londres pour avoir manifesté une trop grande sympathie à l'égard de l'Empereur déchu, Napoléon offrit à Betzy une mèche de cheveux. Une partie de cet épi se retrouve aujourd'hui sur le bureau de Ben Weider. L'Empereur ne croyait pas tellement en Dieu, mais il vouait à saint Paul une grande admiration pour « sa ténacité à amorcer le mouvement chrétien naissant ». Il fit donc venir deux prêtres catholiques à la veille de sa mort.

Son décès survint le 5 mai 1821. On rapporte que ses dernières paroles furent : « La France, l'armée et Joséphine. » Ce qui fit dire à Chateaubriand, son ennemi repentant, qu'il « rendit à Dieu le plus puissant souffle de vie qui jamais anima l'argile humaine ». Il fut inhumé le 9 mai près d'une source de la vallée du Géranium, et ses compagnons quittèrent l'île 13 jours plus tard. Las Cases, déjà rentré en France, publia en 1823 *Mémorial de Sainte-Hélène* qui eut un énorme retentissement et fit de son auteur un homme riche.

Hudson Lowe, le gouverneur de l'île, s'opposa à ce qu'on grave le nom de Napoléon sur sa pierre tombale. La dalle vierge est encore là.

Dix-neuf ans après son inhumation, le cadavre de l'Empereur était toujours intact. Il s'en trouve pour dire que ce simple fait accrédite la thèse de l'empoisonnement que soutient Ben Weider. Le 25 juillet, Hudson Lowe plia enfin bagage. On lui reproche encore aujourd'hui d'avoir fait montre d'un zèle démesuré en s'acharnant sur la personne de Napoléon qui, rappelons-le, s'était librement rendu aux Anglais après Waterloo.

Au fil des années, Jamestown a lentement sombré dans l'ennui. Les habitants de l'île misent sur le tourisme, eux qui vivent surtout de l'aide sociale qui leur parvient de Londres, mais la tâche qui les attend est quasi surhumaine ; en avion ou pas, Sainte-Hélène, c'est bien loin, et ça ne concurrencera pas Hawaii ou Tahiti !

La population locale cherche donc des moyens pour atteindre son indépendance financière. Il faut dire que les insulaires ne sont pas peu fiers de leur philatélie nationale. Leurs timbres sont en effet magnifiques, et il est fort agréable, en fin d'après-midi, de les contempler en buvant du thé tout en mangeant des biscuits au Consulate Hotel. Mais c'est bien peu pour attirer les touristes... Sur Main Street, le commerce de Saul Solomon, où les Français du temps faisaient leurs courses, tient encore le coup. Explorer Jamestown, c'est déambuler au milieu de ces maisons des XVIIIᵉ et XIXᵉ siècles : la Wellington House, le Malabar ou l'Essex House, construite en 1739, racontent l'arrivée et le départ de Napoléon.

Toutefois, je ne pense pas que Sainte-Hélène deviendra un jour une destination touristique. C'est, en effet, un coin un peu trop isolé pour les visiteurs en bermudas... À la fin de mon périple à l'île, Denise Bombardier me rejoint sur le *Raphsody* et me demande de faire le récit de mon séjour pour le moins... exclusif. En rentrant à Montréal, je propose un texte avec photos au magazine *L'Actualité*. C'est avec réticence qu'on l'accepte et qu'on me paye, pour finalement ne jamais le publier. Que voulez-vous! Lorsqu'on ne passe pas l'examen à la chapelle « des p'tits copains », on est condamné à vivre en dehors de ces lieux sanctifiants...

Le vrai berceau : l'Éthiopie

De retour sur la terre ferme après le périple qui m'a conduit aux derniers jours de la vie de Napoléon, je réalise qu'il y a une autre Afrique à voir, une Afrique que je n'aurais manqué pour tout l'or du monde, celle des plus belles femmes de ce continent : l'Éthiopie. C'est l'auteur Raymond Paquin qui, il y a quelque temps, m'a persuadé de m'y rendre. Il y est allé en 1992 pour tourner un docudrame basé sur la vie et l'œuvre d'Arthur Rimbaud, intitulé *Farenji*.

Mon premier contact avec l'Éthiopie remonte à l'exposition universelle de 1967. Comme j'en ai fait mention au premier chapitre de cet ouvrage, cette année-là, l'empereur Hailé Sélassié, que ses sujets appelaient le négus et que ses disciples surnommaient le Roi des rois, était venu inaugurer le pavillon de son pays à Terre des hommes. Peu de gens savent qu'il est considéré comme un dieu vivant par les rastas du monde entier. « Rasta » signifie « adorateur du prince », et la musique reggae elle-même est étroitement associée à ce mouvement.

Les Éthiopiens descendent des Nubiens. Les femmes éthiopiennes sont certainement les plus belles du continent africain, de la même façon que les Colombiennes sont, à mon humble avis, les plus belles femmes d'Amérique du Sud.

Autrefois appelée l'Abyssinie, l'Éthiopie est très pauvre. Près de la moitié de ses 75 millions d'habitants sont des chrétiens orthodoxes ou coptes, alors que les adeptes de l'islam, qui composent environ 40 % de la population éthiopienne, se concentrent principalement dans l'est et dans le sud du pays, qui passe pour être le berceau de l'humanité. La plupart des historiens croient que le tombeau de la reine de Saba s'y trouve. Et c'est un archéologue québécois qui l'aurait trouvé!

C'est encore en Éthiopie que les anthropologues mirent au jour la célèbre Lucy, l'un des plus vieux squelettes hominidés recensés à ce jour, et le plus complet. J'y reviendrai plus loin.

Je me rends donc faire mon propre pèlerinage en Éthiopie avec, à mon côté, mes comparses Normand Guérette et Alain Dufour. Un avion de la South African Airways nous amène de nuit du cap de Bonne-Espérance à Addis-Abeba, la capitale dont le nom signifie «nouvelle fleur» — mais l'oxyde de carbone dans l'air nous empêchera d'en humer le parfum. En chemin, on nous annonce tout à coup une escale imprévue à Khartoum, au Soudan. Sitôt que nous nous posons sur la piste obscure, l'engin est encerclé par des jeeps de l'armée soudanaise. Les soldats grimpent à bord et nous examinent comme si nous étions des criminels en cavale.

À force de patience, ils finissent par mettre la main sur un passager bruyant qui, pendant le vol, a osé défier le personnel de bord en allumant une cigarette après s'être enfermé dans les toilettes. L'alarme s'est déclenchée, ce qui a fini par énerver tout le monde. Les hôtesses ont été bousculées par le malotru, qui semblait croire qu'il avait tous les droits. Malheureusement pour le bougre, il n'y a pas de charte des droits et libertés au Soudan. Le contrevenant est donc évacué de l'appareil, et je ne saurai jamais au juste quel sort lui a été réservé, ni s'il fumait des Marlboro, la « cigarette des vrais hommes » !

Mon ami Guérette, un des non-fumeurs les plus intolérants que je connaisse, la trouve bien bonne ; mais devant la mine renfrognée des militaires qui, eux, fument des cigarettes puantes, il juge plus prudent de ravaler la fumée... et son sourire goguenard. En un mot, au Soudan, on ne rigole pas.

Après une autre courte escale à Addis-Abeba, nous sautons dans un petit avion en partance pour le Harar, situé dans l'est du pays. Rien n'y a changé depuis au moins 1 000 ans.

En décembre 1880, Rimbaud y parvint à dos de chameau, au terme d'un périple d'une vingtaine de jours à travers le désert de Somalie. Pour les gens du Harar, il y a deux sortes d'étrangers : les bons et les mauvais. Ils surnomment les bons *Farenji* — la déformation du mot *French* — et les mauvais, *Rouskis*, pour *Russians*.

Sitôt qu'ils vous entendent parler français, les habitants du Harar ne manquent pas d'évoquer le nom de Rimbaud. Ce n'est pas tellement qu'ils savent qui il était, mais plutôt qu'ils connaissent l'intérêt que portent les touristes à ce poète qui troqua le confort de son existence parisienne pour une vie de misère dans un des pays les plus arides du monde. Les lettres qu'il écrivit à sa mère à cette époque étaient remplies de chagrin et de détresse.

Dans une rue étroite bordée de maisons blanchies à la chaux, on remarque tout de suite une demeure plus imposante que les autres. On vous dira que c'est celle où logea Rimbaud, mais, au premier coup d'œil, on constate vite qu'elle est trop luxueuse pour avoir abrité le poète en exil. J'apprendrai plus tard qu'elle fut construite dix ans après sa mort par un riche commerçant indien. On y expose les textes de Rimbaud ainsi que des photos d'époque.

Mes premières nuits passées au Harar sont ponctuées par les aboiements de chiens sauvages qui m'empêchent littéralement de dormir. La légende veut que Rimbaud, en son temps, leur tirât dessus avec un fusil. Durant la journée, aux alentours du marché chrétien situé à l'extérieur des murs de la ville, des hyènes rôdent, et je me surprends à penser que le poète devait aussi en découdre avec elles.

Malgré cette fascination qu'exercent chez moi ce détour au XIXe siècle et la mémoire du poète qui a imprégné la ville, Guérette, Dufour et moi sommes pressés de retourner à Addis-Abeba, que nous n'avons pas eu le temps de visiter.

La première chose qui nous frappe, c'est la poussière. Il y en a partout.

Comme la plupart des capitales africaines, Addis-Abeba est sillonnée par de grands boulevards le long desquels sont disséminés un certain nombre d'édifices gouvernementaux, des hôtels et des usines, sans parler de l'ancien palais d'Hailé Sélassié,

ceinturé d'une cour dans laquelle le négus prome-
nait ses lions.

Une fois au cœur de cette métropole, toutefois,
nous nous heurtons à une misère que l'on peut à peine
concevoir lorsque l'on n'a jamais quitté notre douillet
Occident. Seule attraction d'Addis-Abeba : le Musée
national, où on exhibe les ossements de la célèbre
Lucy, cette « jeune » fille âgée de trois millions et
demi d'années. Elle est presque aussi vieille que notre
mère Ève elle-même. En amharique, on la surnomme
« Dinknesh », ce qui signifie « merveilleuse ». Elle
fut baptisée Lucy en référence à *Lucy in the Sky with
Diamonds*, la chanson des Beatles, qu'écoutaient
sur le terrain des fouilles les paléontologistes qui la
découvrirent en 1974.

Dans cette capitale poussiéreuse, les milliers de
joggeurs élancés que je croise sur Meskal Square me
rappellent que la plupart des grands marathoniens
sont soit éthiopiens, soit kényans. Il est vrai qu'ils
courent pour leur vie. Je n'ai jamais rencontré, nulle
part au monde, autant de ventres affamés, autant de
mendiants. En comparaison, nos sans-abri sont des
privilégiés.

En déambulant sur Churchill Road, je tombe sur
une bande d'enfants abasourdis à la vue d'un touriste
à bedaine. Ils s'amusent à lui frotter le bide. Le contenu
de l'énorme ventre de ce touriste aurait pu nourrir
des dizaines de petits affamés. C'est presque de la
provocation. Ces enfants font-ils le lien entre ventre
dodu et prospérité ?...

C'est la veille de Noël. Après un ultime tour de
ville, nous reprenons l'avion. Direction : la localité
de Jinka, dans le sud de l'Éthiopie, à proximité du
parc national de Mago. La carlingue de l'appareil

empeste l'huile à moteur ; le tapis et les sièges sont décrépits. Je dois admettre que je suis un peu nerveux ; j'ai l'impression de voler à bord d'un de ces coucous recyclés qui tiennent par un fil... Je tente d'oublier mes craintes en jetant un coup d'œil par le hublot. Du haut des airs, la sécheresse et l'aridité du pays sautent aux yeux. La terre, craquelée, n'est traversée que par de rares cours d'eau. Au terme d'un long vol, nous débarquons à Jinka, le domaine des Mursis, ce « trou » fort humide qu'affectionnent particulièrement les moustiques. Le pays est chrétien, et les Mursis n'hésitent pas à porter au cou des médailles et des croix, mais absolument rien n'évoque le temps des fêtes. Chez les chrétiens orthodoxes, on célèbre Noël le jour de l'Épiphanie. Pas de sapins, donc, pas de crèches, pas de cantiques. Rien d'autre que les aboiements de hordes de chiens sauvages qui se disputent les rares carcasses laissées par les hyènes.

À l'hôtel Jinka, un établissement privé d'électricité de minuit à midi, nous n'avons rien d'autre à faire que de prendre une bière et de nous battre contre les moustiques, en espérant que le vaccin que nous avons reçu suffira à nous protéger du paludisme. Nous ne mettons le nez dehors que pour marcher dans les champs qui bordent les pistes ; il n'existe pas d'autres chemins. Les femmes de tous âges transportent des charges de bois qui leur font plier les genoux pendant que les hommes mâchent du qat en discutant des grands problèmes de l'humanité... En réalité, j'ignore de quoi ils parlent au juste. Certainement pas de la guerre en Irak, et encore moins du protocole de Kyoto. Dans cette brousse, les nouvelles ne voyagent pas aussi vite que chez nous...

Quand je vous dis que les Éthiopiens ont faim...
Alain Dufour, Normand Guérette et moi sommes
attablés dans une paillote déguisée en casse-croûte.
Normand, ému par les ventres déformés de deux petits
affamés, leur donne à manger. Mais le père des garçons
saisit brusquement leurs assiettes et les balance par
terre. Pourtant, ces pauvres petits nous inspirent une
telle pitié... Dufour s'interpose aussitôt et se met
à invectiver le père. Une altercation s'ensuit. Alain
n'abandonne la partie qu'après l'intervention des gens
du hameau, dont quelques-uns sont armés...

Est-ce par fierté que ce père de famille nous
empêche de donner à manger à ses enfants? Il faudrait
que nous marchions des kilomètres dans ses souliers
pour comprendre.

Toujours à Jinka, nous nous arrêtons chez les
Mursis, une tribu dont on n'entend guère parler que
dans les magazines spécialisés de tourisme. Les Mursis
sont des nomades éleveurs de bétail, qui migrent au
rythme des saisons et vivent coupés du reste du monde.
Les femmes de la tribu portent, incrustés dans la peau,
des disques d'argile qui leur déforment la bouche
et les lèvres. Cet ornement n'a rien à voir avec une
quelconque préoccupation esthétique; le diamètre du
disque est révélateur de l'importance de la dot que le
père offrira à celui qui mariera sa fille.

Au nord-ouest du pays se trouve Bahir Dar, d'où
l'on peut admirer les chutes du Nil Bleu. Les eaux
s'y engouffrent dans d'étroites failles de basalte et
s'apaisent en atteignant le fond d'un immense canyon.
C'est le Nil Blanc qui prend sa source au Zimbabwe, au
pied des célèbres chutes Victoria. Plus loin, le Nil Blanc
et le Nil Bleu se rencontrent à Khartoum, au Soudan,

pour devenir le Nil, celui qu'évoquaient fréquemment Cléopâtre, César et les autres. On atteint ce point de jonction en empruntant un sentier rocailleux qui sillonne entre les rochers. Le paysage est grandiose. De temps à autre, des indigènes surgissent d'entre les fentes. Nous roulons sur 180 kilomètres avant d'aboutir dans un quartier bizarre de la ville de Gondar. On y trouve encore des juifs Falasha, ces Noirs qui conservent les tables de la loi juive. Les Israéliens ont enlevé de force plusieurs centaines de ces hommes et les ont emmenés en Israël. Ceux qui sont restés n'ont pas répondu à l'appel de l'État hébreu. Ils parlent une langue qui ne sonne pas du tout comme l'amharique. On croit qu'ils s'expriment en araméen, la langue que parlait Jésus de Nazareth ; les sceptiques pensent plutôt qu'il s'agit d'un dialecte. Je n'en ai personnellement aucune idée.

La cité de Gondar est réputée pour la ferveur religieuse de ses habitants. Nous sommes ici chez les Amharas, qui vont à l'église copte vêtus d'habits de coton blanc, symbole de pureté. Il faut voir ces centaines de fidèles massés devant la porte du temple, harangués par un grand prêtre drapé de somptueux vêtements brodés de fils d'or... C'est une expérience marquante. Les maisons de Gondar, quant à elles, évoquent l'architecture des puissances étrangères qui l'ont successivement occupée. Les Portugais, par exemple, tentèrent vainement de convertir le pays au catholicisme il y a quelques siècles. À la place, ils laissèrent derrière eux de magnifiques palais qui, encore aujourd'hui, témoignent des splendeurs de leur civilisation.

Gondar est devenue une ville bien tranquille. Il arrive toutefois qu'on y rencontre quelques Casques bleus, et c'est bien compréhensible ; nous sommes à quelques heures de l'Érythrée, ancienne province éthiopienne devenue indépendante, et il se produit régulièrement des frictions à la frontière. Ne perdons pas de vue que l'Éthiopie est un pays chrétien, alors que ses voisins sont islamistes...

Un peu à l'est de Gondar se trouve la fabuleuse ville monastique de Lalibela, baptisée en mémoire du grand roi Gebra Maskal Lalibela, qui fut canonisé par l'Église éthiopienne orthodoxe. Pendant son règne, qui s'étendit de 1189 au début du XIIIᵉ siècle, ce roi ordonna la construction de nombreux couvents et églises. Il me faudrait plusieurs vies pour admirer ces monuments aussi longtemps que j'en aurais envie. Lalibela est un site extraordinaire, une autre de ces splendeurs recensées par l'UNESCO. Ses onze églises monolithes médiévales sculptées à même le roc sont considérées par plusieurs comme la huitième merveille du monde. La plus impressionnante est la cruciforme de Saint-Georges, la dernière à avoir été construite pendant le règne de Lalibela, il y a plus de huit siècles. Elle mesure 12 mètres de hauteur. Ces onze monuments furent réalisés en moins de 24 ans, grâce au travail inlassable de milliers de ciseleurs.

Cependant, le temps, comme toujours, fait ici, hélas, son œuvre irréparable. Les infiltrations d'eau ont déjà causé des dommages qui inquiètent vivement les gens affectés à la protection du patrimoine mondial.

Avant de quitter le pays, nous nous rendons à Axoum, qui accueillit jadis la reine de Saba. Elle était l'Angelina Jolie de son époque, la plus belle femme au monde. Bien qu'elle fût de tout temps considérée comme une créature sublime, certains historiens la décrivent comme un personnage d'une profonde sagesse et d'une haute intelligence, et d'autres comme une magicienne tentatrice. Elle aurait régné depuis son palais d'Axoum jusqu'au fin fond du Yémen, plus de 1 000 ans avant notre ère. Sur la route des épices, près de Sanaa, on lui attribue la construction de barrages qui aujourd'hui tiennent encore debout.

Cette reine et son fils Ménélik furent à l'origine de la dynastie salomonide, se réclamant de la descendance du roi Salomon. Celui-ci trouva d'ailleurs la reine si belle qu'il lui demanda gentiment, par un soir de beuverie, la faveur de partager sa couche. La reine la lui accorda volontiers, et Salomon lui rendit un royal hommage qui eut des suites : Ménélik 1er naquit de leurs amours enflammées.

On dit que c'est à Axoum que se trouve la véritable Arche d'Alliance, comme on soutient que le tombeau d'Adam se trouve à Lalibela. Il n'y a pas de doute, nous marchons en ce pays, en ce continent, sur un sol empreint d'histoire...

CHAPITRE VII
Du Bosphore à la Corée...

L'Asie, avec ses 43 millions de kilomètres carrés, est le plus grand de tous les continents. Plusieurs records géographiques mondiaux y sont détenus, dont la plus haute altitude (le mont Everest, avec 8 849,87 mètres) et la plus faible (la mer Morte, située 417 mètres sous le niveau de la mer, est le point le plus bas du globe). Comme on l'a vu, je suis entré en contact avec l'Orient dans les années 1970. Israël m'a permis de rencontrer la belle Janis, puis je me suis assis sous un olivier et j'ai contemplé les vendeurs du temple d'un œil réprobateur. Au Liban, j'ai dormi d'un sommeil secoué par les bombardements. Et en 1975, je me suis promis de retourner au Vietnam...

Au cours de ma vie, j'aurai ainsi l'occasion de découvrir de nombreux pays asiatiques. Avant que nous grimpions sur le toit du monde, au chapitre suivant, je vous invite donc à faire le tour de ces destinations que je ne peux qualifier d'exotiques sans préciser que le mot est bien faible...

Le gué de la vache

Selon une croyance populaire, l'étymologie du mot « Bosphore » proviendrait d'une référence appartenant à la mythologie grecque. Ce terme signifierait «passage de la vache» (de *bous*, vache, et de *poros*, passage) et ferait allusion à l'histoire d'Io, jeune fille dont Zeus tomba amoureux. Celui-ci la changea en vache pour la soustraire à la jalousie de son épouse Héra, qui envoya néanmoins sur elle un taon chargé de la piquer sans cesse. C'est ainsi qu'Io, transformée en vache, traversa le détroit du Bosphore... et lui donna son nom.

De l'autre côté de cette mince fissure qui sépare l'Occident de l'immense Asie, c'est la Turquie qui nous accueille, contrée aux multiples visages où les prix sont relativement intéressants.

La Turquie se donne beaucoup de mal pour déterrer et restaurer ses monuments antiques. Et le pays en compte plusieurs. Par exemple, c'est sur le territoire de la Turquie actuelle que se trouvait autrefois la ville de Troie. On a eu beau déterrer la forteresse et avoir reconstitué le fameux cheval de l'endroit, toutefois, le panorama ne s'avère pas à la hauteur du mythe qui est relaté dans *l'Iliade* d'Homère. Istanbul elle-même, quand je la visite, m'apparaît quelque peu décevante, bien que Sainte-Sophie et la mosquée bleue soient d'une grande beauté.

Le Topkapi, palais des sultans de l'Empire ottoman, où un nombre incalculable d'orgies eurent lieu, est aussi à voir. L'édifice est si vaste qu'il est difficile de compter les salles où résonnèrent jadis les gémissements, dans ce temple du sexe et de la servitude. Encore intact de nos jours, le Topkapi accueille désormais les touristes «voyeurs» qui, d'un couloir à l'autre, essayent de s'imaginer à quoi pouvait ressembler la vie quotidienne dans ce palais gardé par des eunuques inoffensifs où le sultan se délectait des chairs les plus fraîches...

•••

Parmi les destinations « turbulentes » où je me suis rendu, qui comprennent déjà Israël et le Liban, pour ne nommer que celles-là, citons la Jordanie, un pays sans pétrole où la circulation est néanmoins... dense! Si la Jordanie attire autant de visiteurs, ce n'est pas qu'il s'agisse d'une destination touristique ultrarecherchée. C'est plutôt parce qu'elle est située dans un coin chaud de la planète. Elle attire donc des espions et des ourdisseurs de complots de tout acabit. Au Shepherd Hotel où je suis descendu, on rencontre moins de bergers que de terroristes. Il n'est d'ailleurs pas recommandé de regarder ceux-ci dans les yeux.

À Amman, la capitale, une ville grise construite en estrades, on trouve des antennes paraboliques partout. On devine sans peine que le Jordanien est à l'écoute de ses voisins. De même, l'ambassade américaine n'est pas ce qu'on pourrait appeler un haut lieu de la diplomatie. C'est un centre militaire à partir duquel on épie la Syrie, l'Irak, la Palestine et l'Iran. La bâtisse est si énorme qu'elle constitue une attraction touristique à elle seule, dans cette ville qui n'en compte déjà pas beaucoup. Il y a bien le temple d'Hercule qui est intéressant, mais pour le reste...

À une heure de la capitale, on retrouve des « forteresses du silence », habitées par des bergers qui vénèrent les morts. Quant à Pétra, plus au sud, c'est un site tellement couru des touristes qu'on doit maintenant en contrôler l'accès. Est-ce attribuable à son récent statut de nouvelle Merveille du monde ou au succès du film *Indiana Jones et la dernière croisade*? Dans la scène finale du film, c'est par la porte de Khazneh, le plus célèbre monument de Pétra, que pénètre le héros à la recherche du saint Graal. De nos jours, on n'entre plus dans le canyon de Pétra à dos de cheval comme on pouvait le faire il y a quelques années à peine — il s'y amoncellerait trop de crottin pour le goût des Jordaniens.

Construit par un peuple disparu, les Nabatéens, Pétra est un paradis perdu. Les pierres changent de couleur selon l'heure du jour. Le commerce y était jadis florissant et les caravaniers s'y arrêtaient presque systématiquement. Une légende voulait même qu'un trésor soit enfoui dans l'urne au sommet du Khazneh, et on peut encore aujourd'hui observer les traces de balles des Bédouins qui tentèrent par la suite de la briser pour s'en emparer. Les Nabatéens durent ultimement céder la place aux Romains, et c'est la mort dans l'âme qu'ils furent forcés de remettre les clefs de Pétra à Trajan. Je ne sais s'il dénicha le trésor, mais si ni lui ni Indiana Jones ni les Bédouins ne l'ont trouvé, vous et moi, simples touristes, ferions aussi bien de mettre une croix dessus…

En déambulant dans les rues désormais tranquilles de la cité, je contemple toutes ces pierres polies et érodées par la pluie et les vents. On ne peut qu'être impressionné par les centaines de portes incrustées dans la montagne, qui donnaient accès aux tombeaux, aux temples et aux palais que les occupants construisirent au fil des siècles. Vraiment, ça ne fait aucun doute; ces Nabatéens étaient des architectes hors pair. Dommage qu'ils aient été chassés par les Romains. Qui sait quelles autres merveilles ils auraient pu nous léguer?

Chez le voisin du nord, cette Syrie d'el-Assad qui inquiéta tant le Washington de George W. Bush, les touristes ne se bousculent toutefois pas au portillon. Le pays reçoit beaucoup de publicité négative découlant des tensions internes qui le déchirent. L'infrastructure touristique y est nettement insuffisante, mais au moins on ne se marche pas sur les pieds.

La Syrie a une longue et riche histoire. Damas, en plus d'être la capitale du pays, est l'une des plus vieilles villes du monde. Elle était autrefois un carrefour entre l'Occident et l'Orient, et ses habitants taxaient les commerçants dans un sens comme dans l'autre. C'est une cité magnifique où l'on retrouve de grands boulevards, de beaux édifices, des fontaines et des musées.

Si vous passez par la ville, on vous offrira probablement de visiter le site où saint Paul fit sa fameuse chute de cheval, quand Dieu s'adressa à lui. C'est un point chaud pour le tourisme ; les guides racontent l'anecdote en pointant du doigt l'endroit où Paul fut converti. Mais ne tombez pas dans le panneau. Il est impossible de savoir exactement où cet événement s'est déroulé, et un guide qui prétend faire visiter le site de la conversion de saint Paul ne fait que profiter de la naïveté des visiteurs chrétiens. Néanmoins, en marchant sur les larges avenues, j'imagine saint Paul, ce persuasif personnage biblique, qui se heurta à l'indifférence de la multitude qui passait là, provenant tant de l'Arabie et de l'Inde que de la Perse, plus intéressée par le commerce que par le message de l'apôtre.

Je visite également Alep, tout au nord, où la citadelle transformée en musée offre une vue imprenable sur la ville, et Palmyre, de loin le site historique le plus intéressant. Ce qui l'est moins, toutefois, c'est l'air de bœuf de Catherine Deneuve, croisée dans l'ascenseur de mon hôtel. Moi qui l'admirais tant! Avant de quitter la Syrie, je dois absolument faire un saut au krak des Chevaliers, situé dans l'ouest. Cette forteresse impressionnante, qui date de l'époque des croisades, fut abandonnée vers la fin du XIIIᵉ siècle. Les chevaliers hospitaliers, chargés de la défendre, la quittèrent en laissant derrière eux tout le butin qu'ils y avaient accumulé. Dans les faits, c'est Baybars 1ᵉʳ, sultan des mamelouks, qui, à la fin des croisades, s'empara de la forteresse par la ruse. Il envoya une fausse missive aux hospitaliers, prétendument écrite par le maître des Templiers, les enjoignant à se rendre. Les hospitaliers, négociant leur vie en échange de la promesse de retourner chez eux, à Jérusalem, quittèrent le krak en avril 1271. Les chrétiens furent finalement chassés complètement de la Terre sainte, de Syrie, de Chypre et de Rhodes.

Ce lieu est fantomatique! Tandis que j'y déambule, la vue d'un enfant vêtu d'une djellaba blanche me tire tout à coup de ma rêverie. Il ne doit pas avoir plus de neuf ou dix ans. Assis dans la position du lotus, il fredonne des airs dans une langue que je ne connais pas. Au milieu des pierres usées par le temps, cet enfant énigmatique semble être le gardien des fantômes.

Le krak est immense et tout à fait majestueux. On peut y prendre une chambre et ainsi se propulser à l'époque des croisades. Je me contente de dîner dans une grande salle au plafond arc-bouté, tout près des écuries. Nous dînons sur des tables d'époque, avec des ustensiles d'époque. C'est comme si je violais l'intimité de ces preux chevaliers. On dirait qu'ils viennent à peine de quitter la forteresse. Leur présence est encore palpable.

Alors que je m'apprête à quitter cette ancienne grande ville commerciale, j'aperçois à nouveau Catherine Deneuve et tente même de la photographier. Elle est fort insultée, peut-être parce qu'elle n'est pas maquillée... Ce n'est que partie remise puisque je la croquerai dans les rues de Montréal lors d'une manifestation contre la peine de mort, aux côtés de Bianca Jagger et de Gilles Duceppe!

Je me rends ensuite en zone kurde. Ce peuple, ramené à l'avant-scène par les sévices que lui fit subir Saddam Hussein, vit dans des maisons de pierres très rudimentaires. Il fut victime de l'écroulement de l'Empire ottoman après la Première Guerre mondiale et se retrouvent aujourd'hui éparpillé dans plusieurs pays. Malgré ce déracinement, il s'acharne à préserver son identité. Quel bel entêtement!

Les Kurdes sont généralement sédentaires, mais je tombe ce jour-là sur un groupe de Kurdes qui se déplacent à la tête d'un important troupeau de moutons. Leurs visages sont durs, marqués par leur interminable épreuve historique.

À l'heure du repas, je jette un coup d'œil dans l'établissement où les hommes se sont rassemblés. Ils sont assis par terre, en train de déguster des plats fort épicés. Pas de trace de femme dans le bâtiment. Je n'en aperçois qu'une seule. Au bout de quelques instants, elle pose son tablier et va rejoindre les autres épouses à l'extérieur. C'est la coutume en pays musulman : les hommes d'un côté, les femmes de l'autre. Peu avant mon départ, ils se mettent à danser en groupe au son d'un accordéon jouant des airs nostalgiques. Oui, c'est vraiment au hasard des rencontres que le voyageur découvre vraiment les pays qu'il visite!

Voyage de groupe au Yémen

Sur la route des arômes, de la myrrhe et de l'encens se trouve le Yémen, pays à cheval entre l'Afrique et l'Asie, sur lequel régna la beauté de Saba. J'ai recruté, sur les ondes de CKAC, une vingtaine d'amoureux des civilisations anciennes désireux de m'accompagner dans cette contrée, et je suis flatté d'apprendre que Lysiane Gagnon, l'éditorialiste de *La Presse*, regrette de ne pouvoir être du nombre.

Le Yémen défraie rarement la chronique et quand c'est le cas, c'est pour de mauvaises raisons. Une semaine après notre retour de ce voyage, les médias nous apprendront que des terroristes y ont enlevé des touristes belges. Depuis ce temps, l'industrie touristique du pays est au point mort. Malgré l'ouverture de ses frontières au début des années 1990, le Yémen n'accueille que quelques milliers de touristes par année. Le pays fait peur. Dire que durant plus de 10 000 ans, les peuples venus du Moyen-Orient arpentèrent sa fameuse route des épices en s'émerveillant des splendeurs qu'ils apercevaient sur leur passage...

Les férus d'histoire ne cesseront toutefois jamais d'aimer ce pays, connu dans l'Antiquité sous le nom « d'Arabie heureuse », car il a échappé aux effets ravageurs de la civilisation et de l'américanisation. Aujourd'hui, peu importe où on va dans le monde, même dans les pays les plus lointains, on voit des publicités de compagnies américaines. Des panneaux-réclames, partout, nous ramènent à l'Occident.

Le Yémen est une des rares exceptions. Il possède un mode de vie très hermétique, et c'est ce qui fait son charme, en plus de ses paysages étourdissants et de son architecture, considérée comme la plus belle du Proche-Orient. Sans oublier une autre grande particularité de l'endroit : c'est le royaume des odeurs. Partout, on peut sentir la menthe, le thé et l'encens. Comme en Éthiopie, on y mâche du qat depuis des siècles. Les feuilles de cet arbuste procurent aux usagers une sensation d'euphorie qui les incite à se tenir tranquilles. Ce n'est pas le gouvernement qui va s'en plaindre... Des hommes rencontrés sur la rue nous offrent d'échanger nos devises pour des rials, la monnaie du pays, et ajoutent quelques feuilles de qat en prime, histoire d'agrémenter notre séjour.

Sanaa, le siège du gouvernement, est une métropole grouillante qui semble appartenir à un univers bien différent du nôtre. Les maisons yéménites sont uniques. Sur le toit de la plupart d'entre elles, des terrasses réservées aux maîtres, qui invitent les gens à mâcher du qat avec eux au son des flûtes mizmar. Les résidences des imams, dont le rôle est aujourd'hui encadré par l'État, sont pour le moins étonnantes. L'une d'elles est juchée sur une roche haute de quatre étages ; quoi de mieux pour garder un œil sur ses ouailles ? On y a accès en grimpant par un couloir creusé au centre de la roche sacrée.

Au Yémen, les femmes n'ont le droit de regarder qu'un seul homme dans les yeux, et c'est leur époux. Elles sont voilées ; leur tête est presque totalement recouverte. Leur garde-robe est simple. Les femmes mariées ou célibataires issues de milieux aisés portent le *sharshaf*, ensemble noir originaire de Perse recouvert d'une cape noire, l'*abaya*. Le *sitâra*, ensemble à motifs rouges et bleus, originaire de Turquie, est réservé aux plus âgées, aux veuves ou aux femmes de condition modeste.

Durant ce séjour, j'ai la malencontreuse idée d'essayer de photographier un trio de ces séduisantes corneilles revêtues de noir, dont je cherche en plus à voir les jolis yeux. Dans la seconde qui suit, un jeune homme armé d'un *jambia*, un couteau sacré, m'attrape par le collet en me renseignant sur les dangers que je cours en faisant fi de leurs us et coutumes. Nul doute qu'il n'y a pas de place pour les accommodements raisonnables! Mais ne croyons pas que les Yéménites soient agressifs, au contraire. Ils croient simplement qu'en les photographiant, vous leur volez une partie de leur âme. Vu sous cet angle...

Certaines jeunes filles, promises à un homme, ne portent pas le voile. Leur tenue dégage une sensualité rehaussée par des bijoux brodés sur leur poitrine et sur leurs hanches. En les regardant, je me dis qu'il n'est pas nécessaire d'avoir des bijoux dans le nombril pour séduire un homme. On dira probablement que je suis un peu vieux jeu... J'imagine que c'est parce que je suis un amoureux des traditions.

De Sanaa, je me dirige ensuite du côté du désert. Très tôt le matin, une jeep passe nous prendre à l'hôtel, le groupe et moi, et c'est un départ pour Shibam, cette ville située au cœur de l'Hadramout, région orientale désertique du Yémen.

La lune, à laquelle on reproche là-bas tous les maux de la terre, est cependant un point de repère essentiel pour qui veut traverser le désert. C'est là que nous croisons, mon groupe et moi, des adolescents armés d'AK-47. Quand on leur demande ce qu'ils font, ils se contentent de répondre qu'ils surveillent leur territoire. Bref, rien à voir avec le discours de nos jeunes voyous montréalais qui taxent leurs confrères de classe et sont prêts à jouer du couteau pour un coupe-vent Tommy Hilfiger... Dire que les gangs de rue du nord de Montréal nous font peur! Au Yémen, des ados sont armés jusqu'aux dents et personne n'a l'air de s'en formaliser, à l'exception du gouvernement de Sanaa, qui s'en montre évidemment quelque peu agacé.

Ainsi, lorsqu'on choisit de traverser le désert, il vaut mieux être escorté par des Bédouins armés. Sans eux, le touriste risque fort de tomber sur des bandes qui n'hésiteront pas à le dépouiller de tout ce qu'il aura emporté...

À peine pénétrons-nous dans le désert que nous apercevons un énorme disque rouge surgir d'entre les dunes. Notre chauffeur, Mohamed, armé d'une mitraillette, immobilise aussitôt le véhicule. Que se passe-t-il ? A-t-il aperçu un bandit ? A-t-il vu un animal dangereux ? Rien de tout cela... et, bien qu'il ne parle qu'arabe, il arrive à me faire comprendre qu'il veut que nous l'attendions. Le voilà qui étend un tapis à même le sol, dans le sable, et qu'il s'agenouille face à La Mecque. C'est l'heure de la prière. Son devoir de musulman accompli, il remonte dans la jeep en me gratifiant de son plus beau sourire. Et, tout bonnement, nous reprenons notre chemin.

Au bout de deux heures, la jeep s'immobilise de nouveau sur la crête d'une grosse dune. Mohamed se débrouille pour me demander si j'ai envie d'exercer mes talents de tireur au revolver ou à la mitraillette. J'accepte volontiers et j'opte pour le revolver. Il est impressionné par la précision de mes tirs ; je semble posséder une maîtrise naturelle pour cet exercice... Il suffit pourtant d'avoir bon œil et de tenir l'arme fermement.

Après neuf heures d'une épuisante randonnée dans le désert, qui nous fait avaler autant de sable que de kilomètres, je commence à en avoir assez. C'est qu'il fait chaud et qu'on devient si sale que c'en

ère de la modernité, plusieurs de nos jeunes semblent incapables d'agencer leurs vêtements correctement. Mais bon, c'est une question de goûte... En les regardant évoluer gracieusement malgré les énormes seaux d'eau qu'elles portent sur la tête, je me demande qui sont ces beautés «dévoilées». Mon guide me confie qu'elles sont de descendance éthiopienne, ce qui explique en partie leur beauté, et qu'elles sont chrétiennes, d'où l'absence de voile.

Au sein du groupe qui m'accompagne, quelques féministes. Elles ne sont pas peu choquées de réaliser que, dans les restaurants yéménites, on commence par servir les hommes. Les femmes passent tout juste avant leurs enfants... exactement comme chez les lions du Kenya!

La cuisine yéménite se compose principalement de pain, de sorgho, une céréale, et de ragoût de poulet et d'agneau. Ce dernier plat, qui est un peu l'équivalent du ragoût de viande libanais, est enrobé d'une sauce aussi riche qu'épicée. C'est délicieux, mais il faut prendre garde de ne pas forcer sur les quantités...

Un peu plus tard, on nous invite à visiter une mosquée. En entrant, je me déchausse naturellement. Il faut savoir qu'il y a près de 40 000 mosquées au Yémen et que la majorité d'entre elles sont fermées aux étrangers. Il importe donc de saisir l'occasion d'y pénétrer. Rien à voir avec nos églises du Québec, qui sont bien souvent ouvertes aux quatre vents. N'importe qui peut y entrer sans s'essuyer les pieds. Mais au Yémen, malheur à vous si vous pénétrez dans ces lieux «saints» sans permission et, surtout, avec vos bottines aux pieds...

Je m'approche d'un groupe de fidèles occupés à lire le Coran. Ils ont beau être concentrés sur leur prière, ils n'en échangent pas moins entre eux avec une piété et un respect qu'on ne trouve plus beaucoup dans nos églises abandonnées. Mon guide m'explique alors que ces hommes prient Allah de les éclairer. Bien que les hautes montagnes leur cachent la lumière, ils se sentent ainsi très près du Tout-Puissant.

En m'approchant du rebord d'une fenêtre, j'aperçois des corbeaux qui croassent à qui mieux mieux et des bergers en train de rassembler leurs troupeaux. Tout en haut de la mosquée, le muezzin se met à haranguer les fidèles, les yeux tournés vers La Mecque. Quel spectacle que tout ce monde qui, simultanément, s'arrête pour prier. L'effet est saisissant!

Mais Kawkaban n'est pas qu'un lieu de piété et d'histoire; c'est aussi une forteresse millénaire qui fit jadis le désespoir des Turcs et des autres envahisseurs qui la menacèrent. À l'intérieur des murs, des flâneurs s'agglutinent autour des *mafrajs*. C'est à peu près tout ce qu'il y a à faire ici. Le soir venu, dans une obscurité qu'aucun rayon de lumière ne vient percer, je m'installe confortablement sur un tapis et, le dos bien calé dans les coussins, je me farcis, en compagnie de mon guide montagnard, un plat de pigeon bien aromatisé.

Quelques jours passent et nous nous dirigeons vers Thula, un bled incrusté dans les hautes montagnes, qu'on n'atteint qu'au terme d'une ascension des plus périlleuses. Le véhicule dans lequel nous sommes montés n'en finit plus de s'accrocher à la piste qui serpente. Il gronde de toutes ses forces et frôle le rebord de ravins vertigineux.

Au sommet, nous tombons sur Thula, une agglomération de petites maisons de pierres tassées les unes sur les autres et bariolées de lumière. On dirait qu'elles touchent les nuages... Il fait si bon que je ne peux que remercier ma bonne étoile de m'avoir conduit là. Nous entrons dans ces maisons soudées les unes aux autres par de petites passerelles. Qu'une ville aux infrastructures aussi archaïques soit toujours habitée a quelque chose de surréaliste. Les enfants s'amusent autour d'un mausolée érigé à l'époque où le Yémen était divisé en deux parties, l'une communiste et l'autre démocratique. Ils courent en se criant des noms, comme la plupart des gamins du monde.

Le Yémen possède d'immenses réserves de pétrole. Quand le précieux liquide viendra à manquer dans les autres régions du globe, on se tournera sûrement vers lui. Il y a fort à parier que, dans ce contexte, des villes anachroniques comme Thula devront s'adapter ou disparaître. Le gouvernement yéménite accueille de plus en plus de pétrolières européennes, canadiennes et américaines. On n'arrête pas le progrès... Dépêchez-vous si vous avez envie de voir l'Arabie heureuse telle qu'elle était du temps de la reine de Saba!

• • •

C'est en 2002 que j'aurai la chance de me rendre en Iran, plus de 20 ans après ma conversation téléphonique avec un soldat de Khomeiny, qui avait créé toute une bombe sur les ondes de CKVL en 1979.

Cette année-là, on commémore justement la mort de Khomeiny. Ils sont 100 000 à défiler dans les rues de Qom, la ville «sainte». La cérémonie de lamentations tourne rapidement à la manifestation politique. Les «religieux» haranguent une foule moutonnière en lui rappelant les bienfaits de la révolution islamique. Cette mer humaine que j'essaie tant bien que mal de photographier ne ressemble à rien de ce que j'ai vu au cours de mes voyages. Cent mille manifestants. Une foule immense composée d'hommes barbus et de femmes drapées de noir de la tête aux pieds, qui poussent des cris stridents et agressifs en brandissant le poing, tout en hurlant des slogans anti-Occidentaux... C'est assez impressionnant, merci. Je me sens carrément dans mes petits souliers. Ma guide m'entraîne alors dans une ruelle de terre battue pour me faire voir la maison de l'ayatollah Khomeiny.

— C'est ici qu'a commencé la révolution islamique et que notre guide a fait naître son idéal, me dit-elle sur un ton qui révèle clairement ses allégeances : elle n'est ni convaincante ni convaincue...

Dans les villes d'Iran, la photo de Khomeiny figure sur la plupart des grands panneaux-réclame avec, en exergue, des slogans écrits en perse et en anglais. L'un d'entre eux dit ceci : « The Islamic Revolution provides solace and comfort to distressed, weary and troubled hearts, also the key to inner purity and illumination of the soul. » À la porte d'un magasin, une affiche m'apprend que l'établissement est fermé parce que son propriétaire n'a pas respecté l'unique pensée islamique...

Il suffit de poser le pied à Téhéran pour ressentir les effets pervers de cet endoctrinement religieux. En cet été de 2002 — c'était avant l'arrivée au pouvoir d'Ahmadinejad —, on sent que se produisent une certaine laïcisation du pouvoir et une perte d'influence des chefs religieux, mais il demeure néanmoins extrêmement mal vu de critiquer ceux-ci. Ils font encore peur. À l'entrée de mon hôtel, une autre photo de Khomeiny, sévère, rappelle que « la révolution est celle des vraies valeurs »...

L'incident qui suit l'illustre bien. Je marche tranquillement en écoutant ma guide, très francophile, m'expliquer tout cela quand mon attention est attirée par un jeune homme que deux gardiens de la république, à la mine patibulaire, bousculent sans vergogne. À la sortie d'une terrasse, ma guide m'explique qu'on emmène cet homme au poste de police pour « parachever son éducation », ce qui est une façon polie de dire que les officiers le reprogrammeront et le ramèneront dans le droit chemin. Plus tard, ce sera une jeune fille qui se verra interpellée par la police, cette fois parce que sa chevelure n'est pas totalement camouflée par son foulard.

Les Iraniens d'aujourd'hui font des pieds et des mains pour attirer les touristes en provenance de pays dont les devises sont fortes, en même temps qu'ils leur imposent des conditions fort décourageantes. Le visa est obligatoire, et même les femmes étrangères doivent porter le voile dans tous les lieux publics. Les Iraniens, comme les Yéménites, sont donc peu portés sur les accommodements raisonnables…

Les ayatollahs chiites ont toujours reproché au shah la dissolution de ses mœurs et l'étalage de luxe à l'occidentale qui polluaient l'atmosphère dans l'ancien royaume persan. Pourtant, en visitant son palace Marmar du centre-ville, je constate qu'il s'agit d'un manoir somme toute bien modeste, comparé à d'autres résidences royales que j'ai visitées, au Maroc notamment. Tous les beaux objets que contient l'ancien palace du shah ont été offerts à la famille impériale par des dignitaires étrangers. Le shah les consignait et les versait automatiquement au patrimoine national.

En quittant le palais, j'emprunte une allée bordée de beaux arbres qui transpirent d'agréables odeurs.

Des ouvriers s'arrêtent et me saluent en me demandant d'où je viens. Lorsque je mentionne le Canada, ils me lancent : « *Lucky you are !* »

L'atmosphère générale en Iran est lourde. La police et les « gardiens de la république » sont omniprésents. Je passe d'ailleurs bien près d'avoir affaire aux services d'ordre iraniens pendant mon séjour. En face de l'ancienne ambassade américaine, celle-là même qui fut assiégée par les soldats de Khomeiny après l'exil du shah, je repense évidemment à l'entrevue exclusive que m'a accordée un des soldats de l'ayatollah du temps où j'étais jeune reporter à CKVL, et je prends spontanément l'édifice en photo.

Je n'ai pas encore fini d'appuyer sur le viseur qu'un jeune motocycliste nous intercepte, ma guide et moi, et se met à parlementer avec elle en farsi. Je ne comprends rien à ce qu'il raconte, mais aux regards qu'ils échangent, je devine que les choses ne vont pas bien. Ma guide me prend à part pour me mettre au fait de la situation. Le motocycliste a parlé de m'emmener au poste de police, mais elle lui a proposé d'ouvrir mon appareil devant lui et de brûler la pellicule. Je n'ai pas le choix d'obtempérer...

Dans le désert iranien, je visite les ruines époustouflantes de Persépolis, capitale de l'ancien Empire perse. Dans la chaleur suffocante de l'endroit, je m'engage dans l'ascension de l'escalier monumental qui mène à l'Apadana, grande salle d'audience du palais royal. L'escalier est encadré par des dizaines de sculptures de pierres lisses et délavées. Il s'agit d'une galerie de personnages impressionnants. À l'époque, les grands de ce monde empruntèrent ces marches quand ils rendaient visite au roi. Les Darius eux-mêmes sont passés par là.

Persépolis est une ville calme, quasi déserte ; on n'y rencontre pas de ces vendeurs de camelote, qui dans la plupart des villes historiques assiègent les touristes. Le silence est impressionnant, troublant même. En ce site, on se croirait dans un cimetière où les morts nous parlent tout bas ! Le harem, la salle des rois, le bordel, tout est resté en l'état ou presque. En marchant dans ses rues, il me revient à l'esprit ce rassemblement mondial qu'y organisa le shah en 1971 pour célébrer le 2500e anniversaire de la fondation de l'Empire perse. Les chefs d'État du monde entier, Robert Bourassa y compris, comptaient parmi les 600 invités étrangers. Le shah tenait à montrer cette ville historique.

En visitant Persépolis, on s'explique mal qu'Alexandre le Grand l'ait jadis incendiée. Il le fit pour se venger des Persans qui rasèrent Athènes, mais tout de même... Il est difficile d'imaginer qu'on puisse volontairement détruire de telles splendeurs.

À la fin de la journée, on me conduit à Pasargades, dans une zone qui abrite de très nombreux caveaux. Enchâssé dans la case d'un récif se trouve le tombeau du roi de Perse Darius III, qu'Alexandre le Grand admirait, bien qu'il fût son ennemi et mourût de sa main. Seuls les occupants de ces tombeaux ont droit à un peu de fraîcheur.

Nous sommes en plein désert. J'apprends que les couchers de soleil sont impressionnants. J'en ai pourtant vu d'autres et je ne m'y arrête plus. Ce désir de nous faire assister à des couchers de soleil n'est qu'un attrait touristique de plus. Cela devient un élément répétitif et facile... Je me dois néanmoins de souligner celui-ci, qui ravive en moi l'émotion que suscite un tel spectacle lorsqu'il se présente à des yeux vierges.

Me revoici à Shiraz, tout juste au sud-ouest de Persépolis. Enfin, il fait un peu plus frais! La ville est propre, et ses mosquées ornées de mosaïques bleues ne ressemblent à rien de ce que j'ai vu jusque-là. Les artistes qui les ont imaginées étaient assurément de grands créateurs. On tient à me montrer « le jardin du paradis », c'est-à-dire le Bagh-e Eram, construit à l'époque de la dynastie Kadjar et aujourd'hui propriété de l'université de Shiraz. Politesse oblige, je prends du thé et des biscuits au miel lorsqu'on me les offre. Le jardin est beau et surtout rempli d'oiseaux. Ce rituel du « chai » me force à relaxer.

À la faveur d'une promenade, je débouche soudain dans un quartier où deux jeunes filles, spontanément, me saluent et me lancent leur plus beau « *Welcome* ». Je m'empresse de leur demander si elles consentiraient à se faire photographier en ma compagnie. Elles n'ont pas le temps de répondre que j'attrape celle qui est le plus près de moi par la taille. Elle me fait aussitôt remarquer que, s'il fallait qu'un gardien de la révolution nous surprenne, elles se feraient réprimander. Il leur est interdit de toucher un étranger.

Il importe de se montrer très prudent dans ses relations avec la population locale. À mon arrivée à Shiraz, en effet, j'ai eu le réflexe de tendre la main à ma guide que je venais de rencontrer. Elle s'est immédiatement mise à pousser de hauts cris.

— Ne me touchez pas! Vous n'avez pas le droit! Marchez toujours un peu en avant de moi…

Des incidents comme celui-là, on en vit souvent dans un pays comme l'Iran. Mais malgré ces règles à retenir et à respecter, nul doute que le séjour y est inoubliable.

J'arrive à Téhéran, qui sent l'oxyde de carbone à plein nez. Cette ville est reconnue pour ses palais, pour les jardins de Golestân et la conférence historique qui y réunit en 1943 les Churchill, Staline et Roosevelt, venus y planifier, sans de Gaulle, le débarquement des Alliés en Normandie. C'est au jardin Golestân, justement, que Staline embobina les deux Occidentaux pour ainsi mettre à son menu «le plat polonais» qu'il avala sans même mastiquer... Ah! Si seulement de Gaulle avait été là... Cependant, je réalise que cette cité n'a rien de comparable avec Paris, Rome ou Athènes. Pas de majesté particulière dans l'architecture de cette ville couleur de sable qui me semble avoir perdu son âme. Je vous le dis et vous le redis : visitez le monde pendant qu'il en est encore temps... J'en veux pour preuve ce pays fort moderne, qui s'éloigne des vieilles civilisations tout en gardant ses traditions bien vivantes.

Néanmoins, j'ai toujours adoré me rendre dans des pays musulmans, même les plus orthodoxes. La musique orientale, le muezzin qui fait l'appel à la prière, les fidèles qui se rendent à la mosquée en rang d'oignons... c'est là un spectacle remarquable. J'apprends beaucoup sur ces peuples au fil de mes séjours, et c'est là un des bénéfices que l'on tire du voyage. Au lieu de se borner à répéter que les musulmans sont esclaves de leur religion, on est à même de prendre conscience du contexte culturel dans lequel ils évoluent ; on parvient à comprendre ce mode de vie presque imperméable au mode de vie américain.

Aujourd'hui, la république islamique d'Iran a beau prétendre s'ouvrir sur le monde, le chômage n'y est pas moins endémique. La situation continue de s'aggraver depuis que le président Mahmoud Ahmadinejad, élu en août 2005, a décidé de doter le pays de l'énergie atomique, malgré la désapprobation internationale et les menaces de sanctions économiques. Nonobstant les pressions exercées par les jeunes et par les commerçants, influencés par la radio américaine et par tous les autres outils de propagande de l'Occident, les Iraniens ont élu démocratiquement un président tout aussi austère et encore plus intégriste que l'ayatollah Khomeiny...

À quelques heures de mon départ du pays, je me repose à l'hôtel. J'ai l'impression d'être surveillé. «Ici, les murs ont des oreilles», me confie ma guide quand elle apprend que je viens de livrer un reportage à CKAC sur ce que j'estime être la dislocation de l'Iran. J'ignore comment elles ont été mises au courant, mais, 20 minutes plus tard, les autorités me passent un coup de fil pour me faire remarquer que mon visa porte la mention «photographe», et non «reporter».

— Pourrions-nous vous rencontrer demain matin à votre hôtel? suggère mon interlocuteur.

Je n'ai pas besoin d'hésiter longtemps; je quitte l'hôtel — et le pays — à trois heures du matin. Ne me demandez pas ce qu'ils m'auraient payé comme petit déjeuner. Bien honnêtement, je préfère ne pas y penser...

De l'austérité... à l'opulence

J'arrive de nuit aux Émirats arabes unis. Du haut des airs, j'aperçois un grand rectangle lumineux au milieu de nulle part. C'est Dubaï. Même sans l'avoir encore visitée, je devine que Dubaï est une ville moderne et prospère, en plein développement, où édifices gigantesques et constructions extravagantes sont au rendez-vous. À l'aéroport, une merveille architecturale en lui-même, tout respire l'opulence.

Je comprends d'emblée que je ne serai pas déçu ! On y offre le journal local, le *Gulf News*, imprimé sur papier glacé. Les publicités à l'intérieur, qui s'adressent évidemment à un lectorat de nantis, proposent les montres Rolex, Hermès et Cartier, les voitures Porsche, etc.

À Dubaï, qui a connu une forte expansion au cours des dernières années, tout est neuf, tout est propre. Les rues sont impeccables. Pas le moindre papier nulle part. S'il y a de la misère dans cette ville, elle se cache habilement. Pas d'indigents, pas de miséreux... J'ai l'impression d'avoir été téléporté dans le futur. Il faut dire que les Émirats profitent pleinement de la manne pétrolière ; un simple employé de la construction gagne ici près de 100 000 dollars par an. Et les habitants qui ne travaillent pas sont invités à quitter le pays. Dans ces conditions, on risque moins de tomber sur des mendiants.

Dubaï est la ville la plus peuplée des Émirats arabes unis. Les mosquées sont remplies de fidèles qui prient pour que les choses ne changent pas dans cette ville parmi les plus modernes au monde. Certains établissements hôteliers — tenez-vous bien — vont même jusqu'à exiger cinq, dix, quinze ou vingt mille dollars par nuitée. De tous les hôtels de luxe que compte la ville, le Burj al-Arab est probablement le plus connu. Il est construit en forme de voile de bateau, et le mur extérieur de l'atrium est fait de grands pans de tissu. Contrairement à la croyance populaire, le Burj al-Arab n'est pas classé sept étoiles, mais bien cinq, le classement des hôtels s'arrêtant à cinq. C'est l'établissement lui-même qui s'autoproclame « sept étoiles ». La construction en fut si onéreuse qu'on estime qu'il faudra 400 ans pour le rentabiliser.

J'opterai, quant à moi, pour le Holiday Inn, dont le slogan veut qu'il n'y ait « pas de surprise » ; la surprise n'est que dans le tarif de la chambre ! Malgré cet étalage de richesse, toutefois, les habitants sont soucieux. La réserve de pétrole des É.A.U. diminue. Si le pays souhaite maintenir le train de vie qu'il mène en ce moment, il lui faudra diversifier son économie. Des efforts ont été entrepris en ce sens. Comme Singapour et Hong Kong, Dubaï est devenue une zone franche[16]. Il y a des jeux de hasard, des safaris dans le désert et des courses de dromadaires. Tout un contraste avec ce qui se passe en Iran, où les religieux imposent un régime d'austérité dans tous les domaines...

Cependant, ne nous méprenons pas : Dubaï n'est pas Téhéran, mais elle n'est pas Las Vegas non plus. Ici, la loi et l'ordre règnent. Récemment, un tribunal islamique a condamné à mort un homme reconnu coupable de l'adultère, alors que sa maîtresse a dû passer une année en prison, en plus de recevoir 100 coups de bâton. S'il fallait que cette loi, de concert avec la règle de l'expulsion des sans-emploi, s'applique au Québec, notre république du loisir et du chômage se viderait à coup sûr.

Au moment de mon séjour aux Émirats arabes unis, le site baptisé « The World » est en pleine construction. Il s'agit d'un archipel artificiel en forme de planisphère qui, vu des airs, apparaîtra comme une réplique de la terre elle-même, telle que dessinée par les cartographes.

Mon guide me propose un tour de ville et une visite du port. J'y découvre avec surprise qu'à l'hippodrome,

---

16. Région frontière d'un pays où les marchandises sont exemptes des droits de douane.

ou plutôt au «dromadaire dôme», ce sont des enfants adoptés par les milliardaires du coin qui montent ces bêtes du désert. Ces gamins sont éduqués dans un esprit de discipline que ne renieraient pas les militaires les plus endurcis. Ils obéissent au doigt et à l'œil et ils affichent en permanence un air aussi maussade que possible. On est loin de nos bambins turbulents du Québec! Ceux-là sont très difficiles d'approche. Pas question de leur passer gentiment la main dans les cheveux ni de leur demander si leurs études vont bien. Ils ont beau être «privilégiés», ils n'en sont pas moins enfermés dans des prisons dorées.

Dans le port, mon chauffeur attire mon attention sur une embarcation plus blanche et plus longue que les autres. Il m'indique qu'il s'agit d'un des yachts de la famille Al-Fayed, dont le nom fut associé, au grand déplaisir de Buckingham Palace, à Lady Di. Dois-je le croire? C'est bien possible! Ce yacht, long comme un navire, est là à dormir sur des eaux calmes. À l'intérieur, des têtes pas très recommandables veillent au bien-être matériel de l'héritage de ces marchands d'armes... Ce sont là les deux côtés de cette médaille qu'est l'opulence; on n'y échappe jamais.

L'incroyable Inde

À part le Maroc, peu de destinations touristiques m'ont autant impressionné que l'Inde. Moi qui pensais avoir tout vu, je m'apprête à réaliser que beaucoup de choses manquent encore à ma culture. Quand je m'y rends en 2002, la menace de guerre qui plane a vidé le pays de ses touristes. Seul avec moi-même, je ne peux converser avec personne... mais garde néanmoins les yeux bien ouverts. Nombre de merveilles m'attendent! Et puis, la découverte de soi fait partie de l'esprit de l'endroit, même en ces temps turbulents. C'est en cette terre qu'est né le yoga, après tout…

Ce pays brûlant est un véritable paradis pour les photographes. Sitôt descendu de l'avion à l'aéroport de New Delhi, je pars à la recherche un hôtel. En chemin, je croise des troupeaux de chameaux qui promènent leur marchandise hétéroclite dans les rues du quartier des affaires, et une caravane d'éléphants ornés de pierres multicolores, montés par de ravissantes jeunes écuyères. Tout cela en plein centre-ville!

Voilà l'Inde que Christophe Colomb pensait bien avoir découverte quand il tomba «par mégarde» sur notre continent.

On peut présumer que dans un pays où naissent 50 000 bébés chaque jour, la vie elle-même doit faire l'objet d'un véritable culte, mais la réalité est tout autre. Des malades agonisent en pleine rue; personne ne songe même à lever le petit doigt pour leur venir en aide. J'en aperçois tant que j'ai du mal à tenir le compte. Pour les Indiens, ces loqueteux qu'ils enjambent sans les voir payent pour tout le mal qu'ils ont causé dans leur vie antérieure.

Ce pays dispose d'importantes ressources hydroélectriques et pétrolières, mais l'agriculture est sous-développée. L'armée indienne est redoutable, mais le réseau routier est dans un piètre état. La population crève de faim alors que les animaux sont sacrés, nommément les vaches, bien sûr. Elles circulent librement un peu partout. Il n'y a pas si longtemps, les cobras étaient sacrés, eux aussi. Il était interdit de les tuer. Seulement, comme ces redoutables reptiles causaient la mort de 25 000 Indiens et d'autant d'éléphants chaque année, il a fallu les désacraliser!

Depuis la mort de Mahatma Gandhi, survenue le 30 janvier 1948, l'Inde a connu bien des tiraillements. Elle fut exposée à toutes sortes d'idéologies incompatibles les unes avec les autres. Les luttes de castes l'ont épuisée. Ses guerres frontalières avec le Pakistan et la proximité du géant chinois l'obligent à maintenir une armée qu'elle n'a pas les moyens d'entretenir.

Curieux comme je suis, je décide d'ailleurs de m'approcher de la frontière pakistanaise. À cette époque — ce voyage se déroule en 2002 —, les deux pays sont au bord de l'affrontement et les touristes ont déserté la région. Je suis fouillé, refouillé, interrogé et contrôlé de toutes les façons possibles et imaginables. Je suis même fouillé à nu à cause d'un simple objet pointu que les douaniers découvrent dans mes bagages... Je quitte donc la dangereuse zone frontalière pour me rendre à Agra. C'est là que j'admire le Taj Mahal, cette construction indo-musulmane, l'un des plus impressionnants monuments du monde. Je poursuis ma route vers la vallée du Gange, le fleuve sacré dans lequel se baignent les pèlerins. Dans cette région, la mort est omniprésente.

Me voici à Varanasi, sur les rives du Gange. Né dans l'Himalaya, ce fleuve se jette dans le golfe du Bengale par un vaste delta couvert de rizières. C'est là que j'assiste à une cérémonie de crémation tout à fait étonnante.

Nous nous levons avant le soleil. Mon guide m'invite à marcher au milieu d'une foule qui s'éveille. L'air est déjà chaud et chargé d'un mélange d'arôme d'encens et de relents de fonds d'égouts. Les hommes sont là, assis sur leurs talons, à attendre l'arrivée de l'astre rouge qui darde ses premiers rayons. Sur les *ghâts* — les marches qui recouvrent la rive —, la cérémonie va bientôt commencer. Une famille doit incinérer le père en présence des garçons. Les femmes sont tenues à l'écart, conformément à la coutume. La cérémonie se déroule selon un rituel sacré. Le cadavre est transporté jusqu'aux abords du fleuve sur un brancard en bambou. On immerge le corps à plusieurs reprises, puis on le dépose ensuite sur la berge et on verse de l'eau du Gange dans la bouche. On dresse ensuite le bûcher funéraire sur lequel viendra reposer le défunt. Le fils aîné, rasé et vêtu de blanc, va chercher le feu sacré. Il tourne ensuite autour du bûcher plusieurs fois avant d'y mettre le feu. C'est incroyable de voir comment la mort est associée à nombre de rites. Et toutes ces cérémonies ne sont que des allégories pour mieux l'accepter, pour apaiser la crainte de celle-ci.

D'autres émotions fortes m'attendent tout au sud, à Calcutta. À moins d'être endurci ou carrément insensible, on ne peut qu'être bouleversé par la misère humaine que l'on y retrouve ; peut-être s'agit-il de la ville la plus pauvre au monde. Je m'y rends peu de temps après la mort de mère Teresa, qui y a installé son monastère. La sérénité de ces religieuses qui consacrent leur vie à tenter de soulager un peu de cette misère, sans rien attendre en retour, est troublante. Le monastère est comme un lieu saint au beau milieu d'un enfer.

Enfer ou pas, l'Inde attire des milliers de jeunes gens, désabusés de leur mode de vie, qui fuient les civilisations matérialistes et se réfugient dans le bouddhisme. À Chennai, une ville autrefois connue sous le nom de Madras, je vois de jeunes Américains qui, hier encore, ne juraient que par le rock and roll, effectuer des travaux ménagers au temple en échange d'un peu de nourriture. Voilà tout un changement ! L'Inde est aussi le pays des fêtes où, chaque jour, on tient, dans un faubourg ou un autre, des cérémonies musicales dans un tourbillon de couleurs. Dans le Rajasthan, où je m'arrêterai avant de visiter Bombay, je vois des gens fêter la victoire du bien contre le mal. La seule victoire qui n'ait pas été remportée ici, c'est celle de la bataille contre la pauvreté...

Le guide qui me conduit insiste pour que je visite la seule église catholique de cette ancienne Madras. C'est là que je me recueille sur les restes de l'apôtre Thomas, celui que Jésus invita à mettre le doigt dans ses plaies. Sur le couvercle de la bière, une plaque provenant du Vatican authentifie les restes du compagnon de Jésus.

Dans le Cachemire, ils sont par ailleurs nombreux à croire que le tombeau de Yuz Asaf est en réalité celui de Jésus. Selon eux, le Seigneur aurait survécu à sa crucifixion. Il serait allé mourir en compagnie de Marie-Madeleine et de saint Thomas. Ils soutiennent même que saint Thomas serait le père fondateur de la très ancienne communauté chrétienne de Malabar. Ce que je ne comprends pas, c'est que cette information, pour le moins troublante, ne circule pas davantage en Occident. Mais enfin...

Je me mets ensuite en route vers Pondichéry, cette « petite » ville où, selon mon guide, la circulation est nettement moins dense.

— Une petite ville ? C'est quoi, une petite ville ? lui demandé-je.

— Un million et demi d'habitants, me répond-il sans sourciller.

À ce compte-là, Montréal est une bourgade !

Je suis frappé par le cachet français qu'a conservé cette ancienne ville coloniale. L'architecture, les noms des rues, même les uniformes des policiers, tout évoque la France : l'avenue Nehru, les Champs-Élysées indiens, la rue Saint-Martin. Le consulat français est fort dynamique et organise régulièrement toutes sortes de manifestations culturelles.

De Pondichéry, je passe au Bengale, tout près du Bangladesh, où on trouve ces fameux tigres orange qui passent pour être mangeurs d'hommes. Ils ont beau être protégés par le gouvernement, ils n'en sont pas moins traqués et chassés par les braconniers. Je m'envole finalement vers Bombay.

Cette ville possède un cachet résolument britannique, notamment à cause du musée Prince of Wales et de la gare Victoria. Là, tout le monde est vêtu de blanc. Des milliers de chemises sont étendues sur des cordes à linge improvisées, en pleine métropole.

Enfin, à la suggestion de mon accompagnateur, je me rends dans la baie de Bombay, sur l'île d'Elephanta, un coin de paradis que les dieux, selon la légende, auraient jadis habité, et qui attire désormais pèlerins et fidèles. Quant à moi, je n'y vois rien de sanctifiant, à l'exception du vent de fraîcheur qui me permet de respirer un peu mieux, en cette Inde si brûlante…

Détour par un petit coin caché

Je ne sais rien du Bhoutan, mais puisque je me trouve juste à côté, pourquoi ne pas y piquer une pointe ? J'apprends qu'on y délivre au maximum 3 000 visas touristiques par an. Au nombre de ces visiteurs, il faut compter les gens d'affaires, les diplomates, les missions commerciales et les amateurs de trekking. Le Bhoutan fait si peu de bruit qu'il ne figure même pas dans le palmarès des nations du monde à l'ONU. Ils ne sont pas nombreux, les gens qui peuvent se vanter de l'avoir visité.

On dit qu'il est le pays le plus fermé et le plus écologique au monde. Il est dirigé par un monarque qui aurait, selon la rumeur, une main de fer dans un gant de velours. Ses sujets sont extrêmement dociles. Leur préoccupation environnementale proviendrait entre autres des médias locaux, qui sont obligés de diffuser des émissions axées sur la protection de la nature. Voilà qui pourrait être une bonne mesure à appliquer chez nous où, trop souvent, l'insignifiance est gage de réussite.

Quand on connaît leur souci écologique, on comprend mieux pourquoi les Bhoutanais ne sont pas plus enclins que cela à accueillir des hordes de touristes en bermudas qui jettent leurs cannettes de Coca-Cola partout et qui considèrent la terre comme une grande poubelle. La clientèle touristique que le Bhoutan recherche doit avoir des préoccupations nettement plus écologiques. Je savoure chaque minute que j'y passe.

J'arrive dans ce petit royaume par la voie des airs. Quand le pilote du BAC-111 à bord duquel j'embarque annonce que nous allons bientôt nous poser, une question me vient à l'esprit : nous poser où ? Je ne vois sous l'appareil qu'une épaisse nappe blanche ! Notre avion se met alors à piquer du nez. Tellement que le chariot des hôtesses de l'air traverse l'appareil de l'arrière à l'avant pour aller percuter la porte du poste de pilotage. Les moteurs grondent, l'avion tangue de tous les côtés. Nous sommes toujours enveloppés dans ces nuages « ouateux » qui nous empêchent de distinguer le ciel et la terre. J'ai le sentiment d'être en chute libre. Le cœur me débat. Quand nous apercevons finalement une éclaircie, je ne suis guère rassuré. Le couloir d'atterrissage me semble trop étroit. J'ai bien l'impression que nous allons nous écraser contre les montagnes. Mais finalement, l'avion se pose sans heurt, au grand soulagement des passagers. Il n'y a pas à dire, il faut avoir le cœur solide pour se rendre au Bhoutan…

Une fois dans l'aérogare, premier élément à l'ordre du jour : examiner les différents panneaux qui traitent de la protection de la faune et de la flore locales. Ce n'est qu'une fois cette formalité accomplie que les douaniers nous demandent nos passeports.

Géographiquement, le Bhoutan est disposé sur trois paliers. Le premier, enfoncé au creux d'une combe entre deux montagnes, est pour la culture, et le deuxième pour l'élevage. Le dernier est si élevé qu'il donne le vertige.

Il n'est pas rare d'apercevoir là-haut une sorte de fumée bleue glisser dans l'air. Mon guide m'apprend que ce phénomène est lié aux rites mortuaires locaux. On brûle les défunts et on les expose à l'air libre en attendant que les vautours viennent nettoyer la carcasse. C'est la chaîne de la vie. Mon accompagnateur m'explique aussi que la fumée des crémations, comme les prières, s'élève vers le ciel. À une pareille altitude, elles n'ont pas long à parcourir pour s'y rendre.

Dans la ville de Paro, les rues regorgent d'enfants vêtus du costume national qui se dirigent vers l'école. Nous sommes pourtant un samedi matin… Je converse avec quelques élèves qui, me sachant francophone, me parlent de Paris. Incroyable ! Je visite également un magnifique *dzong*, un monastère bouddhiste. Des centaines de petits moinillons, dans leurs vêtements bourgogne, quêtent à la queue leu leu et prient pour ceux qui croient en la réincarnation. Le soir, quand le soleil se couche — et, croyez-moi, il disparaît rapidement entre les hautes montagnes —, ils défilent en caravane dans les rues, leurs murmures se répercutant dans le lointain. Ils rentrent au monastère.

Comment les habitants du Bhoutan ont-ils pu construire ces gigantesques bâtiments dans les hauteurs, et à flanc de montagne qui plus est ? L'entreprise paraît surhumaine. Il faut bien plus que des prières pour bâtir des monuments dans des lieux aussi inaccessibles.

Le Bhoutan, c'est un joyau dans un écrin. Pour sortir de ce lieu caché étouffé par des montagnes si hautes qu'on en ressent une certaine angoisse, notre minuscule avion nous attend. Il fait gronder ses moteurs, et voilà qu'il grimpe quasiment à la verticale afin de s'éloigner de l'Himalaya et de retrouver la réalité, à laquelle ce coin de pays ne semble pas appartenir.

Rencontre avec d'autres tribus

Me voici en Malaisie avec mon ami Alain Dufour. L'avion qui nous amène à Jakarta fait d'abord escale à Kuala Lumpur. Ce nom m'est familier ; il me ramène à mes lointains souvenirs des années 1960, à l'époque où j'étais lecteur de nouvelles à la radio.

Le territoire de la Malaisie, géographiquement, ressemble un peu à celui de l'Indonésie. On dit toutefois que sa capitale est très belle et, selon le très sérieux *Wall Street Journal*, que la vie n'y coûte pas très cher. À l'hôtel Shangri-La, d'où j'ai tout le loisir d'admirer les tours Petronas, les plus élevées du monde, une chambre fort acceptable coûte 100 dollars la nuitée ! C'est tout de même plus abordable qu'à Dubaï...

J'aurais bien aimé grimper au sommet des tours Petronas, mais au moment de ce séjour, une équipe de tournage, comptant parmi ses rangs l'acteur Sean Connery, a pris le site d'assaut. C'est compréhensible ; Kuala Lumpur en elle-même est un peu comme un décor hollywoodien. La façade est extraordinaire, mais au-delà des murs, les bidonvilles expriment toute la détresse, toute la pauvreté et la misère des Malaisiens.

Parmi les circuits touristiques les plus intéressants, un parcours nous mène au sommet de la colline de Bukit Timah pour y admirer la multitude d'oiseaux de toutes les couleurs s'ébattre dans le ciel de la Malaisie. Bécaud composa-t-il sa chanson là-bas ?

Après cette escale à Kuala Lumpur, nous descendons à Jakarta, la capitale de l'Indonésie, dans l'île de Java. Ce soir-là, on ne compte plus les voitures de police qui font face à des dizaines de milliers de jeunes, symboles de la montée de l'islam fondamentaliste. Ils contestent le pouvoir de Suharto, qui sera forcé de démissionner le lendemain. Inutile de préciser que la capitale est sens dessus dessous et empeste le gaz lacrymogène… Nous quittons vite les lieux pour aller dans la nature.

Il y a 17 000 îles en Indonésie, dont 6 000 sont inhabitées. La plupart sont volcaniques et couvertes d'une forêt extrêmement dense. Nous faisons d'abord escale à Bornéo, devenue Kalimantan par la grâce des islamistes, pays des Dayaks. Les membres de cette tribu se battent pour préserver leurs us et coutumes, menacés par un modernisme dont ils repoussent les avancées autant qu'ils le peuvent.

Nous pénétrons dans la forêt tropicale. La chaleur est suffocante et l'air, humide. Nous n'arriverons pas chez les Dayaks avant d'avoir escaladé des troncs d'arbres géants et traversé des sous-bois peuplés d'insectes, de serpents et de petits animaux. Il nous faut faire attention aux endroits où nous posons les pieds. En chemin, au milieu d'arbres agités, nous faisons connaissance avec les rarissimes orangs-outangs. Ils nous regardent avec des yeux tristes... Seraient-ils conscients du fait que leur avenir est incertain? Alain Dufour et moi suons comme des bêtes de somme. Nous avons du mal à nous faire à l'idée que des êtres humains puissent survivre dans une région aussi peu hospitalière.

Enfin, le grand chef nous accueille, et nous prenons un peu de repos. Les Dayaks sont des guerriers et des chasseurs. Leur teint est cuivré et leurs yeux sont plutôt doux pour des guerriers. La forêt tropicale leur sert de forteresse et de rempart contre ce que nous appelons la civilisation.

Je me sens à l'aise et en sécurité chez les Dayaks. Nous passons 24 heures chez eux, dans la jungle, bercés par les accents uniques de la symphonie de la jungle de Bornéo, en ré mineur, tiens, tant il est vrai que le chant naturel de l'homme est souvent triste. Les filles sont belles; leurs sourires, quasi racoleurs. Mais il est plus prudent d'échanger avec les yeux pour éviter d'offenser le chef. Les Dayaks ont un passé anthropophage, et nous ne ferons certainement rien pour le leur rappeler.

Le lendemain, ragaillardis et réconciliés avec la jungle, nous atterrissons à Sulawesi, au pays des Torajas, «la terre des rois célestes». Ceux-ci vivent dans un milieu civilisé, mais les maisons sur pilotis qui composent les villages nous donnent l'impression d'entrer dans un autre univers. Destinés à élever l'esprit vers le divin, les toits des maisons sont chapeautés par d'immenses cornes de bœuf, symboles d'opulence. Seul dans mon véhicule pendant que mon accompagnateur part chercher une permission nous autorisant à entrer dans ce monde, je suis soudainement entouré de nez collés aux vitres des portières. Quel effet bizarre ça me fait ! C'est moi qui me sens en cage dans un zoo pendant que ces autochtones m'examinent.

Les Torajas vénèrent les morts à un degré inimaginable. On nous offre d'assister à des funérailles qui n'ont rien à voir avec ce que vous et moi connaissons.

— Achetez pour la veuve que nous allons rencontrer là-haut, au sommet de la montagne, des cigarettes ou des fleurs, nous recommande-t-on.

Nous arrivons au milieu d'une véritable kermesse. Il y a bien 300 à 400 personnes qui festoient et mangent en écoutant des discours et de la musique orientale. Incroyable ! Sur le balcon de la veuve, un cercueil imbibé de formol repose là depuis les six derniers mois. C'est la durée normale qu'il faut accorder au Créateur afin qu'il s'assure que l'âme du mort a bel et bien quitté son corps.

Au milieu de l'après-midi, un chef vient, armé d'un sabre, égorger devant tout ce beau monde un immense bœuf. Il me revient une séquence du film *Apocalypse Now*, dans laquelle le personnage joué par Marlon Brando tombe sous le coup de son assassin en même temps que l'on tranche la tête du bœuf…

Plus tard, une hôtesse nous invite dans la montagne, au village de Kete Kesu, pour voir les morts qui regardent les vivants. Les tombeaux suspendus de Londo et Lemo nous font voir des corps momifiés qui paraissent nous surveiller. Du haut des falaises mortuaires, les cadavres au garde-à-vous guettent les pas des vivants. L'expérience est indescriptible.

À bord d'un avion de brousse, nous mettons bientôt le cap sur Wamena, en Papouasie – Nouvelle-Guinée, le repaire des Dani. Nous sommes quatre à bord. Il n'y a même pas assez de place pour changer d'idée, comme on dit en Beauce. Dans le milieu de l'allée se trouve un baril de pétrole tandis qu'aux commandes, le pilote grille une cigarette. Impossible de relaxer ! Pour me changer les idées, je contemple la forêt drue et dense au milieu de laquelle nous allons bientôt nous poser. À terre, notre guide se croit obligé de raconter que son père, dans les années 1950, était anthropophage et que lui-même a déjà goûté à la cuisse d'un missionnaire.

— Le peuple des Dani, que vous allez découvrir, est replié sur lui-même et se tient loin de tout ce qui constitue le monde moderne, ajoute-t-il.

À Wamena, nous nous retrouvons ainsi sur la terre des Dani. On est à proximité de l'Australie, donc en Océanie. Dans le va-et-vient quotidien, il n'est pas rare de voir, en cet endroit, un indigène complètement dénudé, mêlé aux conversations des bonnes gens.

De là, Dufour et moi montons à bord d'une jeep qui, après une heure et demie de route à travers la jungle, nous conduit dans un bled dénommé Sinatan. Nous empruntons un pont de lianes suspendu qui nous mène à la rencontre d'une autre tribu guerrière. Moyennant l'achat d'un cochon sauvage et de riz, on se dit disposé à nous recevoir. Il faut un permis de l'armée pour franchir cette zone, car, croyez-le ou non, des aventuriers allemands qui s'y sont rendus n'ont jamais été revus. Les Papous possèdent toujours la réputation d'être des mangeurs d'hommes !

Une fois que nous sommes acceptés parmi eux, le chef ordonne aux femmes de venir nous cueillir. Oui, c'est sur les épaules de ces demoiselles que j'entre dans ce petit hameau perdu au milieu de la forêt. De quoi faire jaser nos féministes !

L'expérience est exceptionnelle ! Les Papous, qui s'adressent à moi par hurlements et par gestes, ne connaissent de la modernité que les avions qui passent à 11 000 mètres au-dessus d'eux et qu'ils assimilent à des oiseaux de fer. L'heure du dîner arrivant, les femmes allument le feu avec des branches et des pierres. Un guerrier abat d'une flèche le porcelet que nous avons acheté et la cuisson débute. Les chiens affamés rôdent près du feu. Les mouches envahissent les alentours. Qui pourrait oublier une expérience de la sorte ? Espérons que leur isolement géographique continuera de les protéger de nous. Que ce soient les Papous de l'Irian Jaya, les Dayaks du Kalimantan ou les Torajas de Sulawesi, les indigènes de l'Indonésie désirent se faire entendre de Jakarta afin que, dans cet archipel, les erreurs du passé ne soient pas répétées. Il faut absolument éviter de faire de ces tribus, ou de celles d'Amérique latine, des peuples dénaturés, entassés dans des réserves urbaines, comme c'est le cas chez nous pour les Premières Nations.

• • •

Sur le chemin du retour, nous faisons brièvement escale à Bali. Pour plusieurs, cette île est un véritable paradis terrestre. Son seul nom ensorcelle comme un tour de magie. Les femmes y sont incroyablement belles. Le tourisme y est florissant, mais il faudra être prudent. L'île semble avoir atteint la limite de sa capacité d'accueil.

Dans le plus grand pays musulman du monde, Bali fait figure de petit village gaulois. C'est l'hindouisme qui a séduit le cœur de l'île. Cet état des choses, ajouté à la présence de nombre de visiteurs étrangers, ne fait pas l'affaire de tout le monde. Au lendemain de notre passage, des fanatiques font sauter une discothèque. Des centaines d'innocents périssent. Comme quoi il est de moins en moins vrai que les gens heureux n'ont pas d'histoire.

Hors de la jungle

La cité-État de Singapour est la ville la plus urbanisée de cette partie du monde. Ils sont nombreux, en Occident surtout, à la vanter, et je fais partie de ceux qui la donnent en exemple.

Singapour, tout comme le Japon, dispose de très peu de ressources naturelles. Mais elle peut compter sur la matière grise de ses habitants, ce qui n'est pas rien. Le commerce, surtout contrôlé par les Chinois, sert de locomotive au développement de l'économie. Et toute la population est invitée à participer à la réussite de la ville.

Le jeune État a beau être une démocratie, le gouvernement n'y est pas moins très autoritaire. Ici, pas de papiers par terre, pas de graffitis, et on ne risque pas de marcher sur une gomme à mâcher étant donné que la vente de ce produit est interdite ! On tolère les originaux qui se promènent dans les rues avec des boas ou des chimpanzés, mais, pour le reste, mieux vaut marcher droit.

La population de Singapour jouit d'un recours quand elle croit que la police ne fait pas son travail : si les forces de l'ordre ne répondent pas à un appel en moins de cinq minutes, les citoyens peuvent téléphoner à une station de radio qui leur donnera la parole et transmettra la plainte en haut lieu. Notre police serait rapidement paralysée si un mécanisme semblable existait chez nous.

La Grande-Bretagne, qui a accordé son indépendance à Singapour en 1965, est encore très présente. Orchard Road, le quartier des affaires, l'hôtel de ville, la cathédrale St. Andrews, le Victoria Memorial Hall... Le colonisateur a laissé des traces de son passage. Il a aussi exigé en quittant le pays que l'anglais y demeure une des langues officielles. Quand on voit qu'une telle réalité existe ailleurs, on se sent un peu moins seul, non?...

Je tiens à visiter le célèbre hôtel Raffles, d'un blanc immaculé, mais le portier nous en empêche. Pourquoi? Parce que Michael Jackson a loué l'établissement au complet! A-t-il payé sa note?

• • •

Après Singapour, rendons-nous à Bangkok, capitale de la Thaïlande, également connue pour être la Mecque du sexe. Mais il ne faut pas croire que la luxure soit la seule préoccupation des Thaïlandais! Ce sont des gens calmes et discrets. Piquer une colère en public à Bangkok est extrêmement mal vu.

J'ai toujours rêvé de Bangkok. Depuis mon plus jeune âge, cette ville, avec Bagdad, Hong Kong, Saigon, Kuala Lumpur et Jakarta, pour ne nommer que celles-là, est emblématique des *Mille et une nuits*. Bangkok ne m'a pas déçu.

Cette ville attire de nos jours nombre d'Occidentaux qui viennent se faire soigner dans les hôpitaux locaux, ultramodernes, où les coûts sont raisonnables et où il n'y a pas d'attente. Les médecins ont une excellente réputation.

La Thaïlande a ceci de particulier qu'elle n'a jamais été colonisée. Le pays a donc pu garder son caractère authentique. Les marchés flottants que l'on retrouve à Bangkok sont tout à fait uniques. Les marchandes de fleurs et de fruits exotiques qui sillonnent les cours d'eau ont des sourires magnifiques. Elles font de bonnes affaires; il est impossible de leur résister.

Mais quand on pense à cette capitale, on songe surtout à son industrie du sexe. À mon avis, la réputation de ville libidineuse de Bangkok s'explique de la manière suivante: d'abord, les soldats américains éprouvés par la guerre du Vietnam aimaient bien venir trouver du réconfort dans les bras des jolies Thaïlandaises. Ces soldats agirent comme ambassadeurs quand ils retrouvèrent leur patrie. Puis, les Thaïlandais comprirent rapidement que le sexe pouvait être aussi payant, sinon plus que l'électronique. Ils développèrent donc une industrie du sexe structurée et organisée. Vous avez sûrement déjà entendu le tube de Murray Head, *One Night in Bangkok*, popularisé dans les années 1980, qui vante les nuits de l'endroit... Cette chanson a fait le tour du monde. Peut-on faire mieux en matière de publicité gratuite?

Je serais le dernier des hypocrites si je vous disais que je n'ai pas goûté au fruit défendu. Mais jamais il ne me prendrait l'envie de m'installer dans cette ville. Comme le coût de la vie est très bas, je pourrais probablement vivre la vie de pacha pour le reste de mes jours au bras d'une jeune beauté locale, mais je n'en éprouve pas la moindre envie. Je ne me sens pas l'âme d'un exploiteur.

Pour plusieurs jeunes filles, la prostitution est un miroir aux alouettes. Elles veulent bien croire qu'il y a une vie après l'industrie du sexe, mais rien n'est moins sûr. L'abolition des frontières commerciales a permis des investissements importants dans le pays. Nombreuses sont les prostituées qui ont pris le chemin des manufactures. Il va sans dire que la paye est, de beaucoup, inférieure aux gages de fille de joie, mais l'estime de soi et la dignité, ça n'a pas de prix.

Quand on se rend dans la jungle du nord du pays, on se trouve très loin de la débauche de la capitale. Au cours de mon séjour là-bas, j'irai à la rencontre des Karen et des Lahu, qui vivent dans les montagnes. Les femmes des Lahu ne sont vraiment pas belles, mais elles ont un tel charme qu'on oublie facilement leur apparence, rebutante de prime abord. Elles font exprès de se noircir les dents. Pour ce faire, elles chiquent à longueur de journée des feuilles de bétel, un produit visqueux semblable à la réglisse. Ces descendantes des Mongols et des Chinois me sourient pourtant de toutes leurs dents, sans éprouver le moindre embarras.

Dans certaines communautés, les femmes se font carrément enlever toutes les dents. Dans certaines autres, j'en ai vu qui les faisaient dorer. Les dents font partie de l'arsenal de séduction féminine et, en cette matière, les goûts ne sont pas à discuter.

La Thaïlande est vraiment un pays aux 100 visages.

Je suis témoin, à la frontière du Myanmar, d'un spectacle bouleversant ; je vois une très jeune mère balancer son bébé à l'eau dans l'espoir qu'il soit récupéré par des mères thaïlandaises capables de l'élever. Moïse sauvé des eaux...

Le photographe que je suis n'allait pas rater une chance d'aller faire un tour chez les Padaungs pour y voir de ses propres yeux les fameuses « femmes girafes ». La communauté des Padaungs compte plus de 6 000 individus. Les spirales de métal que portent les femmes provoquent l'affaissement du haut du thorax, ce qui permet au cou d'atteindre jusqu'à 30 centimètres de hauteur. Contrairement à une croyance répandue, ces cerceaux ne sont pas décoratifs ; ils servent en principe à protéger ces femmes des attaques de tigres, qui se jettent à la gorge de leur proie. On les a vues et revues, ces images, dans le *National Geographic*, mais qu'à cela ne tienne ; ces clichés sont toujours spectaculaires.

Me voici au camp Baan Mae Ta Maan. Je m'attendais à trouver sur place un chantier ultramoderne avec des tracteurs et des grues un peu partout. Erreur : ici, ce sont des éléphants qui servent de machinerie lourde. C'est une façon qu'ont trouvée les Thaïlandais pour protéger leur population de pachydermes, qui est passée de 25 000 à 5 000 bêtes en peu de temps. Un éléphant bouffe 250 kilos de bananes par jour et il boit 100 litres d'eau, voilà les arguments de ceux qui veulent les exterminer.

L'homme est décidément un drôle d'animal. Il se garde la part du lion et empiète sur le territoire des animaux, quand il ne les condamne pas carrément à la disparition pure et simple. Ce proverbe des Indiens cris du Canada est, à cet égard, plein d'enseignement : «Quand le dernier arbre sera abattu, la dernière rivière empoisonnée, le dernier poisson pêché, alors vous découvrirez que l'argent ne se mange pas.»

En Indochine française

Depuis mon premier voyage au Vietnam en 1975, j'ai toujours eu envie d'y retourner. Puisque les frontières du pays ont été fermées durant près de 20 ans, il me faudra attendre jusqu'en 1990 pour avoir de nouveau l'occasion d'y remettre les pieds, cette fois en compagnie d'une délégation de G.I. vieillissants et bedonnants qui partent à la recherche des 1 500 de leurs collègues disparus dans la jungle vietnamienne, au pays des cobras. Dans notre groupe se trouve un Québécois d'origine polonaise, Ricky Gorbachek, avec qui je me lierai d'amitié et qui, de retour à Montréal, fera de moi un membre honoraire de l'armée américaine. Si l'agent de la CIA de 1968 savait ça...

Pourtant à proximité de Huê, nous nous empêtrons dans les obstacles de l'impitoyable jungle alors que nous recherchons quelques petits villages où les soldats ont séjourné pendant la guerre. Peine perdue ; on n'a jamais entendu parler de G.I. dans ces bleds. Malgré l'aide des officiels, nous ne pourrons retrouver un seul de ces Américains. Certains d'entre nous concluront qu'ils se sont intégrés à la population locale ou encore qu'ils en ont profité pour fuir l'Amérique.

De nos jours, on note une recrudescence du tourisme américain au Vietnam. Culpabilité ? Nostalgie ? Curiosité ? Toutes les hypothèses sont avancées.

Dire que le peuple vietnamien est un peuple travaillant serait un euphémisme. Les gens ici n'ont pas le temps d'appeler dans les tribunes téléphoniques ou de se plaindre de la météo. À part les fonctionnaires communistes du nord, tout le monde travaille. Certains vendent des crayons ou des vieilles piastres indochinoises, d'autres cirent les chaussures. On peut même acheter des poules vivantes en pleine ville, si la chose nous intéresse.

Durant l'un de mes voyages là-bas — j'irai au Vietnam quatre fois —, je rencontre une jeune et jolie col bleu qui, tenez-vous bien, passe le balai en souriant.

Nous discutons, et j'apprends qu'elle travaille six jours par semaine et qu'elle est satisfaite de son sort. Vous me voyez venir... Son attitude tranche rudement avec celle de nos cols bleus de Montréal, qui ne travaillent que quatre jours, tout en étant payés pour cinq, et trouvent le moyen de se plaindre...

J'ai toujours été un grand amateur de livres traitant de l'Indochine française. Je ne rate donc pas la chance d'aller voir par moi-même les décors féeriques décrits par Hélie de Saint-Marc dans *Les champs de braises.* Je suis cependant déçu de constater que le Vietnam s'est efforcé de faire disparaître les traces de la présence française. Les noms de villes, les noms de rues à consonance française ont été changés. Les communistes, dès qu'ils sont au pouvoir, font le maximum pour détruire tout ce qui évoque les régimes qui les ont précédés, comme si la vie commençait avec eux. Ils poussèrent même l'audace jusqu'à déconstruire le cimetière français de Hanoï.

Dans ce contexte, je m'explique mal que le Vietnam ait eu le culot de demander en 1990 son adhésion à l'Organisation internationale de la francophonie, comme je l'ai relaté au chapitre II. Après tout, la langue administrative du pays est l'anglais. Quand on sait que 400 000 touristes français visitent le pays chaque année, il y a de quoi en perdre son latin !

Mis à part ces considérations politiques, je n'ai que de bonnes choses à dire à propos du peuple vietnamien, qui a toujours fait preuve de discipline et de courage (sans parler des femmes, qui sont tout simplement charmantes). Et avec tout ce que je sais sur ce coin du monde, je suis en mesure de faire la différence entre l'information objective et la propagande communiste.

Je n'hésite jamais, d'ailleurs, à en découdre avec les différents guides qui m'accompagnent.

Cette opposition est flagrante lors d'un de mes arrêts à Hô Chi Minh-Ville, que je persiste à appeler Saigon. Ma guide se met à casser du sucre sur le dos de Van Thieu, l'un des derniers présidents du Sud-Vietnam. Elle a tort, et je ne me gêne pas pour le lui dire. Mais elle n'a que 25 ans et est originaire du nord ; tout ce qu'elle sait de l'ancien président provient de ses ennemis... Le lendemain, elle est remplacée par un guide plus âgé, et plus en mesure de me tenir tête.

Saigon a beaucoup à offrir aux amateurs d'histoire. Dans l'ancien palais de Van Thieu, tout est demeuré intact. L'hôtel de ville, le café Givral, point de rendez-vous des espions et des journalistes au temps de la guerre, l'hôtel Continental, où séjournèrent notamment les auteurs André Malraux et Graham Greene, et la majestueuse cathédrale Notre-Dame sont tous des sites intéressants à voir. Ma nature veut que je sois également attiré par le quartier chaud de la banlieue de Cho Lon. Dans un bar mal famé, une douzaine de prostituées défraîchies me ronronnent des histoires de l'invasion américaine. La patronne a même connu l'époque de l'armée française ; c'est vous dire son âge ! Ces filles risquent d'être coffrées puisque le pouvoir communiste se veut plus puritain, mais elles s'en moquent ; le patron se chargera de payer la police et le tour sera joué. Derrière un rideau de bambou, j'entrevois des hommes enveloppés de fumée et entourés de filles beaucoup plus séduisantes. J'en ai trop vu. L'un d'eux se lève et m'enjoint à faire du vent. Sous son veston, j'aperçois un éclat de métal.

Dehors, tout me rappelle que ce sont les Chinois qui règnent ici. Près d'un temple, une plaque nous informe que c'est là que fut abattu, en 1963, l'ex-président Ngô Dinh Diêm par un bras à la solde de la CIA. Cet événement ouvrit la porte aux Américains intéressés à remplacer la France en Indochine.

Mais si vous vous intéressez à l'histoire de l'Indochine, c'est à Diên Biên Phu qu'il vous faut faire un détour. C'est dans cette cuvette située à 400 kilomètres de l'actuelle capitale du pays, Hanoï, qu'eut lieu la dernière bataille de la guerre d'Indochine, qui conduisit à la fin de la présence française dans la région. À bord de l'avion qui m'y amène, le pilote fait volontairement un détour pour nous permettre de jeter un coup d'œil sur ce qu'était Cao Bang, dont la Légion étrangère avait fait sa forteresse de jungle. Malgré tout, devant l'ampleur des troupes nord-vietnamiennes du général Giap, la fin arrivera le 8 mai 1954.

Comme chaque fois que je visite un champ de bataille, je ressens une vive émotion. Comment ne pas frissonner en pensant aux soldats qui se battirent jusqu'au bout, qui exécutèrent les ordres de leurs généraux et qui furent envoyés à la mort pour rien par des politiciens sans scrupules?

À Diên Biên Phu, on peut visiter le bunker du colonel de Castries, qui dirigeait les 12 000 Français, Algériens et Vietnamiens qui combattirent sous le drapeau de la France. L'air humide des lieux sent la mort. Les sacs de terre derrière lesquels les soldats s'abritaient sont encore là. Si les murs pouvaient parler… Dehors, l'herbe verte a repoussé, recouvrant les brûlis.

Toujours dans le décor solennel où les combats firent rage pendant près d'un mois au printemps de 1954, je photographie un jeune soldat vietnamien dont le grand-père a combattu contre la France à Diên

Biên Phu, et sa fiancée. Il accepte de se prêter au jeu, car comme il me le dit avec une évidente fierté, il fait partie du camp des vainqueurs. Mais il aurait pu en être autrement. Selon mon ami Jean-Marie Montbarbut Du Plessis, si les Américains avaient fourni une aide aérienne aux Français au moment de la bataille finale, l'Indochine ne serait pas devenue communiste. L'Oncle Sam croyait pouvoir mater les communistes sans l'aide de la France... La guerre du Vietnam a prouvé qu'il avait tort.

En route vers Hanoï, je tombe sur un cortège de Vietnamiens vêtus du costume traditionnel. Sous leurs parapluies, ils tiennent les cadeaux qu'ils s'en vont offrir à un couple de jeunes mariés. Une scène qui reste collée à la mémoire. Je n'oublierai pas plus mon bref séjour chez les Thos, une tribu du nord nichée dans les montagnes de calcaire où l'on continue à s'opposer aux communistes ; j'y boirai le thé sur la terrasse d'une maison sur pilotis.

Dans ce pays, les chiens sont très présents. Dans certaines villes, on en trouve des dizaines qui jappent toute la nuit, rendant le sommeil presque impossible. Et le jour, vous risquez de les apercevoir suspendus à des clous, sur les étals des bouchers. Comme en Chine, la viande de chien est très prisée, et on la sert bien souvent accompagnée de chair de serpent. Comme vous vous en doutez, je ne me suis pas risqué à y goûter...

L'alimentation n'est pas la seule « saveur locale » qui me vaudra des surprises. Pendant un séjour à Hanoï, je tente, encore une fois, de photographier des policiers. Et encore une fois, je manque de me retrouver dans l'eau chaude. Je fais donc semblant de photographier un monument quelconque, tout en m'assurant d'avoir les agents dans la photo. Toutefois, l'un des gendarmes n'est pas dupe. La discussion s'anime, il appelle des renforts et je passe près de me faire coffrer. Mais mon guide, qui en a vu d'autres, me suggère de leur donner un pourboire. Un maigre pot-de-vin de trois dollars suffit à étouffer l'affaire. Ce sont les façons de faire là-bas. À Rome, on fait comme les Romains.

Malgré les splendeurs qu'il recèle, malgré toute l'histoire que ce pays peut nous enseigner, tout n'est pas rose au Vietnam. Le pays s'américanise à grande vitesse, et le développement sauvage gruge de nouveaux espaces naturels tous les jours. Mais je peux vous dire que cette contrée continue de faire rêver. Elle a inspiré des dizaines d'auteurs, et il est facile de comprendre pourquoi. D'ailleurs, tout n'est pas perdu pour ce coin du monde. Les possibilités sont immenses. On compte aujourd'hui 85 millions de Vietnamiens, l'espérance de vie a grandement augmenté au cours des 50 dernières années, on y retrouve moins d'analphabètes qu'au Québec, et le Sida, qui frappe durement l'Asie — sans parler des ravages qu'il fait en Afrique —, est là-bas un phénomène marginal. Tous les espoirs sont donc permis.

Promesse à moi-même... tenue !

Au cours de mon premier voyage à Paris, dans la France gaullienne de 1964, j'ai vu le prince Norodom Sihanouk et Georges Pompidou défiler sur les Champs-Élysées. Je me suis alors fait la promesse de visiter un jour le Cambodge, royaume de Norodom. Il me faudra près de 40 ans pour y parvenir, mais, quand on a la tête dure comme la mienne, on ne lâche jamais le morceau ! En 2002, je foule le sol de ce pays qui a beaucoup changé depuis les années 1960. L'accueil à l'aéroport de Siem Reap est presque une épreuve en soi. J'y suis reçu par cinq types à l'air louche, qui commencent par se passer mon passeport de main en main avant de le remettre à celui qui semble être leur chef, un rustre aux yeux de tigre, au teint cuivré et à la gueule si carrée que je me dis qu'il doit avoir un passé de Khmer rouge. Comme accueil, on peut difficilement faire pire. Il faut croire que le Kampuchéa n'a pas besoin de visiteurs, comme au temps de Pol Pot.

Un jour à peine après mon arrivée, je me retrouve à Angkor, ancienne capitale de l'Empire khmer, dans une jungle verdoyante parsemée de temples oubliés et de statues toutes plus surprenantes les unes que les autres. Là, le silence est de rigueur. Il s'impose presque de lui-même tant ce tableau est solennel. Le jour vient à peine de naître que les moines encensent les vieilles pierres grises et allument des cierges blancs le long de notre parcours. Quand ils vont à la rencontre d'un groupe de touristes, c'est pour solliciter des aumônes.

Juste à côté, je vois une bouddhiste chargée de l'entretien des lieux de prière. Elle a le crâne rasé et n'est vêtue que de blanc. Les hommes sont, quant à eux, enveloppés de jaune. Munie d'un *phikier*, c'est-à-dire d'une machette, elle coupe la pelouse aux abords du temple pour un maigre salaire de 30 cents par jour.

— Cela me suffit pour acheter des légumes et des fruits, explique-t-elle à mon guide.

Je tombe face à face avec un énorme Bouddha. Je me demande s'il était là quand les Khmers rouges, ce mouvement de guérilla d'inspiration maoïste qui fut au pouvoir de 1975 à 1979, saccageaient le coin. Peut-être bien, puisque l'armée vietnamienne bivouaquait dans la région à la même époque. C'est ce qui protégea cette cité du silence des ravages de ces fanatiques qui étaient, en quelque sorte, comparables aux talibans de l'Afghanistan. Cette cité d'Angkor s'étendait alors sur plus de 3 000 kilomètres carrés. C'est un désastre environnemental qui aurait provoqué le départ de ses habitants. Lorsque j'y passe en 2002, les Cambodgiens, accompagnés d'archéologues français et australiens, sont tout fiers d'exhiber des photos prises du haut du ciel par des astronautes de la NASA, démontrant que, même sous terre, il y a de nombreux lacs, routes et temples. On dit que la population atteignit à une époque plus de 500 000 âmes. Je grimpe sur un sommet pour constater l'étendue de ce complexe. Un ciel lavé et un plafond trop bas m'empêchent de satisfaire ma curiosité.

En redescendant la pente, je rencontre d'autres jeunes femmes occupées à tondre le gazon à l'aide de machettes rudimentaires. Je m'en étonne auprès de mon guide.

— Ne pourraient-elles pas utiliser des tondeuses ?

Il me répond que si le gouvernement faisait cela, huit travailleurs sur dix se retrouveraient à la rue. Il a bien raison, quand on y songe. On n'a qu'à se demander combien d'emplois, chez nous, ont été éliminés par les seuls répondeurs téléphoniques et guichets automatiques.

Le Cambodge est un pays agricole, sans industrie secondaire, ce qui l'oblige à se rabattre sur l'importation. La vie y coûte cher quand on la compare à celle de ses voisins. J'apporte toujours très peu de vêtements dans mes valises. Dans les blanchisseries cambodgiennes, on me demande huit dollars pour mes deux pantalons et mes deux chemises, alors qu'au Vietnam, le tarif était d'un dollar. De nombreuses guerres déchirèrent le Cambodge et y laissèrent des traces. Les Khmers rouges, pendant leur règne de terreur, enfouirent de nombreuses mines antipersonnel dans la terre. Dans la ville de Siem Reap, située tout près d'Angkor, un nombre impressionnant d'enfants mutilés par les mines me supplient de leur donner de l'argent. Cela me brise le cœur.

Encore des fêtes à l'étranger

Comme vous avez pu le constater, j'ai passé plusieurs Noëls à l'étranger au fil des ans. Ce n'est pas une simple coïncidence. Le mois de décembre est un bon moment pour partir en voyage quand on anime à la radio étant donné qu'il n'y a pas de sondages à cette période de l'année. Et, pour être honnête, je ne raffole pas du temps des fêtes. Les réunions de famille me hérissent particulièrement. Le moment est bien choisi pour partir à l'aventure.

Ainsi, c'est de nouveau la veille de Noël quand un avion me dépose à Séoul en compagnie d'Alain Dufour, l'homme de tous les défis qui, comme moi, est incapable de résister bien longtemps à l'appel du large.

J'ai donc entendu sonner minuit, un 25 décembre, dans plusieurs hauts lieux de la chrétienté : Notre-Dame de Paris, St-Pierre de Rome, Bethléem... puis Séoul, capitale de la Corée du Sud. Elle ne compte qu'une toute petite communauté catholique, mais se vante d'avoir la plus grande cathédrale gothique jamais construite par les Français, la cathédrale Myeong-Dong.

C'est au bout d'une longue marche au milieu d'une foule très dense que nous atteignons l'église.

Comme dans un cauchemar, j'ai l'impression de ne pas avancer. J'étouffe et revis une chanson d'Édith Piaf, *Emportée par la foule qui nous traîne...* Nous jouons des coudes et des hanches pour enfin arriver à la porte de ce havre de paix. Une fois à l'intérieur, je remarque qu'il n'y a en tout qu'une douzaine d'Asiatiques dans l'assistance. La messe est dite en français et en coréen. La Corée n'est pas le pays le plus chrétien qui soit, mais Noël est une date importante au calendrier. À chaque coin de rue ou presque, un père Noël prend les enfants sur ses genoux. Dans ces circonstances, il ne doit pas y avoir beaucoup d'enfants qui croient à la légende du gros monsieur barbu et de son traîneau...

Le lendemain, nous nous retrouvons sur une autoroute qui mène à Mussan, tout près du 38ᵉ parallèle. Cette voie rapide fut construite en un temps record. Je pense à l'autoroute 30, qu'on prévoit construire chez nous depuis au moins 10 000 ans et dont tout le monde veut, à condition qu'elle ne passe pas dans sa cour...

Depuis la guerre de Corée, le pays est partagé en deux parties, le nord et le sud ; le 38ᵉ parallèle sert de ligne de démarcation. À Mussan, les plus braves peuvent grimper dans l'observatoire de l'Unification, d'où on peut zieuter la Corée du Nord, au-delà de la rivière Imjin. Du haut de l'observatoire, je constate que, plus de 50 ans après la fin des hostilités, on demeure sur le pied de guerre des deux côtés de la clôture. Il y règne une grande agitation. Des soldats patrouillent en permanence avec des chiens. D'ailleurs, certaines personnes de notre groupe préfèrent ne pas monter à l'observatoire, intimidées par les soldats communistes qui nous observent avec leurs longues-vues, comme au temps du mur de Berlin. Ont-elles peur qu'un soldat de la Corée du Nord leur tire dessus? Tout près de là, on nous montre des chasseurs F-86 qui ont fait la gloire des Alliés face aux Migs soviétiques du nord. Le 22ᵉ régiment s'y est battu, et je me rappelle qu'un jeune reporter du nom de René Lévesque commença à se faire connaître sur nos ondes à la même époque…

Les Nord-Coréens ne font pas qu'investir dans le nucléaire. Ils dépensent des fortunes dans la construction de belles maisons tout près de la frontière, comme s'ils voulaient montrer à leurs frères du sud qu'il fait bon vivre chez Kim Jong-il. Évidemment, la réalité est autre dans ce pays qui vit replié sur lui-même. Pour bien des Nord-Coréens, la faim fait partie du quotidien, ce qui rend cette mascarade frontalière encore plus absurde…

À notre retour de cette visite, nous nous arrêtons dans un village de campagne typique. Les gens y sont heureux, mais on les sent inquiets. La nucléarisation de l'arsenal militaire leur fait peur. Quand on se souvient que la Corée du Nord n'a jamais signé d'armistice et qu'elle a seulement consenti à un cessez-le-feu, on comprend les Coréens de ne pas être rassurés. Ils savent toutefois que les Américains n'hésiteront pas à intervenir militairement si Pyongyang met ses menaces à exécution.

On pourrait s'attendre à ce qu'à cause de cette garantie rassurante, la population sud-coréenne soit très sympathique aux Américains. Après tout, c'est grâce aux États-Unis que Séoul a pu se doter, avant toutes les autres capitales du sud-est asiatique, de l'eau courante, de l'électricité et du transport par tramway. Cependant, les manifestations antiaméricaines sont monnaie courante dans le pays.

Joyeux Noël quand même, me dis-je pour conclure ces réflexions, et paix sur terre aux hommes de bonne volonté…

CHAPITRE VIII
Vers le toit du monde

Je viens de visiter la sainte Russie de Brejnev quand je m'embarque pour la première fois vers Pékin, un jour de novembre. La scène a quelque chose de surréaliste. Les douzaines de Chinois qui se trouvent à bord de l'avion me regardent comme si j'étais un Martien. La plupart d'entre eux fument. Quelques-uns tiennent des cages à poules sur leurs genoux. Dans la vingtième rangée, Claudette Crevier, une Montréalaise de ma connaissance, rencontrée à l'Hôtel de la montagne. Elle aussi a l'air de se demander ce qu'elle fait là. Je mets mes mains en porte-voix et je lui crie: «On est loin de l'Hôtel de la montagne!» Je croyais que ça la ferait rire, mais elle fond plutôt en larmes… Dans cet avion, au bout du monde, elle se sent complètement perdue.

Nous sommes en 1986. C'est ma première visite en Chine — j'y retournerai deux fois, en 2006 et en 2007. À l'époque de mon premier voyage, l'armée est omniprésente, et l'ombre de Mao pèse encore sur les gens. Tout le monde arbore les célèbres couleurs de Mao. Aujourd'hui, on ne trouve l'effigie du président que sur les billets de banque, et encore…

Dans les années 1980, le pays est à l'heure des cirques. On me fait assister aux représentations de trois de ceux-là en 15 jours, toutes aussi épatantes les unes que les autres. Ces athlètes et acrobates sont si intrépides! Dans les gradins, toutefois, des Pékinois ne semblent pas plus impressionnés qu'il le faut... Il faut croire que l'effet de nouveauté s'est dissipé.

Lors de ce premier voyage à Pékin, une des choses qui me marque le plus, c'est l'habitude qu'ont les Chinois de se moucher avec leurs doigts et de cracher partout. Vingt ans plus tard, rien n'aura vraiment changé. La Chine a beau se moderniser, les Chinois n'en continuent pas moins de se moucher avec les doigts.

Certaines choses ont changé, toutefois, entre mon premier et mon dernier voyages au pays de Mao Tsé-Toung. En 1986, il y a beaucoup plus de bicyclettes que de voitures. On compte 100 000 automobiles dans le Pékin d'alors; il y en a aujourd'hui près de quatre millions. On ne compte plus les autoroutes, et les grues sont omniprésentes, symboles de la croissance fulgurante que connaît la capitale.

Le centre-ville n'a plus grand-chose à voir avec son passé communiste. Finies les artères grises, bordées de bâtisses foncées et métalliques. En fait, il était jadis difficile de s'orienter dans la ville tellement toutes les constructions se ressemblaient. Aujourd'hui, on trouve en plus des places publiques une centaine de nouveaux sites ouverts au public, 600 hôtels de luxe et près de 4 500 auberges dotées de 360 000 chambres. Amenez-en, des congrès!

L'émergence de la Chine comme nouvelle puissance économique est de nos jours un sujet à la mode; ce fut le cas, bien sûr, dans les semaines qui ont précédé les Jeux olympiques de 2008. Toutefois, la grande majorité de la population ne roule pas sur l'or. Sur presque un milliard quatre cents millions de Chinois, peut-être cent millions seulement profitent de la manne économique. C'est tout de même appréciable, remarquez bien. Quand on pense que le Canada compte environ trente et un millions d'habitants, on réalise aisément que nous ne serons bientôt plus dans la course... La Chine demeure un pays agricole, et ses habitants, en général, se sentent de plus en plus coupés de cette horde de nouveaux requins de la finance qui profitent du boum que connaît le pays.

La Grande Muraille de Chine est de loin l'attraction touristique la plus populaire du pays. Il s'agit de la plus importante de toutes les constructions humaines, devançant même les pyramides d'Égypte. Quand je m'y rends pour la première fois, en 1986, il n'y a guère qu'un petit groupe de militaires, quelques Chinois et un nombre restreint de touristes qui se donnent la peine d'aller la voir. Aujourd'hui, plus de dix millions de touristes visitent la Muraille chaque année. Il en coûte pourtant dix dollars rien que pour fouler la première marche de l'escalier ! Le soir, près de 650 projecteurs en éclairent un segment d'une longueur de 1 200 mètres.

C'est pour se protéger des Mongols que les Chinois décidèrent d'entreprendre ce colossal chantier de construction, vers l'an 221 avant notre ère. Les cavaliers mongols attaquaient et volaient les troupeaux, quand ils ne décimaient pas carrément les populations locales. Les Chinois finirent par en avoir assez et érigèrent cette palissade protectrice pour le moins impressionnante. Aujourd'hui, les rôles sont inversés. Les Chinois ont besoin d'espace pour contenir leur poussée démographique tandis que la Mongolie voisine est sous-peuplée. C'est donc la Chine qui menace la Mongolie, désormais, et non le contraire.

En Chine, il faut voir la place Tian'anmen, la plus grande place publique du monde. Elle sera toujours associée à la répression du Printemps de Pékin par l'armée chinoise en 1989. Les étudiants ne voulaient qu'un peu de liberté, le gouvernement en a décidé autrement. Comment oublier les images de ce jeune universitaire qui, en 1989, osa défier un char d'assaut qui avait pour mission d'écraser la rébellion des étudiants? Ces photos ont fait le tour du monde. En Chine, on ignore ce qu'est devenu cet étudiant. Il a apparemment disparu sans laisser de traces.

Derrière la «Porte de la paix céleste», toujours sur la grande place, se profile la Cité interdite, qui n'est plus aujourd'hui interdite à personne; on y tourna même le film *Le dernier empereur*, paru en 1987, qui évoque le règne du dernier empereur au XXe siècle. C'est là que vécut Mao, le Grand Timonier, jusqu'à sa mort en 1976. En face de la porte, au fond de la Cité, se trouve le mausolée à partir duquel il proclama la république populaire de Chine le 1er octobre 1949, après sa victoire sur les troupes de Tchang Kaï-Chek (Jiang Jieshi), fondateur de la république de Taïwan. Question de lui rendre hommage, on me propose d'aller me recueillir sur son cercueil de verre. Je ne compte pas y méditer, mais je tiens à voir la dépouille de cet homme qui instaura une structure égalitaire. Devant moi, une incroyable file de gens, un air de circonstance accroché au visage, défilent en pleurant. Il faut croire que les larmes, en Chine, mettent du temps à s'assécher...

Impossible de visiter la Chine sans assister à un spectacle d'opéra. Les artistes de ce pays font preuve d'une grande maîtrise de l'art lyrique. J'ai même le rare privilège d'être invité à photographier les membres d'une troupe dans leurs loges, alors qu'ils se maquillent en vue d'une représentation. Ma guide connaît le directeur artistique de l'opéra, qui espère pouvoir faire connaître sa troupe au Canada en laissant un journaliste entrer dans les coulisses.

Je me balade aussi en cyclo-pousse dans le vieux quartier de Pékin. Je veux voir les *hutongs*, ces maisons traditionnelles chinoises. Après avoir pris un repas chez l'habitant, je m'arrête chez Zhongyou, ce «grand magasin de l'amitié», où l'on trouve toutes sortes d'objets toujours en solde. Il n'y a pas meilleur endroit pour les soieries. On parle 21 langues dans ce magasin, dont le français (certains magasins de Montréal ne peuvent pas en dire autant!). Une expérience de magasinage unique.

En Chine, même si le pays n'a pas officiellement adhéré au Protocole de Kyoto, on plante plus d'un million et demi d'arbres chaque année. Ce qui n'empêche pas le ciel d'être gris en permanence. On ne voit jamais d'oiseaux, ce qui est un peu angoissant. Serait-ce la nature qui nous sert un avertissement? Quoi qu'il en soit, au rythme où la Chine se transforme, il ne faut pas trop attendre pour la visiter. Le progrès est, en effet, un des plus grands fossoyeurs de l'histoire.

Je prends la route des terres intérieures, histoire de découvrir la campagne. Trouver un endroit tranquille dans un pays aussi densément peuplé relève de l'exploit. Je visite un petit village et, naturellement, comme le font la plupart des touristes, je me rends au marché local. Je m'étonne alors de voir la quantité de serpents vivants qui sont suspendus à des pics au-dessus des étals des bouchers. Un petit garçon demande à sa mère de lui en acheter un. Le boucher saisit la bête, qui bouge toujours, je le rappelle, lui enlève la peau, jette le serpent dans un sac et le tend à la mère qui le paye. Pas plus compliqué que ça. Et n'oubliez pas de bien le faire bouillir… Toujours au même endroit, une autre scène qu'on ne verrait jamais au marché Atwater ou au marché Jean-Talon : des consommateurs magasinent leur viande pour le repas dominical. Au menu, du chien et du chat. Vous me pardonnerez de ne pas vous décrire la scène en détail.

La Chine est un pays aux multiples facettes. Suffit de se rendre à Macao pour s'en convaincre. L'ex-comptoir portugais devenu capitale du jeu attire des visiteurs du monde entier. Au-delà des casinos, toutefois, Macao est une fort jolie ville qui a su conserver ses repères historiques, ses églises baroques et ses maisons aux couleurs pastel. Le centre historique de Macao mérite amplement son inscription sur la liste du patrimoine mondial de l'UNESCO.

S'il y a bien une chose que j'ai comprise au cours de ces quelque 40 années à parcourir la planète, c'est que le monde est petit et qu'on ne sait jamais sur qui on va tomber. Je me trouve en compagnie de Michel Tremblay, directeur des sports à CKAC, lors de ce séjour à Macao. Histoire de m'amuser un peu, je me mets en frais de baratiner une Asiatique, en français, convaincu qu'elle ne comprend pas un traître mot de mon «joual». Il faut dire que les femmes de Macao, la plupart métissées, attirent le regard. Je tiens, avec Tremblay, un discours presque pornographique devant la jeune femme, qui se retourne brusquement et me lance : «Vous êtes de Montréal ?» Ça me cloue le bec!

Elle est Vietnamienne, vit au Québec et a déjà travaillé chez Lise Watier. Je m'excuse en l'invitant à un concert, ce qui lui fera heureusement oublier cet impair.

De Macao, nous nous dirigeons vers Hong Kong, l'ancienne colonie britannique qui réintégra le giron chinois en 1997. Cette cité surpeuplée n'est rien d'autre qu'un vaste comptoir commercial où les magasins, qui reposent sur sept ou huit sous-sols, restent ouverts jusqu'à dix heures du soir tant l'achalandage est grand.

À voir à Hong Kong : le cimetière militaire où reposent des dizaines de Canadiens qui laissèrent leur vie pour défendre la colonie contre les Japonais pendant la Deuxième Guerre mondiale. Il semblerait que leur sacrifice a été presque complètement oublié ; le cimetière reçoit de nos jours très peu de visiteurs.

Dans la steppe silencieuse

Dans l'avion d'Air China qui me transporte à Oulan-Bator la paisible, en Mongolie, je me laisse séduire par les paysages dénudés qui défilent derrière mon hublot. Je survole le pays du monde qui se trouve à la plus haute altitude (plus de 4 000 mètres à son point culminant) et dont la capitale a la température moyenne la plus froide du monde (-2,4 degrés Celsius).

Dans la steppe, chevaux et yacks broutent doucement l'herbe tendre des collines. Sur place, on m'apprend qu'ils sont 33 millions, ces chevaux, yacks, moutons et chameaux, à ratisser un pays grand comme l'Europe, mais absolument vide de monde. Les descendants de Gengis Khan et d'Attila ne sont que 2,8 millions à vivoter sur cet immense territoire pauvre. Le tiers d'entre eux résident à Oulan-Bator, la capitale.

Il s'agit d'une ville d'apparence stalinienne, presque entièrement dépersonnalisée par les Soviétiques du temps. Il y a de beaux quartiers, aux abords des ambassades surtout, mais la plus grande cité mongole est grise. Nul doute que tout diplomate installé dans cette capitale est victime d'un déclassement professionnel... Depuis l'effondrement de l'ours soviétique, les Mongols ont ressorti leurs icônes nationalistes. Leur héros identitaire pose fièrement sur le revers des tugriks, la monnaie locale. Bref, Gengis Khan, que les communistes effacèrent de l'histoire nationale pour éviter qu'il devienne un objet de revendication, a repris sa place au premier rang.

Et voilà que, malgré tout, ces gens font du commerce avec la Russie. Leurs terres étant très pauvres, ils vendent de la viande aux Russes en échange de légumes. Pour cette même raison, la population adopte de plus en plus le difficile mode de vie des nomades. Pendant mon voyage, je croise d'innombrables caravanes ; avec ces vaillants pèlerins, assis au milieu des troupeaux, je bouffe du yack et du fromage, et bois du lait de chèvre, dans la steppe où la température est généralement clémente. L'hiver, toutefois, le mercure descend régulièrement sous les -30 degrés Celsius, ce qui force les gens à s'abriter sous des tentes qu'ils appellent *guers*, que les Russes nomment yourtes.

Je parcours ainsi plus de 1 500 kilomètres pendant ce séjour là-bas, à la vitesse moyenne de 25 kilomètres à l'heure. Au cours du circuit, nous nous arrêtons ici et là à la recherche de ces espèces de grandes tentes recouvertes de feutre blanc. Comme chez tout peuple pauvre, l'accueil est toujours chaleureux ; les gens simples savent recevoir les visiteurs. Un couple dans la jeune cinquantaine nous accueille dans son abri au milieu d'une belle vallée. À l'intérieur, une vingtaine d'enfants et de petits-enfants nous dévisagent comme si nous arrivions d'un monde inconnu.

Le jeune patriarche nous offre du lait et de la viande, puis nous sert le plat national, le goulasch, composé de bœuf ou de yack cuit, avec sauce et riz.

Chose étonnante, les Mongols ne se parlent jamais en élevant la voix. Ils chuchotent. C'est la même chose avec notre chauffeur. On ne peut pas dire qu'ils soient un peuple de bavards.

La Mongolie prend toutes ses couleurs durant la période de la fête nationale. Il convient d'arriver au pays vers le 11 juillet de préférence, c'est-à-dire lors du Nadam, ne serait-ce que pour l'extraordinaire beauté des costumes et des participants. De quoi faire honte aux organisateurs de notre fête nationale qui, à force de vouloir faire plaisir à tout le monde, finissent par gâcher la cérémonie. Toujours cette maudite rectitude politique qui filtre les odeurs, les idées et toutes les initiatives qui émanent du vrai monde. Que de leçons ces Mongols, pauvres mais fiers, pourraient nous donner ! À l'extérieur de la ville, j'assiste au spectacle de la cavalerie mongole, aux épreuves de tir à l'arc et au combat de lutte traditionnelle, avant de m'envoler pour le désert du Gobi, qu'il faut voir absolument.

Après deux heures de vol au-dessus d'une mer sablonneuse aux couleurs champagne, le pilote pose son appareil et, au milieu de nulle part, nous invite à en descendre. Aussitôt les sacs déposés, il met la clé dans le moteur et décolle en soulevant un écran de sable. Seuls dans le désert, nous attendons le chauffeur. Une nuée de poussière nous annoncera son arrivée quelques minutes plus tard...

Nous nous engageons alors dans la vallée des Aigles, sise au fond d'un canyon encore glacé. Aucune vie au sol, mais, au-dessus de nos têtes, le vol majestueux des grands aigles qui nous surveillent comme s'il nous était interdit de pénétrer dans leur royaume.

Le lendemain, je me vois au pied des montagnes Gurvan Saikhan, à proximité des dunes de Khongoryn Els. Il y a là une famille d'éleveurs de chameaux de Bactriane, qui nous permet de grimper sur le dos de leurs bêtes et de longer les dunes parfois hautes de 200 à 300 pieds. Parmi les Mongols, un costaud propose à sa fille de prendre la tête de la caravane et, avec son œil de lynx, surveille celle-ci pour qu'elle ne se mêle point à nous. Est-ce là une façon de protéger cette culture, formidablement hermétique à toute influence étrangère ? La balade est tout simplement étourdissante sous le ciel si bleu. Pour compléter l'aventure, notre guide Raymond Provençal, un Montréalais habitué de ce lointain pays, nous suggère d'étendre nos coupe-vent sur le sol en vue du repas du midi, composé de pain et de viande séchée. C'était bien là le menu de Gengis Khan à l'époque.

À Karakorum, l'ancienne capitale de l'empire, située sur la route de la soie, se trouve l'ancien monastère bouddhiste de Bayanzag, où des fouilles ont permis de retrouver des œufs de dinosaures. On est au cœur de la préhistoire !

C'est là qu'on constate tout le tort que firent les Soviétiques aux monuments historiques de ce pays perdu, notamment en détruisant nombre de monastères bouddhistes. Que voulez-vous, avec les communistes, on l'a vu, l'histoire commence avec eux. Avant leur arrivée, rien n'existe…

Ces dernières années, la Mongolie a considérablement développé son secteur primaire, grâce surtout à la flambée des prix de l'or et du cuivre. On dit que son sous-sol regorge de pétrole, ce qui excite la convoitise des grandes pétrolières qui courtisent sans relâche les politiciens du pays.

Dans une trentaine d'années, il ne restera presque plus rien de ce qui fut le royaume de Gengis Khan. Pour l'instant, quelques douzaines de chevaux sauvages sont autant d'emblèmes magnifiques de ce pays d'élevage. Ces chevaux ont repris vigueur grâce à la générosité du zoo d'Amsterdam, qui a fait don à la Mongolie du dernier couple, qui a su repeupler cette terre ancestrale.

Après ce long périple, je m'embarque à bord du Transmongolien. Nous longeons parfois une partie des ruines de la Muraille de Chine, oubliées dans une jungle humide. Et dire que cette muraille fut construite pour stopper l'envahissement mongol…

Tout en haut

Du temps des maharajas, on allait au Népal pour y chasser. Les tigres blancs étant menacés d'extinction, la vocation touristique du Népal a dû évoluer. On s'y rend désormais pour la marche en haute montagne et pour la prière. Son roi est très contesté, et il s'en trouve pour craindre que le pays tombe aux mains des communistes, même si le communisme n'est plus tellement à la mode…

À Katmandou, par une rare journée remplie de soleil, j'ouvre la fenêtre de ma chambre d'hôtel pour laisser entrer les sons de la grande rue qui mène au palais royal. C'est mon deuxième jour au Népal. Dehors, tout est calme. La veille, des milliers de manifestants s'y entassaient, exigeant à grands cris l'abolition de la monarchie, encouragés par des éléments communistes. Soldats et policiers ont eu le dessus, mais pas pour longtemps, juraient les plus agressifs. Qu'est-ce que je suis venu faire ici? me demandé-je. Admirer la sagesse des hommes ou la hauteur des montagnes?...

Le Népal mise désormais énormément sur le tourisme. Mais cela ne se fait pas sans mal. Il y règne un climat de contestation qui paralyse la plupart des initiatives gouvernementales. Katmandou ne compte plus les Sherpas, ces ethnies originaires du Tibet vivant maintenant dans les hautes vallées himalayennes du Népal, qui s'improvisent guides de montagne et offrent aux touristes de les aider à escalader l'Annapurna ou l'Everest en échange d'une rétribution. Bref, on a faim, parce que l'agriculture ne subvient plus aux besoins de la population.

Au centre de la ville, des arènes de boxe sont érigées en plein air. Des jeunes trop tentés par la paresse, mère de tous les vices, y gagneront quelques sous. À quelques pas de là, il y a ces charmeurs de serpents qui ont du mal à charmer le touriste frileux.

Tout près s'élève le temple Kumari Bahal où réside une des 12 «déesses vivantes» du Népal. La tradition des Kumaris consiste à isoler de très jeunes filles pour les adorer. Chacune d'entre elles est «déifiée» au moment où elle perd sa première dent de lait et doit démissionner à l'approche de sa puberté. Ces petites filles sont en réalité bien malheureuses. En effet, en vertu de cette vieille tradition népalaise, elles sont condamnées à la réclusion jusqu'à leurs premiers saignements menstruels. Elles sont alors renvoyées chez leurs parents et remplacées par de nouvelles déesses vivantes. Bien qu'elles soient traitées aux petits oignons par une horde de serviteurs, tout le long de leur incarcération, l'ennui occupe leurs pensées. Imaginez, il ne leur est permis de se montrer en public que durant une trentaine de secondes par jour. Je tente bien de photographier la déesse vivante au moment de son apparition publique, mais on me l'interdit vivement. Je réussirai quand même…

Un peu partout dans les rues, des prédicateurs haranguent les passants et leur racontent toutes sortes d'âneries. Ils sont allés au ciel, par exemple, et ils en sont revenus sains et saufs. Ne vous hasardez surtout pas à leur demander quel temps il fait au Royaume des cieux… C'est vous qui passerez pour un illuminé.

Pour un peu d'exotisme, on propose à des groupes de prendre un petit avion qui, par-delà la chaîne de l'Himalaya, les déposera au pays des tigres. Au parc national Royal Chitwan, nous grimpons à dos d'éléphant pour aller à la découverte des rhinocéros unicornes, des singes, des bisons, des crocodiles et du légendaire tigre royal. Ce dernier animal y est en réalité introuvable. On vous dira qu'il ne sort que la nuit, mais rien n'est moins vrai. Il faut aller en Inde pour le voir. Heureusement qu'il y a les oiseaux exotiques. On en recense 450 espèces. À l'aube, ces oiseaux chantent si fort qu'on se croirait en pleine salle de concert!

• • •

Passer de Katmandou à Lhassa, au Tibet, n'est pas une sinécure. Il faut changer de véhicule à la frontière. Les Népalais n'ont pas le droit de circuler au Tibet. L'échange a lieu au «pont de l'Amitié» — quel nom ironique… Les Chinois qui patrouillent au Tibet ont des têtes d'enterrement et se montrent aussi hostiles que possible.

Mon groupe et moi sommes alors pris en charge par des Chinois, qui nous organisent un circuit touristique à leur façon. À bord d'une minifourgonnette tout-terrain, ils nous emmènent en haute montagne, le long d'une piste si étroite que le cœur me remonte régulièrement dans la gorge. Nous filons sur un chemin escarpé entre les précipices et les chutes d'eau. La vue a beau être époustouflante, je garde les fesses collées à mon siège. Je ne suis pas le brave des braves… À la nuit tombante, on nous indique un hôtel perdu. La nuit est glaciale dans cette chambre à une étoile. Et de surcroît, il n'y a ni eau chaude ni chauffage. Merci et bonne nuit, même si vous ne dormez pas !

C'est le lendemain matin, au terme d'une ascension de 5 000 mètres à bord d'un véhicule fatigué, que je me retrouve enfin sur le plateau du Tibet, celui qu'on appelle le toit du monde. La piste est si glacée que nous frôlons plusieurs fois la catastrophe. Je n'ai jamais vu des pics aussi hauts ! En arrière-plan, l'Everest, le point culminant du globe terrestre, bien ancré dans le massif himalayen. Je m'empresse évidemment de le photographier. Face à lui, je lève le ton, et ma voix bondit d'une montagne à l'autre pour s'éteindre dans un gouffre.

Les glaciers sont innombrables. Celui du Rungbu est le plus imposant, et de loin. Mais à cette altitude, l'air est si rare que je suffoque presque. Au grand vent, il fait -30 degrés Celsius. Mon cœur bat la chamade sans que j'aie accompli le moindre effort.

Notre véhicule avance tant bien que mal ; les roues s'enfoncent et restent coincées dans la glace. Le guide me demande de l'aider pour pousser.

À cause de la rareté de l'oxygène, je suis rapidement à bout de souffle. L'autre, qui dispose d'une réserve d'hémoglobines supérieure à la mienne, fait bien son possible, mais le véhicule ne bouge pas. Il faut se résoudre à attendre qu'un camion vienne à notre secours. Celui qui apparaît bientôt est conduit par des Sherpas qui accompagnent des téméraires qui tentent d'escalader l'Everest.

Pour eux, la montagne est la demeure de Dieu, et c'est ainsi qu'ils la vénèrent. Pour ma part, malgré l'indescriptible majesté des lieux, je n'ai de hâte que de la quitter tellement son atmosphère m'étouffe.

Nous voici dans la ville de Zhangmu.

— Ici, il y a de nombreux soldats chinois, me prévient mon guide.

Nous nous trouvons en zone occupée. Il nous est fortement déconseillé de dire ou de faire quoi que ce soit qui pourrait avoir pour résultat de vexer les Chinois.

À un poste de contrôle, un petit soldat, vêtu de vert olive, monte à bord de notre véhicule dans lequel nous sommes déjà six… Le blanc-bec n'a pas plus de 18 ans. Armé d'une mitraillette, cigarette au bec, il me demande combien de personnes m'accompagnent. Jugeant qu'il veut rire de moi, je réponds à mon guide que le soldat n'a qu'à les compter lui-même.

— Il a des yeux pour voir, non?

Le soldat fait semblant d'avoir mal compté. Il est manifeste que celui-ci me cherche noise. On me prévient alors que je risque d'être inculpé pour avoir induit en erreur un agent de l'ordre.

Au même moment, le jeune Chinois éteint sa cigarette et me fait signe qu'il en veut une autre. Mon accompagnateur me suggère fortement de lui en trouver une. Un Français vient à mon aide en me tendant son paquet de Marlboro, la cigarette des vrais hommes, on s'en souvient… J'en offre une au soldat, et hop! L'atmosphère se détend. J'apprendrai plus tard que si ce Chinois m'avait emmené au poste, il aurait fallu un minimum d'un mois pour parvenir prendre contact avec l'ambassade canadienne… J'en tire une bonne leçon: en voyage, il faut éviter les guerres de principe. Il faut aussi se rappeler que, dans bien des endroits, un pourboire bien placé suffit à régler la plupart des conflits.

Au terme d'une longue nuit passée dans un hôtel bas de gamme, je tombe sur un groupe de moines et je les suis jusqu'à leur lamaserie. Le décor évoque *Tintin au Tibet*. Je me demande comment Hergé a pu le reproduire de façon aussi précise alors qu'il n'y était jamais venu.

Nous restons cinq jours sur le toit du globe terrestre avant d'amorcer notre descente. Chemin faisant, nous croisons des troupeaux de chèvres, de yacks et de moutons. Au fil de la descente, nos maux de tête nous quittent graduellement.

En arrivant à Lhassa, je débouche sur la résidence officielle du dalaï-lama, exilé en Inde depuis 1959. Pour les bouddhistes, le complexe que j'ai devant les yeux est l'équivalent du Vatican. Il s'agit du palais du Potala, résidence d'hiver du dalaï-lama depuis le XVIIe siècle. Je suis saisi dès le premier coup d'œil. Ce matin-là, il se mire dans l'étang. Immaculé et grandiose, le Potala domine la capitale, mais n'est plus au cœur de la vie de ces dociles Tibétains, désormais encadrée par l'armée chinoise. En cet univers des murmures, on est donc passé des guides spirituels à l'encadrement militaire… En franchissant les grandes portes du palais, j'entre dans un monde de prières, celles qui n'exaucent pas toujours ce pieux peuple. Dans ce lieu sacré, les micros et les caméras de l'occupant profanent l'espace... mais tant qu'on n'y prête pas attention, ce complexe religieux est absolument spectaculaire.

La présence de l'armée chinoise en ces lieux rudimentaires a de quoi étonner. Dans un des couloirs de la gigantesque bâtisse, j'aborde un Tibétain avec qui je me mets à discuter. Il me dit qu'ils en ont tous ras le bol, de l'occupation.

— Les Chinois font semblant d'être ici pour le pétrole qu'on ne trouve pas, mais, au fond, ils sont ici pour surveiller le Népal et le Bhoutan, protégés par l'armée indienne. Leur intérêt envers nous est purement stratégique.

Si le Vatican est protégé par les zouaves pontificaux, on peut dire que le Potala l'est par les indésirables militaires chinois. Et dire que Lhassa signifie « Terre sainte ».

Nous traversons des dizaines de pièces. Nous marchons dans un labyrinthe. Le Potala est constitué de deux parties qu'on appelle Palais blanc et Palais rouge. Le rouge peut loger 400 moines. Le blanc, quant à lui, est la résidence officielle du dalaï-lama. Mais le dalaï-lama est toujours en exil. Les Chinois ne lui permettront de rentrer chez lui qu'à la condition qu'il accepte que son Tibet natal soit satellisé et dépersonnalisé par eux. À une certaine époque, pas moins de 10 000 religieux s'entassaient dans ces lieux.

La culture tibétaine est nettement menacée par l'impérialisme chinois. Avant longtemps, il ne restera plus grand-chose d'authentique au Tibet. Heureusement, Pékin a pris conscience, quoique tardivement, de la beauté de ces monastères qu'on a cessé de détruire, sachant bien qu'ils ont aussi une valeur touristique. Dans ce contexte, on comprend mieux pourquoi la diaspora tibétaine et les admirateurs du dalaï-lama chahutent les délégués chinois en visite officielle quand ils affichent un peu trop leur nouvel idéal démocratique.

Je passe une dernière nuit au Holiday Inn de Lhassa. Je pensais y retrouver le confort américain, mais il n'en est rien. Ma chambre, non chauffée, est bourrée de micros et de mouchards. L'hôtel sera fermé quelques jours après mon passage ; on l'accusera, apparemment, d'être un hôtel d'espions...

TROISIÈME PARTIE :
Boucler la boucle

CHAPITRE IX
Mon Europe

Que de volumes il me faudrait pour parvenir à coucher sur papier toutes les merveilles que j'ai vues au cours de ma vie, dans tous les recoins de notre planète, et particulièrement en cette grandiose Europe!

En Grèce, par exemple, où je me suis rendu plusieurs fois. La pointe de l'île d'Hydra — où, en 1974, j'eus l'honneur de dîner en compagnie de Pierre Nadeau et de l'artiste peintre Marcelle Ferron, signataire du *Refus global* de Borduas — est un endroit qui enchanterait nos écolos : on ne s'y déplace qu'à dos d'âne. Ce qui étonne en ce pays, c'est cet incommensurable respect qu'ont les Grecs pour leurs aînés. Ça se remarque immédiatement. Autant les Italiens vénèrent leurs morts, autant les Grecs traitent leurs aînés avec égards. Sur le quai d'Hydra, un jeune porte sa grand-mère sur son dos pour l'aider à monter sur un petit bateau familial. Ici, le troisième âge est précieux.

Non loin de là, on peut admirer les météores, cette forêt de pitons rocheux piquée de monastères que les moines choisirent d'ériger en ces havres inaccessibles. Nous sommes dans le nord de l'île, en un lieu appelé Kalambaka. Jusqu'en 1929, on n'y accédait qu'en grimpant à des échelles de corde. On a fini par construire un escalier de pierres qui mène aux six derniers monastères.

Il faut absolument faire un détour à Delphes, chez l'oracle que les Grecs consultaient à propos de tout et de rien. C'est dans le creux d'une vallée que repose le vénérable sanctuaire. Le père d'Alexandre le Grand, le redoutable roi Philippe, y venait pour demander aux dieux de guider sa démarche. Cela n'a pas changé grand-chose, puisqu'il termina sa vie avec un poignard dans l'abdomen. L'oracle de Delphes était-il tout bonnement l'équivalent de nos astrologues à deux sous?…

Ce ne sont que quelques exemples des beautés chargées d'histoire que nous offre une telle destination. Malheureusement, il m'est impossible de m'arrêter, dans ces pages, à chacune des merveilles — ou des horreurs! — qu'il m'a été donné de voir en Europe depuis maintenant près de 40 ans.

L'Italie… en amoureux

À l'été 1997, je me trouve dans un restaurant de Montréal où joue un orchestre de *crooners*. La chanteuse s'approche de moi pendant le spectacle et me dédie la chanson *C'est beau un homme*. Cette femme, c'est Bianca Ortolano, une Italienne d'origine, l'élue de mon cœur. Dois-je ajouter qu'il ne m'en faut pas plus pour lui tomber dans les bras?

Bianca rêve de voir le pays de ses lointains parents, cela va de soi. Ce voyage que nous nous apprêtons à entreprendre, ce sera sa première visite au pays de ses ancêtres et, à mon plus grand bonheur, elle n'aura pas assez de ses deux yeux pour tout voir. On dit qu'il faut être amoureux pour goûter pleinement les charmes de l'Italie… Je n'ai aucun mal à le croire!

de Montréal, qui me recommande à Charles Langlois, recteur du Collège pontifical canadien à Rome.

— Je vous connais, me dit-il. Je vous écoute à la radio sur Internet.

On me convie donc à partager l'estrade d'honneur avec un certain nombre de personnalités proches du saint-père et quelques chefs d'État. Deux gardes suisses, vêtus de leur légendaire uniforme rayé sang et or, hallebarde à la main, nous assigne une belle place. Nous sommes dans la neuvième rangée. Le souverain pontife se trouve à quelques pas de moi et s'adresse à ses invités. Il commence par employer le français, avant d'enchaîner dans une vingtaine d'autres langues.

Bianca s'approche et réussit à prendre une remarquable photo. En même temps, les 30 000 fidèles qui se sont massés sur la place Saint-Pierre crient leur joie d'apercevoir le chef de l'Église, même d'aussi loin, alors que je me trouve tout près de lui...

Je me sens comme en 1967, quand j'ai eu la chance de serrer la main du général de Gaulle, en face de l'hôtel de ville de Montréal. Vous admettrez que c'est plus sympathique que de serrer la main du diable, comme le général Dallaire fut forcé de le faire à Kigali. J'ai éprouvé la même émotion en serrant celle de Fidel Castro, en 1993, à Cuba. Je suis sensible au magnétisme des gens qui font l'histoire.

Le lendemain, nous nous rendons à Castel Gandolfo, lieu de résidence d'été du souverain pontife. Ma chérie y photographie un beau chien qui se prélasse comme une vedette devant son appareil. C'est le coup de foudre lorsque son maître nous le présente : Roméo ! En revenant à la maison, Bianca perpétuera son prénom en adoptant un golden retriever qui nous manipule depuis ce temps...

À Montréal, quand il m'est donné d'échanger avec des Québécois d'origine italienne, je leur demande parfois s'ils ont déjà eu la chance de retourner au pays de leurs ancêtres. Neuf fois sur dix, ils me répondent par la négative. Je trouve cela dommage, mais je me dis que j'aurai tout de même permis à ma douce moitié de réaliser ce rêve. C'est une consolation...

Malte

Si Montréal fut longtemps surnommée la « ville aux cent clochers », voilà qui n'impressionnerait guère les habitants de Malte, une île tout près de la Sicile. On compte en effet pas moins de 365 églises dans cet archipel à peine plus peuplé que la ville de Laval. On est catholique ou on ne l'est pas... Il faut dire que les Maltais auraient été, selon la légende, convertis par saint Paul lui-même. Il se rendait à Rome pour y être jugé pour des crimes de nature politique, quand son navire s'échoua dans une baie qui porte aujourd'hui son nom. C'est alors qu'il s'adonna à son travail de conversion. La grotte qui lui servit de prison subsiste toujours.

L'existence de l'île de Malte remonte aux origines de l'humanité. Elle fut envahie tant de fois que les Maltais en ont perdu le compte. L'île parvint finalement à s'affranchir de ses nombreux colonisateurs et proclama son indépendance le 13 décembre 1974. Ses habitants se mirent alors à s'exprimer en maltais, un mélange d'arabe, d'italien et de latin.

De nos jours, il semble que les cinéastes du monde entier se soient donné le mot pour tourner leurs films dans l'île. On y tourna *Midnight Express*, dont l'action se déroule à Istanbul (qui refusa d'accueillir l'équipe de tournage), de même que certaines scènes du film

Gladiator, de Ridley Scott. Même chose pour *Popeye*, le flop de Robert Altman. On trouve néanmoins aujourd'hui, dans la ville de Mellieha, une attraction touristique sur le site du tournage de ce dernier film : Popeye Village.

Au cours de mon séjour dans l'île, j'ai la surprise de recevoir un carton du ministre du Tourisme, qui m'invite à venir le rencontrer dans ses appartements. À mon insu, ma guide lui avait annoncé qu'un animateur de radio québécois était de passage. Monsieur le ministre me reçoit donc chez lui. Au fil de notre conversation, je lui suggère, pour donner un coup de pouce à l'industrie touristique locale, d'habiller le plus grand nombre possible d'habitants en costumes d'époque. Il trouve ma suggestion excellente et la met aussitôt en application. Ce que j'ignore, c'est que j'ai devant moi le futur premier ministre de Malte ; ce monsieur, un nommé Lawrence Gonzi, sera en effet élu à ce poste pour la première fois quelques années après cet entretien, soit en 2004.

Comme quoi...

Mère patrie

Depuis mon tout premier voyage de l'autre côté de l'Atlantique, en 1964, j'en suis venu à considérer la France comme un second chez-moi. Encore aujourd'hui, ma route m'y conduit fréquemment.

Si, au fil des années, j'ai si souvent visité la France, c'est que j'y possédais une adresse. Michel Perrin, un peintre français rencontré à Montréal qui y venait chaque hiver pour dessiner des scènes du Québec, fut, avec le temps, reconnu comme « le peintre canadien de la neige ». Ses œuvres furent exposées partout au Québec, en France, en Suisse et même en Russie, où on appréciait la façon dont il rendait ses paysages presque réels.

Un jour, mon recherchiste au *Journal du midi*, Louis-Philippe Gingras, me le présente dans le but d'organiser une entrevue. Je m'intéresse à l'art pictural, ce que nombre d'artistes québécois apprécient — ces gens se disent très négligés par les médias. Ainsi, je me lie d'amitié avec Perrin. Dès lors, je séjournerai très souvent dans son château datant de 1814, situé à Chénelette, dans le Beaujolais, non loin de Lyon. J'en viens à croire que j'ai un pied-à-terre en France. Quel honneur! Michel sera emporté en 2001, mais son épouse Guylaine continuera de m'accueillir chez elle jusqu'à ce soir fatidique de 2004.

À mon arrivée au domaine ce jour-là, Guylaine me confie qu'elle a eu un accrochage avec son homme à tout faire et que celui-ci a juré qu'il se vengerait. Je ne dors toujours pas quand, vers minuit trente, il incendie la résidence patrimoniale. Guylaine, Bianca et moi évacuons les lieux avec les flammes au postérieur et assistons, impuissants, à la destruction de près de 200 ans d'histoire. Ma blonde devra même être transportée en ambulance après avoir été projetée par une explosion. Il s'en fallut de peu…

Inutile de vous dire que, peu importe où ma route me mène, je cherche toujours à loger dans des établissements munis de gicleurs! Quant au pauvre type, il sera par la suite condamné à purger une peine dans la société. Cette histoire ne vous fait-elle pas penser aux réductions de peines si courantes au Québec?…

Quoi qu'il en soit, la France demeure une destination de choix pour nous, Québécois. Si d'aucuns, au tempérament moins aventureux, peuvent fort bien se passer d'aller rendre visite à de lointaines tribus de l'Amazonie ou de pénétrer dans des tombeaux égyptiens, la France est une trop proche parente pour se priver d'aller lui faire causette à un moment ou un autre de notre vie. Et puis, on n'a jamais l'impression d'avoir fait le tour d'une ville comme Paris. Cette métropole protège son âme et son cœur, mais en parallèle à cela, elle porte en elle une culture qui se régénère constamment.

Les célébrations de la fête nationale française, par exemple, valent largement le détour. Un 14 juillet, Marcel Masse, délégué général du Québec à Paris, me donne un laissez-passer pour assister au défilé militaire, tout près de Jacques Chirac. Quelle belle armée! Les chars Leclerc sur les Champs-Élysées, la légion, les paras et, dans le ciel, des Alpha Jet qui laissent des traînées de fumée bleu, blanc, rouge au-dessus de l'Arc de triomphe...

Les Français ne nous appellent pas leurs cousins pour rien. Avec le temps, comme on l'a vu, j'ai établi et entretenu de nombreuses relations avec des amis français. J'imagine que c'est ce qui me fait me sentir « en famille » quand je traverse l'océan pour me rendre en France...

Depuis Montréal, mon confrère Roger Drolet, qui a ses antennes dans la Ville lumière, me met un jour en contact avec Alain Bernardin, le richissime propriétaire du Crazy Horse, ce cabaret parisien qui offre « le plus beau spectacle de nu au monde ». Bernardin m'invite dans sa célèbre boîte, où j'ai la chance de voir défiler de superbes danseuses. Elles sont si racées et si athlétiques qu'on dirait des soldats. Elles sont grandes, minces comme des guêpes et disciplinées comme à l'armée. Le souvenir de mon hôte demeure lié à celui de cette soirée inoubliable, où je fis d'ailleurs la rencontre de

Jean-Paul Belmondo ; Bernardin, décédé depuis dans des circonstances tragiques, était un grand amoureux du Québec.

À chacun de mes voyages en sol français, mon amour pour l'histoire guide mes pas aux abords des Invalides, où je salue Napoléon. Au fil des années, j'ai visité la plupart des coins et recoins de l'Hexagone, mais je m'oblige à retourner en Bretagne et en Normandie, d'où la plupart de nos ancêtres étaient originaires. J'ai arpenté les plages de Courseulles-sur-Mer et de Saint-Aubin-sur-Mer, où l'armée canadienne débarqua en juin 1944 pour venger l'humiliation subie à Dieppe.

Un jour, alors que je me tiens près du mémorial érigé en mémoire des soldats qui amorcèrent la libération de la France en 1944, un vieil ex-divisionnaire du général Leclerc, coiffé du béret typique, s'arrête à ma hauteur et me salue avec tout le respect qu'il estime devoir aux soldats canadiens qui se portèrent au secours de la France. Ces gestes-là font chaud au cœur.

C'est alors qu'un jeune cégépien québécois qui se trouve là par hasard profite de l'occasion pour faire l'étalage de son inculture et la démonstration de son manque de vocabulaire :

— Toé, t'étais où pendant la guerre ? lance-t-il à mon interlocuteur.

Je m'excuse en son nom, insistant sur le fait que ce jeune moineau est le fruit du merveilleux système d'éducation québécois moderne, qui encourage le tutoiement. Je croyais que le respect d'autrui s'imposait par le biais de la conjugaison. Malheureusement, nos jeunes sont les produits de la convivialité…

D'où je me trouve, j'aperçois l'abbaye du mont Saint-Michel, qui est aussi âgée que Notre-Dame de Paris. Cette immense construction est un pied de nez à cette nature austère. Je me souviens d'une réflexion du général de Gaulle qui, en la visitant, dit un jour qu'elle était la seule forteresse que les pirates, les Anglais et les protestants rebelles ne purent attaquer. Elle est là depuis des siècles, à s'exhiber aux quatre vents, faisant la fierté de la France. C'est là que le roi François 1er accueillit Jacques Cartier. Grâce à l'influence de l'évêque abbé du mont Saint-Michel, qui vanta au monarque les talents du Malouin, on assigna ce célèbre navigateur à la direction de la première expédition royale vers le Canada. Comment ne pas vibrer?

Quelques kilomètres plus loin, Saint-Malo, « beau port de mer », comme le dit la chanson. Chateaubriand, comme il en exprima le désir, repose au sommet du Grand Bé, un récif accessible à marée basse seulement. « Je veux être enterré là où, pour l'éternité, j'entendrai la mer », écrivit-il.

Au sommet des remparts de cette ancienne ville de corsaires, je tombe sur une gigantesque statue, gracieuseté du gouvernement du Canada. C'est Jacques Cartier qui regarde en direction de la Nouvelle-France. À Saint-Malo, je m'imagine revivant cette histoire de la colonie française que mon institutrice de troisième année se plaisait à nous enseigner. Après tout, c'est ici que tout a commencé... Assis sur un banc public, j'écoute la mer en me disant que de l'autre côté, c'est chez moi. Je pense à ces braves marins qui firent la traversée et établirent des colonies le long du majestueux fleuve Saint-Laurent. Je mesure le courage, la ferveur et l'esprit d'aventure qu'il leur a fallu pour entreprendre la colonisation du Nouveau Monde.

En déambulant dans la ville forteresse, je remarque une vieille église. À l'intérieur se trouve la tombe du célèbre navigateur. Au milieu de l'allée centrale, incrustée dans la pierre, on peut admirer une mosaïque reproduisant les armoiries du Québec et reconnaissant le grand mérite de Jacques Cartier. C'est Honoré Mercier lui-même qui inaugura cette œuvre d'art en 1891.

Le long de l'Atlantique, je débarque dans l'île d'Aix, là où Napoléon passa ses dernières heures en terre française, au lendemain de Waterloo. J'entre dans la résidence du commandant, devenue musée. D'une des fenêtres, j'imagine à l'horizon la présence du *Bellerophon* du capitaine Maitland et pense encore à Napoléon, qui se livra à ce dernier au lieu de filer avec son frère Joseph vers les États-Unis. Puis, non loin de là, une autre île célèbre, celle d'Yeux, où repose depuis 1951 la dépouille du maréchal Pétain, ce héros de Verdun et faiblard de la Deuxième Guerre.

Pas loin de Saint-Malo, dans le petit hameau de Limoilou, j'ai la chance de partager un peu l'intimité du découvreur du Canada en séjournant dans son manoir, aujourd'hui restauré par la fondation McDonald-Stewart de Montréal. Toujours près de la mer, où se dressent encore les blockhaus de Rommel, j'entre à Cherbourg. Surprise ! Un marin haut gradé m'offre l'opportunité de descendre dans le sous-marin nucléaire *Le Redoutable*, qui fut jadis un fleuron de la marine. Je passe par une écoutille très étroite. À l'intérieur, il y a toutes sortes d'instruments des plus sophistiqués, même si ce *Redoutable* date de 1968. Je n'en reviens pas ! Mon guide m'apprend que la France s'apprête à le mettre au rancart ou à l'envoyer au musée. Il est pourtant en meilleur état que les rafiots que l'armée canadienne a achetés à grand prix de l'Angleterre...

Ainsi, il n'est pas étonnant qu'après avoir fait maintes fois trempette dans ces écrins magnifiques qui recèlent autant de paysages somptueux que de trésors historiques, j'aie eu envie de me rendre où mon héros vit le jour : la Corse, île de beauté, terre natale de Napoléon.

La naissance d'un grand homme

Napoléon Bonaparte représente pour moi la force et la détermination. Il venait d'une famille plutôt modeste, a grandi en Corse, un territoire qui se trouvait à l'époque bien loin des lieux où se prenaient les décisions, et il a su s'élever au rang de maître de l'Europe. Quel destin extraordinaire !

Mais Napoléon était bien plus qu'un génie militaire. C'était un homme animé d'idées fantastiquement justes et honnêtes. On l'a taxé à tort d'être un mégalomane sanguinaire, mais rien ne pourrait être plus loin de la réalité. Son histoire fut bien mal racontée. Quand on y pense, ce n'est pas vraiment surprenant. Napoléon est un perdant ; il a été vaincu. Donc, ce sont ses ennemis, les Anglais, qui racontèrent l'histoire à leur manière. Mais l'objectif de Bonaparte, c'était de sortir la France du marasme dans lequel elle s'était enlisée après la Révolution. Il était un dictateur, c'est vrai, mais un dictateur éclairé. Il déploya de grands efforts pour stimuler l'économie, la médecine, la science. Il lança aussi de nombreux chantiers qui font la fierté de Paris encore aujourd'hui — l'Arc de triomphe en est un bon exemple.

Cela me met hors de moi quand des gens osent comparer Napoléon à Adolf Hitler. Je trouve cela absolument épouvantable ! Hitler a écrit *Mein Kampf*, alors que Napoléon a écrit le Code civil… C'est faire preuve d'une effroyable ignorance que de dresser un parallèle entre les deux hommes.

Au fond, Napoléon s'est un peu imposé à moi. La liste des endroits où des guides m'ont parlé de l'Empereur est longue. Au Musée des mers, à Aboukir en Égypte, on trouve les restes du navire de Bonaparte, coulé par l'amiral anglais Nelson en 1798. Dans un musée de Lisbonne que j'ai déjà mentionné, et qui se vante d'avoir la plus belle collection de calèches d'Europe, une des pièces maîtresses est un carrosse ayant appartenu à Napoléon. En Irlande, on peut visiter un fort construit pour prévenir une éventuelle attaque de Bonaparte. À Berlin, on m'a rappelé le passage de l'Empereur sous l'arche de la porte de Brandebourg. À Malte, Napoléon a laissé une empreinte indélébile ; en moins de dix jours sur l'île, il a édicté 170 décrets, a réorganisé l'île et a permis aux juifs de construire une synagogue. De plus, en homme aux multiples intérêts, il a remarqué des chiens locaux qu'il a trouvés si beaux qu'il a ordonné qu'on en ramène quelques couples en France. C'est ainsi que s'est fait connaître le bichon maltais.

Quand on parcourt la terre autant que je l'ai fait dans ma vie, la chose nous saute aux yeux : peu de gens ont autant marqué le monde que Napoléon Bonaparte. C'est pour cette raison qu'il me semble logique, en ce début du XXIe siècle, de me rendre là où il fit ses tout premiers pas : la Corse.

Cette Corse qui est celle de Napoléon, de Paoli, ainsi que du célèbre Tino Rossi, dont le domaine est encore là, entre les mains de ses successeurs, et qui a laissé son nom à un petit port à Ajaccio. Cette Corse dont Fernandel aimait à se moquer avec son numéro du « tango corse ». « Prélude à l'oreiller », aimait-il dire... ou chanter. Les Corses ont en effet le geste lent et parlent une langue à l'accent chantant et très riche en expressions sonores.

Les traversiers qui conduisent les touristes en Corse sont apparemment les plus gros du monde. Je n'hésite pas à le croire lorsque je monte sur le *Napoléon-Bonaparte*. Aux abords des eaux cristallines entourant l'île s'étendent d'immenses plages. Des criques désertes et des falaises sauvages peuplées d'aigles de mer s'offrent à mes yeux. Elle porte bien son titre d'«île de beauté», avec ses pics de montagne d'où retentissent les cloches des églises. Je me risquerai à y conduire une auto la nuit, sous la pluie de surcroît. Mais les hauts ravins et les routes étroites me dissuaderont rapidement de répéter l'expérience.

À l'intérieur des terres, j'arrive dans la vallée du Rizzanese. Sartène rappelle qu'ici, on ne se moque pas d'autrui pour rien. C'est le patelin de la vendetta, et la Sicile n'a rien à lui envier. Voilà la Corse profonde...

Arrivé à Bastia, je vois une foule rassemblée devant l'édifice qui abrite une station de radio. Je demande à un de ces curieux la raison de cet attroupement. Il me répond qu'on veut saluer un grand pianiste, Alain Lefèvre, de Montréal! N'est-ce pas que nul n'est prophète en son pays!

Durant mon séjour, j'ai le plaisir de rencontrer le prince Napoléon, présidant une fête rendant hommage à celui à la mémoire duquel la plupart des touristes choisissent de se rendre en Corse. J'entre dans la maison natale de Napoléon, m'imaginant les Bonaparte en train de discuter, tant en italien qu'en français. Le prince nous invite ensuite dans la cathédrale où le cardinal Fesch, l'oncle de Napoléon, régna sur son diocèse sans savoir, à ce moment-là, que son neveu régnerait un jour sur l'Europe. Ah! revivre l'histoire...

De retour sur la terre ferme après mon séjour en Corse, me voilà à Colombey-les-Deux-Églises. Ce modeste village, demeuré à l'écart des bruits politiques de Paris, n'a pas bougé depuis des siècles. Je veux prier sur la tombe du général de Gaulle et m'aventurer, plein d'émotion et la tête lourde de souvenirs, dans son domaine de la Boisserie. Parmi les mille et un objets lui ayant appartenu, nombre de photos et de lettres de ces « grands du monde », dont l'une provient de Jean Drapeau. Au lendemain du référendum manqué d'avril 1969, j'ai moi-même, en toute humilité, expédié une lettre exprimant mon admiration et mes remerciements à ce géant qui a tant fait pour la France. Fier de ma missive, je l'avais remise à mon ami gaulliste, Jerry Trudel, alors rédacteur en chef, qui la publia dans son *Montréal-Matin*.

Mon récit pourrait se poursuivre encore long-temps et vous conduire à Verdun, ville symbolique de la combativité française, où un doux vent souffle entre ces milliers de croix sous lesquelles reposent, depuis la Première Guerre, ces héros de la plus douloureuse bataille de l'histoire ; à Vichy, cette communauté où la honte plane toujours ; à Oradour-sur-Glane, sur la route du Limousin, cette localité dont les nazis massacrèrent la population en juin 1944...

C'est ma France, c'est notre France, notre histoire et nos racines. Pour savoir où l'on va, n'est-ce pas qu'il importe de savoir d'abord d'où l'on vient?...

CHAPITRE X
Revenir sur ses pas...
et continuer d'avancer

Comme vous avez pu le constater tout au long de cet ouvrage, je me suis rarement contenté de ne visiter qu'une fois les pays les plus intéressants... ou les plus agités! Quand on a la chance de voyager, la tentation de revoir ces lieux enivrants est bien souvent très forte. Et ce qu'on découvre en parcourant les mêmes chemins plusieurs fois, c'est que les paysages, tout comme les gens qui les habitent, ont chacun leur façon bien à eux d'évoluer. Parfois, on s'aperçoit que des sites enchanteurs ont été contaminés par la pollution, que des lieux sauvages ont été sauvagement modernisés, que l'histoire d'une ville ou d'un peuple a été effacée ou encore glorifiée. Dans certains endroits, c'est la guerre qui marque le passage du temps, et il arrive bien souvent qu'une nation lacérée de plaies béantes laisse chez le voyageur une marque encore plus profonde qu'un panorama féerique et paisible.

J'en veux pour preuve mon retour au pays de feu le maréchal Tito, un quart de siècle après mon premier voyage sur le territoire yougoslave en 1970, soit 10 ans avant la mort du maréchal.

Cette fois, l'aventure qui m'y attend sera bien différente.

La Yougoslavie de l'après-Tito

C'est en 1994, deux ans après les bombardements et l'éclatement du pays, que j'ai enfin l'occasion de m'y rendre de nouveau, en tant qu'hôte de l'armée canadienne. Je suis le seul Québécois parmi les rangs du régiment Princess Patricia's Canadian Light Infantry, composé de Casques bleus et de patrouilleurs de la paix. Autour d'un café et d'un beigne Tim Hortons, les soldats me cuisinent sans relâche ; leur principale préoccupation, c'est de savoir si un nouveau référendum sur la souveraineté doit se tenir au Québec bientôt. Bizarre ! Pour ces gens qui vivent chaque jour dans le danger, au milieu des balles qui sifflent, le principal souci, avant celui de leur propre survie, c'est la survie et l'unité de leur pays

C'est à bord de la caravane de l'ONU que je repasse par une Dubrovnik qui ne ressemble en rien à la superbe forteresse dont j'ai vu, depuis le hublot de l'avion, les murs blancs briller comme des joyaux en 1970. La ville est complètement démolie. La haine des Croates est palpable. À bord du camion-citerne dans lequel je me suis embarqué, François Bilodeau, un militaire de Québec me fait écouter plusieurs chansons de Céline Dion[17]. Mon jeune soldat mélomane a une mitraillette à portée de main. Ça se comprend ; le long des trottoirs, nous croisons nombre de regards haineux, même si les camions de l'ONU sont censés être des symboles de réconciliation. Serbes et

---

17. Je dois absolument mentionner ceci au sujet de cette grande chanteuse : j'ai fait le tour du globe au cours de ma vie, et s'il y a *un* endroit où ses chansons ne tournent pas, je veux qu'on me dise où ça se trouve. Je les ai entendues au Chili, de même que sur un bateau dans l'Antarctique, au Tibet, en Écosse, partout. Toute une ambassadrice !

Croates sont terrés de part et d'autre de la route rocailleuse et tortueuse. Il fait une chaleur insupportable, mais c'est la tension qui me fait transpirer! Partout où nous nous arrêtons, il nous faut payer plus cher que les prix affichés.

Nous arrivons finalement à Mostar. Au moment de mon premier voyage au pays, elle était la perle du royaume de Tito, traversée par une rivière verte bordée de splendides bâtiments et enjambée par un pont médiéval. On aurait pu y tourner des films d'époque sans retoucher le décor. Et voilà qu'elle est rasée... tant il est vrai que la bêtise humaine n'a pas de limites. (Dix ans plus tard, nombre de bâtiments auront heureusement été reconstruits à l'identique, et la ville renaîtra de ses cendres. Mais les cicatrices ne s'effacent jamais complètement...)

Nous nous trouvons sur la ligne de fracture. Le «lines», comme l'appelaient les Romains. À l'ouest, les Latins, et à l'est, les Orientaux. Les routes devenant impraticables, il nous faut attendre que les soldats ingénieurs de l'ONU construisent des ponts de fortune qui nous permettront de circuler. À ma descente du camion, un sergent m'invite à le suivre au milieu de bâtiments à moitié détruits. Nous entrons dans une école. Le soldat me recommande de mettre mes pieds là où il pose les siens. Au détour d'un couloir, un étrange malaise s'empare de nous. Dans une classe, un tableau noir, sur lequel sont écrites des instructions du professeur à ses écoliers, nous laisse songeurs. Les élèves n'ont certes pas eu le temps de rendre leurs derniers travaux... À quelques pas de la petite école, une usine de montage à moitié démolie nous fait voir des voitures Renault complètement calcinées, encore suspendues à leurs chaînes.

On dirait que le temps s'est arrêté.

Nous revenons en Croatie quelques jours après le passage des Serbes, qui sont venus y faire la chasse aux familles croates. Celles-ci se sont naturellement vengées, assiégeant les maisons appartenant à des Serbes et leur accordant un délai de 48 heures pour rassembler leurs biens et foutre le camp. Ceux qui tentent de revenir tombent régulièrement sur des mines antipersonnel. À bord de la jeep d'un capitaine, je m'arrête à un poste de contrôle où des Croates ivres morts nous font signe.

— Papiers! Papiers! hurlent-ils à notre intention.

Ces faux douaniers examinent de long en large mes papiers de l'armée canadienne et des Nations Unies… et m'interdisent carrément de me rendre à Split et à Gračac. Le capitaine qui m'escorte me conseille de garder le silence, mais réclame à tue-tête l'intervention de l'officier responsable.

— *Where the fuck is the officer in charge here?* hurle-t-il à son tour.

En un éclair, une horde d'enfants de 14 ou 15 ans, tous armés de mitraillettes, sortent d'un fossé et se mettent à secouer violemment la jeep. Les plus hardis nous braquent carrément le canon de leur arme sur la tempe. J'ai des sueurs froides… très froides. Nous téléphonons à la police militaire et, au bout de quelques longues minutes, des soldats russes arrivent et tâchent de parlementer avec le groupe de militants éméchés. C'est peine perdue.

— Ou bien vous empruntez la route de la montagne, ou bien vous retournez à Zagreb. C'est à prendre ou à laisser.

Il fait 35 degrés Celsius et, malgré cela, la sueur se glace sur notre peau. En temps normal, nous aurions mis une soixantaine de minutes à traverser la montagne. Ce jour-là, il nous faut plus de trois heures à cause des mines antipersonnel. Mon chauffeur, le capitaine Maybee, zigzague tout au long du chemin parsemé de ces pastilles recouvertes d'une couche de bitume. Nous atteignons enfin le campement canadien de Gračac tard le soir. Après une nuit sous la tente, on m'invite à me joindre à une caravane, et nous reprenons la route. On m'équipe d'une veste pare-balles et on place un coussin antimines sous mes fesses, prudence oblige.

Quelques jours plus tard, nous voici à Sarajevo. Je vois les installations olympiques — détruites comme le reste — et le stade, et j'ai une pensée pour Gaétan Boucher, le patineur de vitesse québécois qui y a triomphé 10 ans plus tôt, aux Jeux de 1984. Au centre-ville, les édifices abîmés par la guerre, les tramways paralysés et la désolation témoignent de toute la violence des récents événements. Parfois, devant les vestiges de ce qui semble avoir été une maison cossue, un parterre a été transformé en jardin de légumes par les survivants.

Un peu plus loin, de jeunes enfants, turbulents et innocents comme tous les enfants du monde, m'offrent des fleurs cueillies je ne sais où.

À la tombée du jour, les officiers du régiment Princess Patricia's Canadian Light Infantry me suggèrent de passer la nuit dans un poste d'observation en montagne, sur la frontière onusienne séparant cette fois les combattants serbes et les musulmans. L'obscurité n'est pas encore totalement tombée que, déjà, les coups de feu retentissent dans la nuit. J'arrive à suivre des yeux la trace lumineuse des balles qui sifflent au-dessus de nos têtes. Au bout d'une demi-heure d'un feu nourri, les soldats canadiens réalisent que les musulmans s'approchent du poste où nous sommes. Notre position est beaucoup trop inconfortable. Ils décident de déserter le campement et de rentrer d'urgence à Visoko.

Dans l'ancien entrepôt où loge le régiment, je tente tant bien que mal de relaxer. La nuit est très agitée; des fusées lumineuses que se lancent de part et d'autre les belligérants déchirent constamment le ciel. Pourtant, toute la journée, des mécaniciens serbes et des débosseleurs musulmans ont travaillé côte à côte dans la cour de la base de Visoko, occupés à réparer les véhicules de Nations Unies abîmés par les combattants de leur clan respectif... Il faut croire que l'argent n'a vraiment pas d'odeur !

Le lendemain, je passe un coup de fil à Paul Arcand, qui est alors au service de CJMS, pour lui rapporter les événements que je viens de vivre. Comme ses auditeurs, je présume, il n'en revient tout simplement pas.

L'armée me donne alors deux jours de congé. Un officier galonné me suggère d'aller frapper à la porte du sanctuaire de Saint-Jean-Baptiste de Kralvena Sutjeska, sis à une demi-heure de Sarajevo, où je pourrai séjourner, moyennant une contribution volontaire. Oublié par la haine, ce monastère catholique est un havre de paix au milieu d'un enfer ! Les offices religieux et les cantiques, ainsi que l'abnégation de ces moines, me font réfléchir sur la folie de la guerre. Je mange avec eux des repas frugaux et participe à quelques-unes de leurs cérémonies de prières au beau milieu de la nuit, pendant qu'à l'horizon résonnent de lointains coups de canon...

À la veille de mon retour chez les militaires, je m'arrête dans un bistro. Un jeune homme dans la trentaine vient s'asseoir à ma table et nous nous mettons à discuter en anglais. Il se nomme Joseph Trogycevic, et il me jure qu'il ira finir sa vie au Canada. Pour quiconque vit dans la misère, le Canada représente toujours un éden. Pour moi, cet homme est un rêveur semblable à tous ceux que j'ai croisés dans chacun des pays pauvres que j'ai visités. Le Canada, pays paisible s'il en est un, semble utopique aux yeux de ces gens. Et nous sommes en 1994! Eh bien, croyez-le ou non, je tomberai sur le dos lorsque, en 2000, au retour de mon troisième voyage en son pays démoli et rebâti, Pierre Dufault me présentera... mon compagnon, devenu propriétaire du Breakfast Club de Brossard! Aujourd'hui, malgré le nom pas très français de son commerce, monsieur Joseph le Croate dirige une entreprise québécoise comptant 70 employés. Au contraire de nombreux autres réfugiés, il est demeuré au Québec plutôt que de traverser chez nos voisins du sud. Nul doute, pour réussir, il n'y a qu'à travailler fort et à prendre conscience que le monde est petit

Au bout d'une dizaine de jours, il est temps pour moi de retourner à Zagreb, d'où je compte filer vers la Suisse. L'aéroport de Sarajevo vient tout juste de rouvrir à la suite de l'intervention de la Légion française, mais l'ennemi surveille l'aéroport depuis la montagne. C'est à bord d'un gros Antonov-24 russe à six moteurs, rempli à craquer de militaires de toutes nationalités, que j'effectue le voyage entre Sarajevo et Zagreb. À l'intérieur de l'appareil, les soldats de l'ONU sont adossés à la carlingue. Un Polonais lance soudain un cri déchirant; une balle perdue vient de se loger dans son épaule. Je revois en pensée les dangers qui m'ont guetté tout au long de ce séjour, puis songe à tous ces périls que j'ai frôlés de si près dans diverses parties du monde, et je prends conscience de ma chance d'être toujours vivant et en bonne santé…

Tout au long de ce périple de 1994, sur la route cahoteuse que je parcours aux côtés des soldats canadiens, je constate que nos casques bleus ne servent pas qu'à tenir les belligérants à distance. Quand il s'agit de réparer une fuite d'eau ou de rétablir le courant, les populations éprouvées sont toujours heureuses de les voir arriver. En rentrant à Montréal, je publierai à ce sujet un long article dans *La Presse*. C'est feu Claude Masson qui m'a ouvert les pages du quotidien de la rue Saint-Jacques. Quelque temps après la parution de l'article, je recevrai une lettre de remerciement de la part du 22ᵉ Régiment. Le major général Forand, dans cette lettre, se dira heureux de voir qu'un reporter souligne enfin le rôle humanitaire de l'armée canadienne dans le monde.

Six ans plus tard…

En l'an 2000, au terme d'un circuit de 50 jours dans les pays de l'Est avec ma belle Bianca, je retourne à Dubrovnik. Les commerçants font alors des affaires d'or, et le tourisme fonctionne à plein régime. Les Croates ont rebâti la citadelle avec les mêmes vieilles pierres. Ma compagne, étourdie par la beauté des lieux, n'arrive pas à croire tout ce que je lui ai raconté concernant mon précédent voyage de 1994. Une pharmacie qui a pignon sur rue depuis plus de 14 siècles est toujours là, plus active que jamais. Des maux et des malaises, et surtout des blessures, comme elle en a soigné! Entre les tables des petits restaurants qui se sont installés le long des remparts, des musiciens chantent l'amour… Les gens ont la mémoire bien courte, ne trouvez-vous pas?

Retour sur la grande île verte

La Yougoslavie n'est pas la seule à avoir conservé des traces des conflits qui l'ont déchirée; l'Irlande du Nord, elle aussi, a la peau bariolée de marques. Par contre, depuis la signature de l'Accord de paix du Vendredi saint, conclu en avril 1998, qui établit la nouvelle Assemblée nord-irlandaise, elle mise sur des jours meilleurs. Mais les jours meilleurs tardent à venir. Et ça se comprend.

Je retourne en Irlande en 2005 avec à mon côté, cette fois, ma compagne Bianca. Tandis que nous déambulons dans certains quartiers, j'ai froid dans le dos en voyant les murs placardés d'affiches évoquant ces jeunes qui furent abattus par l'une ou l'autre des factions. Bientôt, un écriteau nous indique que nous entrons dans le secteur des vaillants protestants, prêts à mourir pour leur attachement à l'Angleterre.

Dans ces conditions, comment attirer des visiteurs dans ce superbe pays? Pourtant, Belfast a beaucoup à offrir. Ses alentours également. On m'y fait visiter le palais de Stormont, de style anglo-palladien, siège du Parlement d'Irlande du Nord, dont les couloirs ne sont arpentés annuellement que par quelques touristes. On me fait visiter la nouvelle Sssemblée. La guide, très engagée politiquement, me confie que ce Parlement risque de devenir l'équivalent d'une Assemblée provinciale.

— Comme chez vous, ce que nous ne voulons pas, conclut-elle.

Il y a donc encore du chemin à parcourir avant de réconcilier Nord et Sud…

C'est à l'extérieur des grands centres, toutefois, que je découvre l'immensité de l'Irlande dont les magnifiques panoramas parsèment depuis toujours une littérature foisonnante de mythes. Mon parcours me dirige vers la Chaussée des Géants, site incroyable né d'une éruption volcanique. C'est un lieu des plus étranges où l'on compte près de 40 000 colonnes hexagonales de basalte qui s'élèvent entre la mer et les falaises ; les plus grands de ces prismes font plus de 12 mètres de haut. Le pont de corde situé à Carrick-a-Rede, sur la côte Causeway, et les montagnes de Mourne, massif montagneux granitique traversé par le célèbre muret de pierres, sont autant de lieux représentatifs de cette Irlande qui a toujours si bien nourri l'imaginaire collectif.

Pays de falaises et de bras de mer, c'est le long de ses côtes que se développa la littérature irlandaise, la plus vieille d'Europe, prétend-on. Quatre prix Nobel couronnèrent cette littérature au fil du temps. La variété — et l'immensité — des paysages d'Irlande donne l'impression de se retrouver dans un décor à la fois romantique et fantastique. Par ailleurs, la pluie qui imbibe abondamment son sol a abreuvé les plus beaux chevaux du monde — cela serait attribuable à un haut taux d'iode dans les herbes. Ces chevaux magnifiques, qui furent honorés maintes fois, ont pour ancêtres des bêtes d'origine arabe qui s'échouèrent sur la côte à la suite d'un naufrage.

L'Irlande a pour patron saint Patrick, et sa fête, le 17 mars chez les catholiques, annonce au sud le début de la saison touristique. Il suffit d'un air de violon et d'une chanson pour que les festivités commencent. Les pubs, remplis à craquer les soirs de matches de rugby, sont le théâtre de bagarres épiques entre les buveurs rougeauds qui finissent bien souvent par recevoir un coup de poing sur le nez... Au nord, les orangistes, pour leur part, paradent en juillet pour célébrer la victoire des protestants à la bataille de Boyne sur l'armée catholique de Jacques II, survenue en 1690. Que diriez-vous de ça si, chez nous, un défilé saluait, le 13 septembre de chaque année, la victoire de Wolfe sur Montcalm ? Il n'y a pas à dire, nous ne sommes pas la seule nation à contenir deux solitudes entre ses frontières...

Le sud, qui se modernise, conserve son influence catholique. La plupart des écoles, certains hôpitaux et services sociaux dépendent de l'Église, et 85 % de la population demeure pratiquante. C'est étrange de voir de jeunes enfants de chœur sortir de la cathédrale au son des bourdons qui retentissent dans ce ciel si fréquemment gris.

Et comme l'Irlande eut par le passé ses quartiers insalubres, c'est au Temple Bar de Dublin — toujours en activité aujourd'hui —, où se tenaient toutes sortes de gens, que naquit en 1746 le parlementaire Henry Grattan qui, à l'âge de 36 ans, réclama l'indépendance législative de son pays. Comme quoi il est vrai que dans les bars, on refait et défait le monde...

On peut tous rêver de ce pays verdoyant et mythologique, avec ses maisons aux toits de chaume, avec ses pubs où, tous les soirs, une musique mélancolique transporte une Irlande chargée d'une douloureuse et courageuse histoire. Et malgré toute la beauté qu'offre ce pays insulaire, il n'en exhibe pas moins les cicatrices de décennies d'hostilités...

C'est pour toutes ces raisons qu'il faut s'empresser de voir le monde. Pas seulement pour jouir de la nature sauvage de certains coins isolés, nature intouchée peuplée de tribus aux mœurs encore pures, ni pour avoir le bonheur d'admirer de nos yeux les monuments les plus majestueux, les plus colossaux, qu'érigea la main de l'homme au fil des siècles. Il faut voyager parce que le monde change sans cesse. En observant ces changements, en les vivant, en respirant l'air de contrées si lointaines qu'on peut à peine concevoir leur existence et en y retournant pour en reprendre le pouls, on peut dire au moins que notre voyage sur terre n'aura pas été vain. C'est lorsqu'on néglige de poser directement nos yeux sur les merveilles de notre monde qu'on doit se résoudre à dire, hélas, qu'on a manqué le bateau…

Conclusion

Depuis les premiers moments de ma vie, je fus guidé par cette soif insatiable qui m'amena à constater, d'un voyage à l'autre, que l'on n'a jamais terminé d'apprendre. Voyager, somme toute, c'est véritablement fréquenter l'université du monde. Au fil de ces pérégrinations s'accumula en moi un bagage qui me servit dans mes rapports avec autrui, ainsi que dans la poursuite de ma carrière.

Toutefois, l'appel du large vient aussi avec sa part de risques. À quitter si souvent ma terre natale, évidemment, j'ai ébranlé plus qu'à mon tour la stabilité de ceux qui m'aiment. Le voyageur, c'est le prix à payer, traverse énormément de ruptures, qu'il s'agisse de relations personnelles ou de liens professionnels. Le grand amoureux rêveur que j'étais dans la vingtaine fut bien forcé de l'admettre au fil du temps : aimer de loin, si romantique que ce soit, c'est en fin de compte aimer l'absence... « Je t'aime encore plus quand tu n'es pas là », aurais-je pu dire à mes conquêtes de jeunesse. Oui, prendre sans cesse la clé des champs peut coûter cher.

Cependant, les leçons apprises en chemin valent leur pesant d'or. Expérimenter autant de contacts humains différents, devoir si souvent faire face à d'autres cultures me permit évidemment de relativiser ma propre situation, celle des miens, celle de ma terre natale. Le regard n'est riche que s'il s'est posé ailleurs que sur soi, dit-on... Quand je fais le bilan de mes voyages et de ma vie, j'éprouve une grande satisfaction. Je suis fier d'avoir su mordre dans la vie et d'être ainsi parvenu à étancher ma soif de découvrir et de connaître. Je me devais d'aller voir ; je me devais de rassasier ma curiosité. Je crois avoir réussi. Qui plus est, je suis très fier d'avoir inculqué à mon fils Nicolas, ainsi qu'à tant d'autres qui acceptèrent de me suivre en des pays que j'avais déjà visités, ces mêmes virus de l'histoire et des voyages. C'est d'ailleurs Nicolas qui m'obligera à aller voir l'Islande, ce pays d'une grande beauté et le plus instruit du monde.

Après tant de kilomètres parcourus, j'ai vécu le double des aventures qu'ont vécues les gens de mon âge, même si le bout de chemin qu'il me reste à parcourir est toujours rempli de mystères. Jamais, à mes yeux, le voyage ne deviendra banal et récurrent.

À vous, lecteur, lectrice, qui aurez peut-être envie de fouler les mêmes sentiers, je vous en souhaite autant.

• • •

Mars 2007. En pleine forme physique, je m'apprête à entreprendre un voyage en Iraq quelques semaines plus tard. La chaîne de télévision Évasion, qui m'envoie en reportage, a tout prévu.

Mais le sort en décide autrement. Du jour au lendemain, je me retrouve cloué à un lit de l'Institut de cardiologie de Montréal. Une urgente opération au cœur met un terme à mes parcours autour de cette bonne vieille terre. Les voyages forment la jeunesse, mais, visiblement, ils usent aussi les artères... Impuissant, je m'incline. Le psychologue chargé de me préparer à l'opération me prévient que je ne verrai plus la vie de la même manière. Mon Dieu, qu'il avait raison! Convalescent, je redécouvre l'amour des miens, de Bianca, ma nymphe Calypso, qui m'accueille pour prendre soin de son Ulysse et veille sur moi comme sur un naufragé. Cet accident cardiaque qui a failli me faire quitter la frontière de la vie m'amène peu à peu à m'adoucir ; quoi de mieux que de voir la mort de près pour réaliser combien la vie est précieuse! J'apprends à moins m'obstiner, à moins entretenir l'adversité. La vie passe si vite... Somme toute, cette expérience m'aura permis d'effectuer un autre voyage : un voyage intérieur.

Lorsque ma santé me permettra de repartir, l'Iraq sera probablement ma dernière excursion périlleuse. Mon ami Ben Weider, devenu une figure emblématique, y avait été invité à la condition que je l'accompagne. C'était Babylone qui nous attirait... En plus d'être de grands admirateurs de Napoléon Bonaparte, Ben et moi partagions un intérêt pour ce grand conquérant que fut Alexandre le Grand, lui qui, à l'âge de 33 ans, rendit l'âme à Babylone. Malheureusement, monsieur Weider nous a quittés le 17 octobre 2008, avant de pouvoir s'y rendre. Peut-être irai-je tout de même en Iraq, mais ce sera probablement mon dernier voyage d'aventure.

Quoi de mieux que rêver lorsqu'on est en convalescence! Je rêve de me rendre un jour à Tahiti, territoire outre-mer sous protectorat français. Si Dieu me prête vie, je finirai certainement par y aller. Celle qu'on appelle la nouvelle Cythère fut, à l'époque, le sanctuaire d'Aphrodite. Une île perdue en plein milieu du Pacifique, dans laquelle les filles se dénudent pour célébrer. Dans mon rêve, comme dans la chanson de Jean Sablon, je croiserai en ce lieu paradisiaque l'artiste Paul Gauguin venu y cuver sa peine et son mal de vivre. J'entendrai chanter Joe Dassin, décédé dans ce paradis, qui devint immortel comme Elvis Presley. Je penserai à Marlon Brando, mon idole de jeunesse, qui finit par y apprendre le français... puis à Jacques Brel, qui vint s'y éteindre et repose dans l'île de Hiva Oa.

Le jour où j'irai, cependant, ce ne sera pas pour y mourir. C'est un rêve, mais je suis de ceux qui croient qu'il faut réaliser ses rêves. Et, au fond, le vrai voyageur n'est-il pas celui qui n'arrive jamais à destination?

Table des matières

Imprimé sur du Rolland Enviro100, contenant 100% de fibres recyclées postconsommation, certifié Éco-Logo, Procédé sans chlore, FSC Recyclé et fabriqué à partir d'énergie biogaz.

La production du titre *Le voyageur qui n'arrive jamais* sur du papier Rolland Enviro100 Édition, plutôt que sur du papier vierge, réduit notre empreinte écologique et aide l'environnement des façons suivantes :

> Arbres sauvés : 29
> Évite la production de déchets solides de 847 kg
> Réduit la quantité d'eau utilisée de 80 143 L
> Réduit les matières en suspension dans l'eau de 5,4 kg
> Réduit les émissions atmosphériques de 1 860 kg
> Réduit la consommation de gaz naturel de 121 m³

C'est l'équivalent de : 0,6 terrain de football américain d'arbres, de 3,7 jours de douche et de l'émission de 0,4 voiture pendant une année.

Marquis imprimeur inc.

Québec, Canada,
avril 2009